中国近现代针灸文献研究集成

教材卷

王富春 杨克卫／主编

针灸综合分卷

广东篇（一）

北京科学技术出版社

图书在版编目（CIP）数据

中国近现代针灸文献研究集成. 教材卷. 针灸综合分卷. 广东篇 / 王富春, 杨克卫主编. —北京：北京科学技术出版社, 2021.11
ISBN 978-7-5714-1905-9

Ⅰ. ①中… Ⅱ. ①王… ②杨… Ⅲ. ①针灸疗法—文献—汇编—中国—近现代 Ⅳ. ①R245

中国版本图书馆CIP数据核字(2021)第204682号

策划编辑： 侍 伟
责任编辑： 吴 丹
文字编辑： 吕 艳 董桂红 杨朝晖 严 丹 陶 清
责任校对： 贾 荣
图文制作： 北京艺海正印广告有限公司
责任印制： 李 茗
出 版 人： 曾庆宇
出版发行： 北京科学技术出版社
社　　址： 北京西直门南大街16号
邮政编码： 100035
电　　话： 0086-10-66135495（总编室） 0086-10-66113227（发行部）
网　　址： www.bkydw.cn
印　　刷： 北京捷迅佳彩印刷有限公司
开　　本： 787 mm × 1092 mm 1/16
字　　数： 1727千字
印　　张： 190.25
版　　次： 2021年11月第1版
印　　次： 2021年11月第1次印刷
ISBN 978-7-5714-1905-9

定　　价： **2940.00元（全六册）**

“中国近现代针灸文献研究集成”丛书

编委会

张　琪	张　楚	张子扬	张丹枫	张珊珊	张晓旭
张晓梅	张瀚文	陆孟静	陈丽丽	陈春海	陈维伟
陈新华	邵　阳	范芷君	范嘉毅	岳永月	周　丹
冶丁铭	赵晋莹	赵雪玮	胡英华	柳正植	哈丽娟
钟　祯	洪嘉靖	姚　琳	贺怀林	柴佳鹏	党梓铭
徐　铭	徐万婷	徐立光	徐晓红	高　姗	郭丽君
郭晓乐	曹　洋	曹家桢	康前前	董国娟	蒋海琳
韩香莲	路方平	詹旭晖	谭蕊蕊		

《中国近现代针灸文献研究集成·教材卷》

编 委 会

主 编 王富春 杨克卫

副主编（按姓氏笔画排序）

王朝辉 刘成禹 刘晓娜 李 铁 张 敏 陈新华
周 丹 赵晋莹 胡英华 徐晓红 董国娟 蒋海琳

编 委（按姓氏笔画排序）

马天姝 王义安 王艳雯 王笑莹 王朝辉 王富春
白 伟 朱 斌 刘成禹 刘春禹 刘晓娜 孙佳琪
李 铁 李乃奇 李芃柳 杨 鑫 杨克卫 杨春辉
张 敏 张 楚 陈春海 陈新华 周 丹 冶丁铭
赵晋莹 胡英华 柳正植 哈丽娟 洪嘉靖 徐立光
徐晓红 郭晓乐 曹 洋 董国娟 蒋海琳 韩香莲
路方平

总 前 言

1840年，鸦片战争爆发，西方列强入侵中国，自此中国由独立的封建社会逐步沦为半殖民地半封建社会。20世纪初，受“五四运动”时期各种新思潮的影响，许多有识之士开始积极地向西方学习，由此，大量的自然科学和社会科学知识传入中国，这对中国的政治和社会经济等都产生了重大影响。近代西医学的影响力逐渐增大，解剖学、生理学等知识开始被当时的人们所了解和接纳，西医医院、西医学校等机构也在中国相继出现。随着西医医护队伍的不断壮大，许多人以转译日本人所著的西医学书籍的方式来学习西医学，并成立了相应的学术团体和职业团体。这一时期的针灸界亦是如此，宁波东方针灸学社、中国针灸学研究社等学术团体相继成立，针灸医家访问日本，带回大量日本的针灸著作并将之翻译出版。这些翻译著作较传统针灸医籍更容易学习，颇受民众喜爱。中国近代中医学家、教育家对针灸学术的研究极大地推动了针灸学的现代发展。中华人民共和国成立后，中医针灸学研究越来越受到重视，著书者众、办学者多，由此，针灸成为中医学研究与发展不可或缺的一环，并逐渐在世界范围大放异彩。2010年，中医针灸被列入《人类非物质文化遗产代表作名录》。中国近现代是中西方思想碰撞的时期，是中医学术多流派发展、百家争鸣的时代，其中又以民国时期最具代表性。研究民国时期这一特殊历史时期的针灸文献，可以为今后的针灸学术发展提供良好的借鉴。“中国近现代针灸文献研究集成”丛书对中国近现代针灸文献进行收集、整理和研究，其中以民国时期的针灸文献为主。

一、民国时期针灸的发展概况

民国时期的针灸学术研究一直未被学界所重视，但作为传统针灸与现代针灸的衔接，这一时期的针灸学术研究影响深远。民国时期是中医针灸学院化教育的萌芽时期，是现代针灸教育模式的源头时期，是针灸学术发展的历史转折期。近年来，对于民国时期针灸文献的研究逐渐被学界重视，大量民国时期的针灸医籍得以整理出版，如承淡安编撰的《中国针灸治疗学》《中国针灸学讲义》，杨医亚在民国时期办学的讲义等。然而，随着对民国时期针灸学术、针灸医籍的研究日渐增多与深入，研究者们面临着一个共同的难题——民国时期针灸文献的收集十分困难。这一难题产生的主要原因是民国时期的针灸文献存量不多，有些甚至已经失传。

经历了明清时期的积淀，民国时期的针灸学术得到进一步发展，针灸学术团体、学术体系逐渐形成，这一时期是传统针灸向现代针灸过渡的时期。以承淡安为代表的澄江针灸学派的先辈们创办中国针灸学研究社，开办针灸讲习所，招收学员，传播针灸技术，实践“针灸科学化”，对民国时期的针灸学术发展具有举足轻重的作用。民国时期针灸名医曾天治提倡的“科学针灸”的理念在这一时期备受关注，这对现代的针灸教育及针灸体系产生了巨大影响。中华人民共和国成立初期，全国各地兴办针灸学校，以承淡安为代表的针灸医家在继承古法、融汇新知的基础上，总结民国时期针灸学术研究成果及针灸教育的经验，开办针灸学习班，创办针灸高等教育学校，为现代针灸教育的发展打下了坚实的基础。

二、民国时期针灸文献的保存现状

有学者据《中国中医古籍总目》考查，发现民国时期的针灸医籍共有193种，较之明代的24种、清代的86种多出数倍。另有学者认为，民国时期的针灸医籍共有254种，其中中国本土针灸医籍有229种。民国时期是针灸医籍大量出现的时期。随着印刷技术的发展，出版书籍的成本逐渐降低，许多书籍得以大量出版。另外，民国时期各种中医学校、学术团体大量涌现，由于教学及学术交流的需要，针灸医籍的出版数量激增。

然而，对这些文献的保护并未得到足够的重视。首先，受当时的历史条件所限，大量图书并未经过正规出版，只是简单印刷，数量较少，且战乱频仍，导致不少文献难以留存全本。其次，由于不是正规出版物，相当一批文献没有进入馆藏系统，而是散落于民间，这使得这些文献留存状况不明，有些文献已经成为孤本，甚至已经散佚。同时，由于当时书籍纸张的质量普遍较差，且装订十分粗糙，部分文献在辗转流传过程中被损坏，已成残本，这种情况尤以油印材料及手抄本为突出。民国时期是我国出版业由手工造纸、印刷向机械造纸、印刷的过渡时期，相关技艺还不够成熟，用于印刷的纸张酸性强、保存期限短，加上长期以来各馆藏机构对民国时期文献的保护观念滞后、认识不足、保管不善，以致部分医籍呈现出不同程度的老化或损毁现象，情况岌岌可危。当前，亟须对这批文献进行重新整理及抢救性保护，使之进入国家各级馆藏体系，为我国针灸学术的传承及中医药事业的发展提供宝贵的文献资料。

三、本丛书所收录的针灸文献情况分析

（一）本丛书所收录的针灸文献书目

作者团队通过查阅《中国中医古籍总目》《中国针灸文献提要》《中国针灸荟萃·现存针灸医籍》《民国时期总书目·医药卫生》等工具书，参考各省（自治区、直辖市）及院校图书馆、档案馆和民间个人收藏书籍，共收集针灸文献1000余种，以来源可靠、记录严谨、实用性强、学术价值及文献价值高为原则筛选出210余种针灸书籍作为本丛书的书目。本丛书所收录的针灸文献以私人藏书为主，除了涵盖约90%的《中国中医古籍总目》所收录的民国时期的针灸文献，还增补了《中国中医古籍总目》所未收录的民国时期的针灸书籍近50种，其中不乏珍稀文献，如讲述“广西派针法”的《针灸菁华》、四川程兴阳的《针灸灵法》（石印本）等。对于抄本针灸文献，部分图书馆公藏的难以查阅，故本丛书未予收录，而民间发现的则择而收之。

本丛书按收录文献的内容题材进行分类分卷，并参考编者或学术团体所在地域进行分册，使体例清晰，便于使用。本丛书所收录文献按内容题材具体分为：①教材类；②专著类；③医案类；④杂志类；⑤图谱类；⑥其他（主要包括清末民国时期的佚名抄本等）。本丛书所收录针灸文献的情况如表1、表2所示。

表1　本丛书所收录针灸文献情况（按内容题材分类）

	教材类	专著类	医案类	杂志类	图谱类	其他
数量	54种	127种	5种	13种	6种	10种

表2 本丛书所收录《中国中医古籍总目》中针灸文献书目数量与《中国中医古籍总目》书目数量对比

	针灸通论类	经络孔穴类	针灸方法类	针灸临床类
"中国近现代针灸文献研究集成"收录书目数量	50种	23种	18种	16种
"中国近现代针灸文献研究集成"未录书目数量	15种	15种	8种	6种
《中国中医古籍总目》收录书目数量	65种	38种	26种	22种

注：《中国中医古籍总目》书目包括本丛书所收录书目与本丛书未录书目。其中抄本书目不在统计范围内，且《中国中医古籍总目》中的重复书目算作1种。①针灸通论类：收录50种，未录15种；另存抄本44种。②经络孔穴类：收录23种，未录15种（其中民国时期11种）；另存抄本64种，其中挂图7种，经查未见3种。③针灸方法类：收录18种，未录8种（多为太乙神针别本）；另存抄本15种（收录1种）。④针灸临床类：收录16种，未录6种（含针灸医案别本）；另存抄本17种。

（二）本丛书未收录的针灸文献书目

在对《中国中医古籍总目》进行查阅及对馆藏图书进行实地考察的基础上，现列举部分本丛书未收录的书目，以便后续收集。

针灸通论类：《针灸便览》、《中医刺灸术讲义》、《针灸秘法》、《简明针科学·论针篇》、《针灸纂要》、《针灸说明书》、《实用针灸医学》、《针灸学薪传》、《针灸学》（富锦文新书局）、《针灸学讲义》、《针灸精华》，以及《针灸学》（《中国中医古籍总目》载四川铅印本，经实地考察，实为《针灸医案》油印本）、《针灸学讲义》（重庆石印本，经查未见）、《针灸讲义》（石印本，经查与《针灸医案》同一函，蓝印）。

经络孔穴类：《脉度运行考》、《经络图说》、《俞穴指髓》、《铜人经穴骨度图》（张山雷）、《明堂孔穴针灸治要》（孙鼎宜）、《经络要穴歌诀》（经实地考察，该书与《经穴摘要歌诀·百症赋笺注》系同一馆藏代码，系重复编目）、《经穴辑要》（勘桥散人）、《十四经穴分布图》（姚若琴，经查未见，经考证为中华人民共和国成立后出版的，《中国中医古籍总目》有误）、《铜人新图》（范更生）、《正统铜人插针照片》、《实用铜人经穴图》（董德懋）、《针灸经穴挂图》（杨医亚）、《人体十四经穴图像》（赵尔康）、《人体经穴图》（承淡安）。以上多系人形挂图，未收录。

针灸方法类：《砭经》、《神灸经论》、《传悟灵济录》、《灸法秘传》、《灸法心传》、《延寿针治症穴道》等部分晚清针灸古籍。以上近年多有出版，未予收录。

针灸临床类：《济世神针》、《针灸治验百零八种》、《针灸医案》（系收录《针灸医案》别本）。

如上所述，本丛书基本涵盖了《中国中医古籍总目》所列大部分馆藏图书，亦收录了馆藏未见的民国时期的针灸书目近50种（其中新发现的民间私立学校所用针灸材料有数十种），缓解了目前民国时期针灸文献研究材料难得一见的窘迫局面，既能及时抢救该时期的中医针灸文献，又可使之化身千百，服务于学界，促进文化的传承。

四、民国时期针灸文献的价值及其对近现代针灸学术的意义

（一）民国时期针灸文献的价值

1. 文献保存

民国时期是一个战乱不断的特殊历史时期，战乱对书籍的保存流传的影响是灾难性的，如《针灸杂志》有35期，其中一部分印有千余册，时隔近百年，存世者已非常稀少，可见民国时期的针灸文献散佚了不少。部分老中医所藏医籍在1966—1976年亦有损毁，如著有《实用科学针灸》的谈镇尧（《中国中医古籍总目》为淡镇垚，系误）多年来整理的资料在这一时期几乎被销毁殆尽。《实用科学针灸》一书在河南中医药大学有藏，惜其只藏有中、下两册。在收集文献的过程中，作者团队收集到了谈镇尧的《实用科学针灸》《实用针灸讲义》。其中《实用针灸讲义》为1955年内部铅印本，其内容包含了谈镇尧已散佚的著述与资料，因此，该书的发现将谈镇尧的主要针灸医籍很好地保存了下来。民国时期的针灸文献凝结了一代中医针灸工作者的宝贵经验，是一代人无私奉献的结果，是我国中医针灸工作者宝贵经验和学术成果的集中体现。收集整理民国时期的针灸文献，可有力推动中医针灸学的发展。

2. 历史研究

1929年震惊中医界的“废止中医案”事件，使民国时期的中医学发展遭遇了前所未有的政策压制。民国时期的针灸史研究是整个近现代医学史研究的重要组成部分。目前我国对针灸史的研究多集中在民国时期以前的文献，对民国时期针灸文献

的研究基本处于空白状态。

民国时期是以澄江针灸学派为主导的多流派共发展、百家争鸣的时期。澄江针灸学派兴起于20世纪30年代。该学派以近代针灸名家承淡安先生为代表，以中国针灸学研究社核心成员及其传人为主体，是中国针灸学术发展史上具有科学学派特质的学术流派。民国时期该学派的代表人物还有罗兆琚、曾天治、赵尔康、杨甲三、程莘农等。该学派创办了民国时期影响最大、发行时间最长的针灸专业期刊《针灸杂志》，开创了具有现代化教育模式的中国针灸讲习所，推进了针灸学院化教育方式的发展。该学派的代表人物撰写了高质量的著作，如承淡安的《中国针灸治疗学》《中国针灸学讲义》，曾天治的《科学针灸治疗学》《针灸医学大纲》，罗兆琚的《中国针灸经穴学讲义》《实用针灸指要》，赵尔康的《针灸秘笈纲要》。这些书籍对民国时期及后世针灸医生影响甚深。除此之外，《（香港）广东中医药学校针灸学》（周仲房）、湖南国医专科学校《针灸学讲义》、《莆田国医专科学校针灸讲义》、《广西省立医药研究所针灸学讲义》、《广西省立南宁区医药研究所针灸学讲义》、《华北国医学院针灸讲义》、江苏省立医政学院《经络俞穴歌诀》等馆藏未见讲义陆续被发现，这为研究民国时期全国各地的院校教育提供了宝贵的一手材料。

作者团队在关注学院教育的同时，也收集到数目可观的民间私立学校的教学讲义，如《天津私立益三针灸传习所讲义》、《私立叔平针灸学社讲义》、《温灸术函授讲义》（广东温灸术研究社讲义）、《针灸菁华》（胡耀贞传习广西派针法使用的讲义）等。这些讲义使得民国时期的一些针法及治疗经验得以保存下来。

3. 临床应用

（1）“穴性”对初学针灸者的指导价值。“穴性”一词起源于民国时期。中华人民共和国成立后，“穴性”一词经李文宪、孙振寰等针灸医家的推广而广为流传。陈景文《实用针灸学》记载：“穴之有性质，亦犹药之有性质，知其性质，而后方明其功用。”该书将86穴分为气、血、虚、实、寒、热、风、湿8门。罗兆琚《实用针灸指要》记载：“夫所谓穴义者，即各穴具有之主要特性也，知其性之所在，而后明其功用之特长。故研究针灸术者，不知穴之性质，亦犹讲求方剂，而不识其药性。”该书记载了122穴，依旧将其分为8门。曾天治《针灸医学大纲》第五编“证治”中有“分门取穴”一节，此节除了介绍气、血、虚、实、寒、热、风、湿8门，又介绍了汗、肿、积、痛4门，然而后增的4门实为治疗处方，并非“穴性”。李文宪的《针灸精粹》亦记载了8门“穴性”的相关内容。20世纪80年代，孙振寰的《针灸心悟》记载了

"经穴性赋"的内容，使"穴性"广为流传。

"穴性"分气、血、虚、实、寒、热、风、湿8门。将药性与"穴性"进行对比，对腧穴进行分类，可使腧穴的临床应用更加系统化。"穴性"理论对于初学针灸者有较大帮助，初学针灸者可以依据症状选取穴位进行治疗，这种按"穴性"进行针灸治疗的方式在当时得到了众多医家的认可，并影响至今。

（2）"针灸科学化"为临床建立了相对容易理解的针灸理论体系。民国时期，在"五四运动"时期各种新思潮的影响下，西方科学技术和西医学在中国迅速传播，对针灸学术的发展产生了巨大而深远的影响。中医存废之争及中医科学化思潮使中医针灸面临着巨大的生存危机，以致民国时期的针灸医家被迫对当时的针灸进行反思和变革，试图用"西学"阐释和研究针灸，力求用"科学"改善针灸的生存环境；同时，日本针灸著作和研究成果的引进和翻译，将日本明治维新时期通过引进西方科学技术、西医学方法来阐释和研究针灸机制的方式带入中国。这使民国时期的针灸医家看到了曙光和希望，他们力图效仿日本而革新针灸，试图将中医针灸科学化，这也成为民国时期针灸学术的一大特色。

民国时期的针灸医家将解剖学引入对经络实质的研究中，进而阐释针灸治病的机制。如张山雷在《经脉俞穴新考正》中言："中医之所谓经脉，质而言之，即是血管。"但在民国时期，以血管阐释经络的理论并未占据主流。这一时期以承淡安为代表的针灸医家，将用"西学"阐释针灸原理的方式从日本带回中国并广泛传播。如承淡安在《中国针灸治疗学》中用神经、血管、淋巴来解释经络系统；在《增订中国针灸治疗学》中明确指出经脉由血管、淋巴、神经等构成，用刺激神经的理论阐释针灸治病的机制，通过"强刺激、中刺激、弱刺激"来阐释传统针法的泻法、平补平泻、补法，并将手法量化为具体的操作范式，以便于临床应用。

（3）"广西派针法"的传承与实践。"广西派针法"肇兴于清代末期，起源于广西，创始人为光绪年间著名针灸医家左盛德先生。民国时期，"广西派针法"传播于安徽、天津以及江南等地，成为国内闻名、成绩斐然、颇具影响的针灸流派。

罗哲初（1878—1944），字树仁，号克诚子，"广西派针法"的代表性针灸学家、针灸教育家。罗哲初弟子张治平受该学派思想影响，编著《针灸菁华》。该书现仍存世，是目前研究"广西派针法"的重要资料。以《针灸菁华》为主线展开研究，作者团队发现了以罗哲初、张治平为主传承的2支"广西派针法"传承脉络，一是张治平→吕应韶→胡耀贞的传承脉络，二是张治平→王文锦→于冈樵→白荫昇的传承脉络。通过对《针灸菁华》所载内容的初步梳理发现，该书应为“广西派针法”传习过程中的针灸讲义，经张治平、胡耀贞等弟子整理得以保存下来。参考“广西派针法”相关研究文章，可以窥见“广西派针法”的针灸特色，其特点为遵循子午流注学说，以奇经八法、井荥输经合、主客原络为取穴原则，运用生成数施行补泻手法，独擅针下辨气，将针下气感分为紧、绵、虚、顶、吸、滑、涩、软、微、无力、纯紧、纯虚12种，并在辨气的基础上，采用针刺手法以治疗疾病。《针灸菁华》记载了《六十六穴歌》，将六十六穴每穴编为七言歌诀以便记诵，并记载了《治验效穴歌》《行针秘要歌》等针灸治验歌诀，以便读者学习或研究。

罗哲初及其弟子张治平对“广西派针法”的传承做出了突出贡献。近代分布在天津、安徽、山西及浙江宁波等地的数名针灸医家（如天津的郑静侯、曹一鸣、张治平、华佩文，安徽的刘泽涛和田理全，山西的胡耀贞，以及浙江宁波的裘如耕等）与“广西派针法”皆有渊源。这些针灸医家对“广西派针法”进行了传承与发扬，如郑静侯对“奇经八脉推算开穴法”进行了研究，曹一鸣对“养子时刻注穴法”进行了研究，华佩文对“不留针法”的催气、调气、行气进行了研究，胡耀贞对“无极针法”进行了研究等。这些针灸医家在继承“广西派针法”精髓的基础上，崇尚古法，融汇古今，形成了独具一格的针刺方法及手法，对“广西派针法”的传播做出了卓越的贡献。

（二）民国时期的针灸文献对近现代针灸学术的意义

1.是对近现代中医针灸学术成果的系统总结和突出展示

民国时期的针灸文献记载了当时的针灸医家传承针灸学术的宝贵经验。民国时期是中医针灸学院化教育的萌芽时期，是针灸学术发展的历史转折期，是现代针灸区别于古代传统针灸的开端，是现代针灸教育模式的源头时期。对该时期的针灸文献进行系统、全面的挖掘和总结，是我国中医针灸发展史上具有里程碑式意义的大事。保护好、传承好这些中医针灸文献，并对其进行深入、系统的研究，发掘针灸医家的宝贵经验，不但可以为当今的中医针灸学术研究提供资料和良好的借鉴，还对我国中医药事业的发展具有重要的现实意义和历史意义。

2. 使针灸学术经验得到完整的传承

民国时期的针灸文献凝结了一代中医针灸工作者的宝贵经验，是一代人无私奉献的结果，是该时期我国中医针灸宝贵经验和学术成果的集中体现。我们应珍惜该时期的文献资料，珍惜一代人的无私奉献。通过收集整理、出版该时期的文献，可以有力地推动我国针灸学术的传承发展。

3. 有助于我国中医针灸产业的发展

作者团队对民国时期中医针灸文献进行细致的筛选，并对本丛书所收录的每一种文献进行了深入的研究，撰写了内容提要，对每一种文献的主要学术价值、临床实用性等做出了客观的评价。这使得本丛书整体的学术质量得到了明显提高，也为中医针灸文献后续的学术研究、临床实践、学术流派研究、新疗法创新等工作，奠定了良好的学术基础。长期沉寂在近现代针灸文献中的技术、疗法的不断涌现，必然会对我国针灸相关产业的发展起到积极的推动作用。

4. 填补学界空白，有助于促进我国优秀传统文化的发展

对民国时期针灸文献的研究填补了这一时期针灸文献学术研究的空白。此次整理是中华人民共和国成立以来对这一时期针灸文献最集中、最全面的收集整理。此次整理以《中国中医古籍总目》为主要线索，对该时期的材料进行地毯式搜集。此次整理、出版使近现代针灸文献（本丛书目前所收录的文献以民国时期针灸文献为主）得到了抢救性保护，缓解了当前部分文献传承断裂的严峻局面，使民国时期针灸文献整体进入国家各级馆藏体系，有力填补了民国时期针灸文献学术研究的空白，为我国中医针灸的传承和中医药事业的发展提供了宝贵的文献资料，从而大大促进了我国优秀传统文化的发展。

前　言

《中国近现代针灸文献研究集成·教材卷》所收录的近现代针灸教材文献多出版于民国时期，少数出版于中华人民共和国成立后。

民国时期针灸教育的发展可谓曲折，1914年北洋政府主张废止中医，1929年国民政府通过了“废止中医”的提案，这些举动大大地影响了我国针灸学术的继承和发展。此时期的针灸学家们也清楚地意识到了中医针灸濒于湮灭的危机，他们团结一心，通过开班办学、创办杂志、翻译国外针灸著作等实际行动振兴中医针灸学，为我国针灸学的继承及发展做出了重大贡献。中华人民共和国成立初期，在民国时期中医院校、针灸学术团体的基础上，全国各地大力兴办中医学校，开办针灸学习班，中医针灸学术和教育得以进一步发展。

民国时期是传统针灸与现代针灸的衔接时期，是中医针灸学院化教育的萌芽时期，是针灸学术发展的历史转折期，是现代针灸治疗及理论区别于古代传统针灸的肇始。总结民国时期针灸学术的研究成果及针灸教育的经验，对现代的针灸教育影响深远。

民国时期的针灸教育主要有以下几方面的特点：一是针灸教育团体、学术体系逐渐形成，针灸学校主要由社会团体或个人创办；二是形成了具有地域特征的针灸学术流派，传承有序、传播广泛；三是教学内容以传统中医针灸理论为基础，注重吸纳西学，提倡“针灸科学化”，如以《西法针灸》、《高等针灸学讲义》等为代表的国外针灸著作被译成中文广为流传。

如1931年承淡安等学派先辈们创办了中国医学教育史上最早的针灸函授教育机构——中国针灸学研究社，开办针灸讲习所，开创了我国近代针灸教育的先河。该研究社传授并实践“西式”针灸学术，所用教材《中国针灸治疗学》与传统的针灸学著作不同，采用解剖学来讲解腧穴的定位。为了深入研究新法针灸，1934年10月，承淡安东渡日本学习和考察日本的针灸学，并带回针灸教学图具和在中国已经失传的

《十四经发挥》等医学专著。中国针灸学研究社培养出了邱茂良、罗兆琚、曾天治、赵尔康、杨甲三、程莘农等众多针灸名家，他们遍布全国各地，传道授业，对澄江针灸学派的传承与发展、对中医针灸学的传承与发展做出了重要贡献。

又如广西派针法的代表罗哲初游学办学，继承古法，以师传身授的教学方式在上海、南京、宁波、安庆等地先后举办了8期“针灸讲习班”，培养了一大批造诣颇深的针灸医家。这些人遍布大江南北，为传承和发扬广西派针法发挥了重要作用。罗氏弟子中如郑静侯、张治平、曹一鸣等积极研究学习针灸学术，对民国时期民间针灸学术的发展起到了重要的推动作用。

为适应时代变化和针灸学术的发展，民国时期的针灸教材在重视传统针灸理论的基础上，大都积极借鉴西方医学理论知识体系，重新诠释传统针灸理论。当时以西医学解剖部位及神经、肌肉等知识讲述腧穴的定位，以西医学神经、生理等知识阐释针灸现象已被广泛认可。针灸教材的内容渐趋规范化、科学化、实用化。

从民国时期针灸教材的内容中可以看到这一时期针灸学术研究的状况以及现代针灸教材的雏形。

但是需要注意的是，民国时期的针灸教材文献存量不多，大多已经失传。作者团队以《中国中医古籍总目》为主要线索，对以该时期为主的针灸文献进行地毯式搜集，经过10余年的努力，收集了1000余种针灸文献。此次，作者团队遴选了民国时期的针灸教材文献54种作为研究对象，以期保存和传承这些文献，为中医针灸的发展尽一份绵薄之力。以馆藏未见讲义为例，作者团队搜集到数种难得一见的针灸教材，如《（香港）广东中医药学校针灸学》（周仲房）、《针灸学讲义》（湖南国医专科学校）、《广西省立医药研究所针灸学讲义》、《广西省立南宁区医药研究所针灸学讲义》、《莆田国医专科学校针灸讲义》等，为民国时期全国各地的院校教育的研究提供了珍贵的一手材料。

另外，作者团队在关注学院教育的同时，也收集到数目可观的民间个人创办的私立学校的教学讲义，如《天津私立益三针灸传习所讲义》、《私立叔平针灸学社讲义》、《针灸菁华》（胡耀贞传习广西派针法使用的讲义）等。这些讲义在继承明清时期文献的基础上，以传承古法居多，使得一些家传针法及治疗经验得以较好地保存下来。私立办学在民国时期对针灸学术的发展也产生了举足轻重的影响。

此次对54种针灸教材文献的整理，以文献的内容题材进行分类，并参考编者或学术团体所在地域进行分册，体例清晰，便于使用。《中国近现代针灸文献研究集成·教材卷》按内容题材分为：①针灸基础分卷；②针灸技法分卷；③针灸临床分卷；④针灸综合分卷。其中，针灸基础分卷又按地域分为江浙闽篇、北方篇、两广篇；针灸综合分卷按地域分为江浙闽篇、北方篇、广东篇、广西篇、湖南篇。通过上述的分卷、分篇，可以方便读者学习与研究该地区的针灸学术特色。

以民国时期为主的近现代针灸教材文献承载了该时期针灸医家传承针灸学术及教学的宝贵经验，对整个近现代的针灸发展具有深远影响。本次对这一时期的针灸教材文献进行系统整理、深度挖掘和总结，对我国中医针灸的发展具有重要的历史意义和现实意义：不仅可以保护珍贵的文献资料、呈现针灸教育发展史，还将填补民国时期针灸教材文献研究的空白，为现代针灸教育的改革与发展提供参考和借鉴。

目 录

广东中医药专门学校针灸学讲义（梁慕周）

提　要

一、作者小传

梁慕周（1873—1935），字湘岩，广东南海西樵人，是近代岭南著名针灸家。梁慕周自幼勤奋好学，聪慧过人，少从儒，擅诗词。在目睹家乡宗族十数人染疫病身亡后，梁慕周便决心研习岐黄之术，潜心攻读《素问》《灵枢》等医书，并四处拜访名医，后得邻乡名医黄赤诚指导。梁慕周医学造诣渐深，擅用华佗针灸法，精于内科、妇科诸证，在广州西关洞神坊43号设诊授徒，之后受聘于广东中医药专科学校和广东光汉中医专门学校任教员，主讲针灸学，兼授病理学、药物学等课程。同时还任广东中医公会执行委员兼文牍员、广东中医公会编辑主任、广东医学卫生社董事等职。民国时期北洋政府对中医歧视和遗弃的态度激起了中医办学界的热情，1929年，在反对“废止中医案”的全国性风潮中，梁慕周执笔起草《告海内外同胞书》，广为散发，影响很大。1930年，梁慕周等7位广东中医药界代表被聘为中央国医馆发起人，并代表广东出席中央国医馆成立大会。之后梁慕周还出任全国教材编委会委员。

梁慕周精通医理，长于文笔，文学修养极高，有“中医秀才”之称。梁慕周一生著述颇丰，现存著作有《医学明辨录》《病理学讲义》《针灸学讲义》《内经病理学讲义》等。

二、版本说明

《中国中医古籍总目》记载该书存有1936年广东中医药专门学校铅印章，线装3册。该书现藏于广州中医药大学、广东省立中山图书馆、中国科学院上海生命科学信息中心生命科学图书馆、上海中医药大学图书馆（残），另见于广东中医药专门学校各科讲义子目中。

三、内容与特色

该书第一章书口题“广东中医药学校针灸学讲义”，第二章书口题“广东中医药专门学校针灸学讲义”，正文第一页题“广东中医药专门学校针灸科讲义”，参考《中国中医古籍总目》，该书以《广东中医药专门学校针灸学讲义》为正名。全书共8章，203节，分为3册，先总论针刺，分类论针灸原理，刺法要点，误刺、禁刺理论和《黄帝内经》刺法等，次述针体总论，讨论九针形制和适应证。第一章针刺总论分82节，摘取《黄帝内经》经文，分类论针灸原理，刺法要点，误刺、禁刺理论和《黄帝内经》刺法等，该部分内容每节多引经文在前，各家注解于后。第二章为针体总论，探讨九针形制和适应证，其中九种针具包括镵针、员针、鍉针、锋针、铍针、圆利针、毫针、长针和大针。第三章为灸法总论，介绍灸法基础及寒热灸法。第四章为寻穴揭要，分5节介绍取穴要点和人体度量。第五章为穴道备纂，主要介绍十四经经穴歌诀和奇经八脉循行及经穴歌，包括任脉经穴、督脉经穴、足太阳经穴、手太阳经穴、足少阳经穴、手少阳经穴、足阳明经穴、手阳明经穴、足太阴经穴、手太阴经穴、足少阴经穴、手少阴经穴、足厥阴经穴、手厥阴经穴、奇经八脉穴等主要穴位及其歌诀。第六章为经穴备考，按任督脉、手足三阳经、手足三阴经顺序详列十四经经穴定位、刺灸法、主治。第七章针灸要录共22节，论述刺灸的操作、注意事项、治则等，尤详于灸论。其中前七节讲到针刺内容，包括制针、进针、向针、留针、退针等方法，以及晕针、折针后的处理方法。第八节至第二十二节为灸法内容，包括灸分补泻、艾炷大小、壮数多少、取穴原理、三种灸法（隔灸治法、灸器宜备、雷火针灸、盐灸法门）的操作、主治，以及灸疮护理。第八章为针灸赋选，收录《灵光赋》《席弘赋》《百症赋》《玉龙赋》《指要赋》等针灸歌赋。

《广东中医药专门学校针灸学讲义》是梁慕周先生结合个人经验并为教学所需而编著的广东中医药专门学校教材，一定程度上代表了其针灸学术特点。现将该书特色介绍如下。

（一）法宗《灵》《素》，术继诸家

梁慕周笃学好古，认真研读古籍，在编著该教材时，将《黄帝内经》作为针灸理论及临证的纲领。在继承传统古典针灸理论的基础上，分章节地将《灵枢》《素问》中关于针灸的经典论述分类编目，并将张介宾、马莳、杨继洲、张志聪等诸注家对该

目的阐释采集、附注于原文后，有助于学生对经文的理解。在编写第六章时，引经据典，以《针灸大成》为主，以《类经图翼》为辅，对每个穴位的定位、刺灸及主治的说明清晰明了，并对古籍间存在出入的地方进行详细论述。梁慕周治学严谨，对经穴定位进行精准表述，同时将特定穴在经穴定位后进行重点标注，对刺灸法的要求及禁忌详细说明，对经穴主治编纂周详，并对古代医家的治疗亮点加以附注补充。在叙述瞳子髎穴时，该书引用了针眼疾歌“眼肿红疼瞳子髎，三棱皆外五分挑，拔针放血称神水，攒足精明继续调”，此外还引用了《针耳疾歌》《天星十二穴歌》等。该书介绍的取穴方法也使人通俗易懂，例如，云颊车穴在耳下八分，侧卧时张口有凹陷的地方就是。在“第三个诸子百家时代”的背景及民国时期“中医科学化”的思潮下，以承淡安先生为代表的针灸界已开始对针灸的学术内涵、针灸课程的设置等进行积极的探讨和改革，并引入解剖学知识定位腧穴。梁慕周仍以《黄帝内经》古典针灸理论为纲目，集注家之长，这与梁慕周对古典针灸理论的重视和深入认识是密不可分的。

（二）尊古不泥，实践求实

梁慕周重视古典针灸理论，同时提倡尊古而不泥古，认为要在临证实践中验证前贤所论。在该书的按语中，梁慕周结合自身临证实践经验，记述了一则医案，以备后辈借鉴。医案记载了一位名叫谭礼庭的患者，其在来诊半年前患有左手麻木胀痛，看了当时的中医和西医50多位医者，疗效并不显著，麻木、疼痛的位置反而从手部蔓延到了腕部。来到梁慕周这里，梁慕周对他的病因病机进行了详细阐述，患者左手麻木病因在左手阳明经，而手少阳经及太阳经也受影响，遂选取了商阳、二间、手三里、曲池等共10穴，取得了非常不错的效果。该书中还介绍了用肩井、肩髃穴治疗妇女头痛，用环跳穴治疗臀痛等案例。对于膏肓穴，古今医家多认为宜灸不宜针，而梁慕周则曰：“昔贤多主用灸而禁针，慕尝疗治疟疾，乘其方来，如发寒则用补针，如发热则用泻针，出针立愈，不一而足，愿以公诸同好者。”另外对古人用灸动辄百壮，甚则千壮的记述，梁慕周指出“吾固不敢疑古人，吾亦不肯泥古，皆视其病之轻重而为之”，并举其临床治验一例：“尝治一黄氏妇，环跳穴处，经痛半年，即用艾贴用灸之，第一日灸六十壮，第二日七十五壮，共灸一百三十五壮，其痛遂疗。”梁慕周方慨叹“然后知天下之病，必有灸至百余壮，而病乃可奏功也，但亦居少数耳”。书中记述的瞳子髎放血治眼红肿痛、外患气病灸鸠尾而愈等，无不体现了梁慕周“医道固要信古，然亦不必泥古也”的主张。

（三）重视灸法，灸用补泻

该书对灸法的阐述颇详。梁慕周认为灸用补泻，直接灸效佳，云：“泻则艾粒取半截绿豆大，火灸见痛后，令病者小吸其气，旋令病者由丹田呼出其气，用长气以呼出之，吸占二而呼占八，在医生亦乘时以口吹去其火，此为灸泻法；补则艾粒取如绿豆大，火灸见痛，先令病者小呼出其气，旋令病者吸气，用长气以达到丹田，呼占二而吸占八，在医生亦乘时以手压熄其火，使火气由穴口尽行而透入之，此为灸补法。隔物灸则宜分症治之，认为经脉专病者则宜于独艾灸，病兼营卫者则宜于隔姜灸，病兼食道者则宜于隔蒜灸，或隔巴豆箱灸，病兼湿杂者则宜于和药灸。雷火针灸在治疗闪挫诸骨间痛及寒淫气刺痛者时，方用沉香、木香、乳香、茵陈、羌活、干姜、穿山甲各三钱，麝香小许，隔纸以灸患处也，再燃再按，九次可愈。盐灸法可治五淋，食盐炒小温，填满病者脐中，放如龙眼核大的艾绒于盐上，连灸七炷，如尚未痊，可灸足三阴交穴，贴肉灸五壮或七壮。”

该书对针刺补泻的论述十分扼要，梁慕周采用随咳进针法，法宗《黄帝内经》迎随补泻之意，“迎之随之，以意和之，此即补泻兼施之法”。该书引用《黄帝内经》“灸不三分，是谓徒冤，炷勿大也，小弱乃小作之”之论，认为炷大小应因病因人而异。其中在谈论壮数多少时，引用《千金方》《明堂》中的观点，即病深浅不一，壮数不可太轻或太过，需仔细观察。

该书重灸并将灸分为补泻及其对中医经典的重视值得借鉴。

廣東中醫藥學校鍼灸科講義

粤東南海湘巖梁慕周編輯

目錄

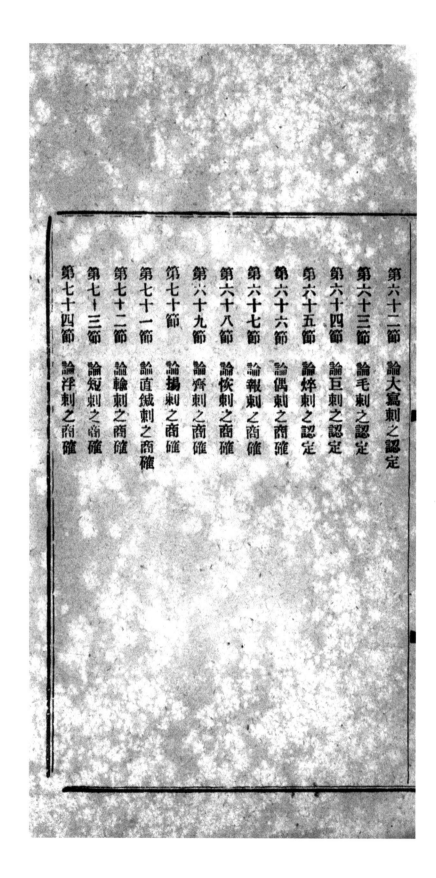

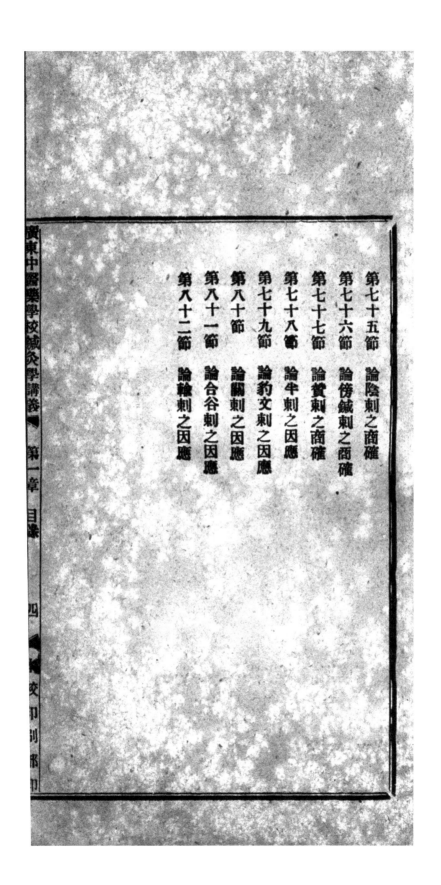

终始者。始于五臓。次手经脉。终于六气。盖五臓内生六经。大经外合六气之府生。故曰人生于地。命悬于天。迎随之要。知营卫之流注。经脉之往来也。明其阴阳之经。逆顺而取之。迎者以针头
辅其泻而逆之。

廣東中醫藥專門學校鍼灸科講義

粵東南海湘巖梁慕周編輯

第一章　備論鍼刺妙用

第一節　鍼刺之終始

靈樞終始篇曰。凡刺之道。畢於終始。明知終始。五藏為紀。陰陽定矣。陰者主藏。陽主府。陽受氣於四末。陰受氣於五藏。故瀉者迎之。補者隨之。知迎知隨。可令氣和。和氣之方。必通陰陽。五藏為陰。六府為陽。

馬元台曰。此言凡刺之道。當知此終始篇之大義也。藏為陰。府為陽。陽在外。受氣於四支。陰在內。受氣於五藏。故因其氣之來而迎之者。瀉之法也。因

逆者以針头逆其流而順之。逆之者為瀉。隨者順之去。隨補為逆也。

入針之後。若針下覺輕浮慢遲。乃真氣未到。若針下沉重濇滯堅實。是正氣已來。

入針之後。全視病者氣至與否以爲衡。昔人謂氣速效速。氣遲效遲。候之不至。必死無疑。可以知其故矣。

又氣至納針如魚吞鉤之象。

其氣之往而隨之者。補之法也。知迎隨爲補瀉。則陰陽諸經之氣可調矣。

第二節　經脉之取裁

所謂氣至而有效者。瀉則益虛。虛者脉大如其故而不堅也。堅如其故者。適雖言故。病未去也。補則益實。實者脉大如其故而益堅也。如其故而不堅者。適雖言快。病未去也。故補則實。瀉則虛。痛雖不隨鍼。病必衰去。必先通十二經脉之所生病。而後可得傳於終始矣。故陰陽不相移。虛實不相傾。取之於經。

馬元台曰。氣至而有效者。正以其瀉者已虛。而補者已實也。蓋瀉則益之以虛。虛者貴於脉之不堅。所以脉盡如其舊而按之不堅也（大如其舊、猶盡如其舊非脉之盛大也）苟堅如其故。則適纔雖言身體已快。其病尚未去也。夫然。則

痛症有屬陽。有屬陰。有屬半陰半陽。如痛無定處。痛又頻劇。此肝風煽火爆筋。風為陽邪。故其痛屬陽也。痛無已時。按之則順。溫按之更順。此寒水凝結而痛。此寒為陰邪。故其痛屬陰也。如痛有定處。謂之著痛。乃經生熱。浮游陰邪。熱為陽邪。故其痛屬半陰半陽也。

脉之堅與不堅。。虛實之所由驗也。。

第三節　陰陽之刺異

病痛者陰也。。痛而以手按之。。不得者陰也。。深刺之。。病在上者陽也。。病在下者陰也。。癢者陽也。。淺刺之。。

張隱菴曰。。此論表裡上下之陰陽。。夫表爲陽。。裡爲陰。。身半以上爲陽。。身半以下爲陰。。病在陽者名曰風。。故癢者陽也。。病在皮膚之表陽也。。病在陰者名曰痺。。痺者痛也。。故病痛者陰也。。以手按之不得痛者。。留痺之在內也。。此言表裡之陰陽也。。病在上者爲陽。。病在下者爲陰。。以形身之上下分陰陽也。。

第四節　鍼治之標本

病先起陰者。。先治其陰。。而後治其陽。。病先起陽者。。先治其陽。。而後治其陰。。

張隱菴曰。。陽病者上行極而下。。陰病者下行極而上。。從內之外者。。先調其內。。

廿以節三痛痛字應作痺痛鮮痺麻甚。痿麻因雖不明言痺字。而暗指於痺字于其中。痺痿。為对举之文也。否則痛症多有麻因烏得云痛痛為痿哉

虛則寔之實即補之之謂也若針前須要論其面手足以中宮任脈為界

從外之內者。先治其外。

第五節　迎隨之審度

靈樞九鍼十二原篇曰。往者爲逆。來者爲順。明知順逆。正行無間。迎而奪之。惡得無虛。追而濟之。惡得無實。迎之隨之。以意和之。

張隱菴曰。氣往則邪正之氣虛小。而補瀉之爲逆。氣來則形氣邪氣相平。而行補瀉爲順。是以明知順逆。正行無間。知往來所取之時而取之也。迎而奪之者瀉也。故烏得無虛。追而濟之者補也。故烏得無實。迎之隨之。以意和之。鍼道畢矣。

慕按迎之隨之。以意和之。此卽補瀉兼施之法。

第六節　鍼法之辨用

針右边大指進前為補、後為針左边大指退後為補針以由外由下捲上為補也若針身後多論头面手足中宮督脈為界針右边大指進前為補針以由外由下捲上為補也滿則泄之泄即瀉之之謂也若針身前多論头面手足之以中宮任脈為界針右边大指退後為瀉針左边大指進前為瀉針以由外由上捲下為瀉也若針身係多論头面手足針右边大指進前為瀉針左边大指退

凡用鍼者。虛則實之。滿則泄之。菀陳則除之。邪勝則虛之。

張隱菴曰。所論虛則實之者。氣口虛而當補之也。滿則泄之者。氣口盛而當瀉之也。菀陳則除之者。去脉中之蓄血也。邪勝則虛之者。言諸經有盛者皆瀉其邪也。

第七節　持鍼之愼重

持鍼之道。堅者爲實。正指鍼刺。無鍼左右。神在秋毫。屬意病者。審視血脈。刺之無殆。方刺之時。必在懸陽。及與兩衛。神屬勿去。知病存亡。血脉者。在兪橫居。視之獨澄。切之獨堅。

張隱菴曰。此言持針之道。在守醫工之神氣。以視病者之血脉也。持針之道。

泻為陽針以由外
由上提下為陽也当
用補針时使病者
以口吸氣当陽針
时使病者以口呼
氣当針中宮…
氣左右…然
以吸為補以呼為
陽

凡針寔症。当出
針時。俟其邪氣
由空而洩。不可
急閉其穴。宜
緩閉其穴也。凡
針虛症。当出針

貫至堅於。故堅者爲實。既堅持其針。乃正指而直刺之。無得輕針左右。當自守其神氣。不可眩惑。其妙在於秋毫之間而已。上文言守神者。病者之神氣。而此曰神在秋毫。神屬勿去。乃醫工之神氣也。所謂神在秋毫者何。須知屬意於病者。審視其血脉之虛實而刺之。則無危殆矣。方刺之時。又在揚吾之衞氣。爲陽氣者精爽不昧。而病人之衞氣。亦陽氣也。當彼此皆揚。使我之神氣。屬意於病者而勿去。則病之存亡。可得而知也。然血脉何以驗之。在於各經俞穴。而橫居其中者是也。視之獨澄。切之獨堅。此其爲血脉耳。然必先自守其神。而後可以視病人之血脉。其乃要之要乎。

第八節　手術之講求

素問刺志論篇曰。實者氣入也。虛者氣出也。氣實者熱也。氣虛者寒也。入實者。以手開鍼空也。入虛者左手閉鍼空也。

時。防其正氣由空而泄。最宜急閉其空。斷不可從緩而閉其空也。

實症針法。每用放血。虛症針法萬不可放血。

凡針實症用針宜速入速出。凡針虛症。直留針。用針緩用緩出。

灵枢經脈篇之論留針。則曰熱則疾之。寒則留之。此節刺寔寒熱。亦用留針。是知虛實寒熱。皆有留針。亦視其病如何而留針

馬元台曰。。所謂實者。。邪氣之入而實也。。非眞實也。。所謂虛者。。正氣之出而虛也。。乃眞虛也。。邪實者其體必熱。。氣虛者其體必寒。。寒熱之間。。虛實括矣。。又曰。。大凡用針之法。。右手持針。。左手掐穴。。及其入針瀉實之時。。其左手掐穴。。開針空以瀉之。。及其去針補虛之時。。則左手閉穴。。閉針空以補之。。先治僞實。。而後補眞虛。。此要法也。。

第九節　鍼態之去留

刺實須其虛者。。留鍼。。陰氣隆至。。乃去鍼也。。刺虛須其實者。。陽氣隆至。。鍼下熱。。乃去鍼也。。

張隱庵曰。。留鍼。。所以候氣也。。陰氣隆至。。鍼下寒也。。陽氣以退。。實者虛矣。。陽氣隆至。。鍼下熱也。。元氣已復。。虛者實矣。。但當候其氣至。。而後乃可去鍼。。

第十節　經氣之愼守

耳。針已內入。頻頻搓轉。而後知經氣有針芒有氣交合。若竟針受吸攝而致搓持遲滯者。是為經氣已與針交合。惟其交合之時。則又有遲速之別。有針入而即交合者。有針入三四十秒时而後吸合者。經氣遲到。故要留針。所以針入未即退。刺實即用瀉針。宜用左指遁經氣之趾按之推之前進。則鍼氣自然增勇。而實者可虛矣。刺虛即用補針。宜用左指在所刺之四近以撫彈之則

經氣已至。慎守勿失者。勿變更也。

張隱菴曰。鍼以得氣慎守而勿失。勿使其氣有變更也。

慕按經氣已至。如刺實須其虛。陰氣隆至。宜去鍼。勿使其變更過虛也。刺虛須其實。陽氣隆至。空去針。勿使其變更過實也。

第十一節　行鍼之謹密

如臨深淵者。不敢墮也

張隱菴曰。行鍼之際。當謹慎之至。

慕按治病無虛虛。無實實。鍼病適可而止。虛證不敢再墮於虛。實證不敢再墮於實。

第十二節　持鍼之堅定

陽自然回復。而在者可喜矣。

手如握虎者。欲其壯也。

張隱菴曰。持鍼如握虎。欲其堅定而不怯也。

慕按鍼法有宜深者。如鍼環跳穴。非刺二寸有幾不爲功。倘持鍼者怯以將之。鍼不達於病所。厥疾曷克有瘳。故曰手如握虎者。欲其壯也。

第十三節　用針之專壹

神無營於衆物者。靜志觀病人。無左右視也。

張隱菴曰。行鍼之道。貴在守神定志。以觀病人。以候其氣。無左右視。以惑亂其神志焉。

第十四節　下鍼之端正

義無邪下者。欲端以正也。

張隱菴曰。下鍼之法。義不容邪。故當端以正。

第十五節　鍼刺之活法

靈樞根結篇曰。氣滑則出疾。氣濇則出遲。氣滑。則針小而入淺。氣濇。則針大而入深。深則欲留。淺則欲遲。以此視之。刺布衣者。深以留之。刺大人者。微以徐之。此皆因氣慓悍滑利也。

　馬元台曰。凡氣滑者。則疾出其針。氣濇者。則遲出其針。氣悍者、則針小。而所入又淺。氣濇者則針大。而所入又深。入針深者。則欲久留其針。入針淺者。則欲疾去其鍼。以此觀之。則刺布衣者。氣之濇者也。可以鍼大而深入。又當以久留其鍼也。刺大人者。氣之滑且悍者也。可以鍼小而入淺。又當徐以納之也。此皆因其氣慓悍滑利。異於布衣之士耳。

第十六節　用鍼之權變

形氣不足。病氣有餘。是邪勝也。急瀉之。形氣有餘。病氣不足。急補之。形氣不足。病氣不足。此陰陽氣俱不足也。不可刺之。刺之則重不足。重不足。則陰陽俱竭。血氣皆盡。五藏空虛。筋骨髓枯。老者絕滅。少者不復矣。形氣有餘。病氣有餘。此謂陰陽俱有餘也。當瀉其邪調其虛實。故曰有餘者瀉之。不足者補之。此之謂也。刺不知逆順。眞邪相搏。滿而補之。則陰陽四溢。腸胃充郭。肝肺內䐜。陰陽相錯。虛而瀉之。則經脈空虛。血氣竭枯。腸胃偪僻。皮膚薄着。毛腠夭膲。予之死期。故曰用鍼之要。在於知調陰與陽。調陰與陽。精氣乃光。合神與氣。使神內藏。故曰上工平氣。中工亂脈。下工絕氣危生。故曰下工不可不慎也。必審五藏變化之病。五脈之應。經絡之實虛。皮之柔脆。而後取之也。

絡滿經虛，先針入一分，針絡位，宜用瀉針。病者宜將氣呼出。再入一分，針經位，宜用補針。病者宜將氣吸入，再入一分，隨呼隨吸，針法左右撚轉，斯謂之調其陰陽。

馬元台曰。此詳言補瀉。當知順逆。而反此者有害。所以當明用鍼之要也。蟲僻。即僻積之意。

第十七節　經絡之審視

靈樞刺節眞邪篇曰。用鍼者。必先察其經絡之虛實。切而循之。按而彈之。視其應動者。乃後取之。而下之。

張隱菴曰。絡滿經虛。瀉陽補陰。經滿絡虛。瀉陰補陽。蓋裡之經脉爲陰。外之絡脉爲陽。血氣之行於脉中。從經而絡。絡而孫。故必先察其經絡之虛實。而後取之。

第十八節　鍼法之解結

六經調者。謂之不病。雖病謂之自已也。一經上實下虛而不通者。此必有橫絡盛加於大經。令之不通。視而瀉之。此所謂解結也。

張隱菴曰。六經者。手足之十二經別也。大經者。經隧也。五臟六腑之大絡也。胃府所出之血氣。充於皮膚分肉之間者。從臟腑之大經。而外出於皮膚。橫絡者。經脉之支別也。如一經上實下虛而不通者。此必有經脉之橫絡。盛加於大經。而令之不通也。故視而瀉之。此所謂解結也。

第十九節　鍼法之推上

上寒下熱。先刺其項太陽久留之。已刺則熨項與肩胛。令熱下合乃止。此所謂推而上之者也。

張隱菴曰。下焦所生之氣。從下而下。太陽爲諸陽主氣。而太陽之氣。生於膀胱水中。上寒下熱。比太陽之氣。留於下而不上。故先刺其項太陽久留之。以候氣至。已刺則熨項與肩胛。令火熱與下之陽氣交合乃止。此所謂推而上之者也。

馬元台曰。此治上寒下熱之法也。凡上寒下熱者。先刺其項。乃足太陽膀胱經

此症無論用艾用針俱行補法

凡針病人針入之後医者放開其手留意覌察其針桿針桿覺有搖

穴也。久留其鍼。俟其氣至而熱。且方已久鍼之時。必熨項與肩胛中。令其熱與下合。乃止鍼。此其熱在於下者。者或推而上之。所謂推而上之法也。

第二十節　鍼法之引下

上熱下寒。視其虛脉。而陷之於經絡者取之。氣下乃止。此所謂引而下之者也。

張隱菴曰。上焦所生之氣。從下而上。上焦開發。宣五穀味。熏膚充身澤毛。是謂氣。此上焦之氣。又從上而下。如上熱下寒。當視其虛脉而陷之於經絡者取之。此因脉虛而氣陷於脉內。不能熏膚熱肉。故下寒也。故當取之於經。俟氣下乃止。此所謂引而下之者也。

第二十一節　鍼入之氣合

靈樞行鍼篇曰。氣與針相逢奈何。曰、陰陽調和。而血氣淖澤滑利。故鍼入而氣出疾。而相逢也。

動是經氣吸攝其針謂之氣至或用指搓撚其針頻有濇而不滑之伏亦謂之氣至此皆濡滑調和氣除出而再針相逢也

治此症者凡針灸家皆知必用補法但針出而氣獨行斯亦湯欬脘而症之道者也

凡治有餘病用針應用瀉汁法呼出為瀉吸入為補初針入而行吸之氣者蓋以欲瀉其邪

馬元台曰。受針之氣。有與針相逢者。以其氣之出速而相逢也。正以此人者。陰陽各經。相爲調和。而血氣淖澤故耳。

第二十二節　鍼出之氣離

鍼已出而氣獨行者。何氣使然。曰、其陰氣多而陽氣少。陰氣沉而陽氣浮。沉者內藏。故鍼已出。氣乃隨其後。故獨行也。

徐振公曰。陰氣多而陽氣少。陰氣沉而陽氣浮。陰陽之相離也。故針已出。而微陽之氣。隨針外泄。陰氣外行於內。此陰陽不和。不能交相爲守。而微陽易脫也。

第二十三節　用鍼之行瀉

素問離合眞邪論篇曰。吸則內鍼。無令氣忤。靜以久留。無令邪布。吸則轉鍼。以得氣爲故。候呼引鍼。呼盡乃

先補其正使正氣勿傷候吸入適合然後持針引其邪出所以大氣指邪氣言邪氣盡出故謂之瀉

凡用針治某病当用補針和針入而病人直呼氣者蓋欲以補其正先泄其邪使邪气勿留候呼出適合然後持針撓之一面着病者大氣吸入專用撓入法而引針出迫針出後

去。大氣皆出。故命曰瀉。

張介賓曰。邪氣未泄。候病者再吸。乃轉其鍼。轉。搓轉也。謂之催氣。得氣爲故。以鍼下之得氣爲度也。入氣曰吸。出氣曰呼。引。引退也。去。出鍼也。候呼引至其門。則氣去不能復聚。呼盡乃離其穴。則大邪之氣。隨泄而散。經氣以平。故謂之瀉。

第二十四節　用鍼之行補

捫而循之。切而散之。推而按之。彈而怒之。抓而下之。通而取之。外引其門。以閉其神。呼盡內鍼。靜以久留。以氣至爲故。如待所貴。不知日暮。其氣自至。適而自護。候吸引鍼。氣不得出。各在其處。推闔其門。令神氣存。大氣留止。故命曰補。

張介賓曰。先以手捫摸其處。欲令血氣溫舒也。次其指切捺其穴。欲其氣之行

左指即閉閉其穴。勿使元氣宣洩矣。閉留存。故謂之補。

散也。再以指揉按其肌膚。欲鍼道之流利也。以指彈其穴。欲其意有所注。則氣必隨之。故脉絡䐜滿如怒起也。用去如前。然後以左手爪甲掐其正穴。而右手方下鍼也。下鍼之後。必候氣通以取其疾也。引門閉神。門。穴門也。此得氣出鍼之法也。呼盡則氣出。氣出內鍼。追而濟之也。靜以久留。以候氣至。如待貴人。毋厭毋怨也。其氣以至。適而自護。以。已同。適。調適也。護。愛護也。寶命全形篇曰。經氣已至。慎勿失守。即此謂也。候吸引鍼。則氣充於內。推闔其門。則氣固於外。神存氣留。故謂之補。

第二十五節　氣至之審求

候氣奈何。曰、夫邪去絡入於經也。舍於血脉之中。其寒溫未相得。如涌波之起也。時來時去。故不常在。故曰。方其來也。必按而止之。止而取之。無逢其衝而瀉之。眞氣者。經氣也。經氣大虛。故曰其來不可逢。此之謂也。

故曰候邪不審。大氣已過。瀉之則眞氣脫。脫則不復。邪氣復至。而病益蓄。故曰其往不可追。此之謂也。

張隱菴曰。邪氣由淺而深。故自絡而後入於經脈。寒温未相得者。眞邪未合也。故邪氣波隴而起。來去於經脈之中。而無有常處也。方其來者。三部九候卒然逢之。即按而止之。以鍼取之。逢。迎也。衝者。邪盛而隆起之時也。兵法曰。無迎逢逢之氣。無擊堂堂之陣。故曰方其盛也。勿敢毁傷。刺其已衰。事必大昌。眞氣者。營衛血氣也。邪盛於經。則眞氣大虛。故曰其來不可逢。言邪方盛。雖經氣虛而不可刺也。大氣。邪氣也。候邪而不詳審其至。使邪氣已過其處。而後瀉之。則反傷其眞氣矣。眞氣已脫。而不能再復。邪氣循序而復。至正氣已虛。則邪病益留蓄而不能去。故曰其往不可追。謂邪氣已過。不可瀉也。蓋言邪氣方來。不可逢迎。邪氣已過。不可追迫也。

第二十六節　氣至之標準

先刺絶皮。針入一分。其針即用瀉法并看病者撮口將氣呼出其陽邪是出其衛中之陽邪也。少益深再針入一分廿深二分。刺至肌肉針仍瀉法。再令病者撮口將氣呼出。出其陰邪是出其營中之邪。

靈樞終始篇曰。邪氣來也。緊而疾。穀氣來也。徐而和。

慕按邪氣之來。針下沉緊。如魚之吞鈎然。穀氣者元氣也。經言一刺則陽邪出。再刺則陰邪出。三刺則穀氣至。氣來。邪氣先而元氣後也。徐而和。有從容不迫之態。

第二十七節　深淺之鍼攷

靈樞官鍼篇曰。所謂三刺則穀氣出者。先淺刺絕皮。以出陽邪。再刺則陰邪出者。少益深。絕皮致肌肉。未入分肉間也。已入分肉之間。則穀氣出。故刺法曰。始刺淺之。以逐邪氣而來血氣。後刺深之。以至陰氣之邪。最後刺極深之。以下穀氣。此之謂也。

張介賓曰。絕。透也。淺刺皮膜。故出陽邪。絕皮及肌。邪氣益深。故曰陰邪。大肉深處。各有分理。是謂分肉間也。穀氣即正氣。亦曰神氣。出。至也。

云除邪也。已入二分。内之间。再刺连前深廿三分。少留针。候正邪出针。针毕交合。其来徐而和是谓谷气也。谷气至。针即左右捻转。令病者随呼随吸。用梅花间竹法。运者随即拔针。其病即随针以俱去也。

終始篇曰。所謂穀氣至者。已補而實。已瀉而虛。故以知穀氣至也。凡刺之淺深。其法有三。先刺絶皮。取衛中之陽邪也。再刺稍深。取營中之陰邪也。三刺最深。及於分肉之間。則穀氣始下。下言見也。按終始篇之義。與此互有發明。

第二十八節　徐疾之鍼攷

靈樞九鍼十二原篇曰。徐而疾則實。疾而徐則虛。

張介賓曰。徐出針而疾按之爲補。故虛者可實。疾出針而徐按之爲瀉。故實者可虛。

第二十九節　刺肥之針辨

靈樞逆順肥瘦篇曰。年質壯大。血氣充盈。膚革堅固因加以邪。刺此者深而留之。此肥人也。

馬元台曰。此言刺肥人之有法也。深而留之者。深入其鍼而久留之也。

第三十節　刺瘦之鍼辨

刺瘦人奈何。曰瘦人者皮薄色少。肉廉廉然。薄脣輕言其血清氣滑。易脫於氣。易損於血。刺此者淺而疾之。

張隱菴曰。皮薄肉少。稟天氣之不足也。廉廉。瘦潔貌。肉廉廉然。薄脣輕言。稟地氣之不足也。血清者。水清淺也。氣滑者。肌肉薄而氣道滑利也。

第三十一節　刺壯之鍼辨

刺壯士眞骨者奈何。曰、刺壯士。眞骨堅。肉緩。節監監然。此人重則氣濇血濁。刺此者深而留之。多益其數。勁則氣滑血清。刺此者淺而疾之。

張隱菴曰。此言平壯之士。得天眞之完固也。先天之眞元。藏於腎。而腎主骨。天眞完固。而後骨肉充滿也。眞骨堅肉緩。節監監者。筋骨和而肌肉充也。監監者。卓立而不倚也。其人重濁。則氣濇血濁。其人輕勁。則氣滑血清。盖眞元者。乃混然之氣。已生之後。而有輕重高下之分。深而留之。淺而疾之。導其氣出入於外內也。

第三十二節　刺嬰之鍼辨

刺嬰兒奈何。曰、嬰兒者其肉脆。血少氣弱。刺此者以毫鍼。淺刺而疾發鍼。日再可也。

馬元台曰。九針論七曰毫鍼。取法於毫毛。其鍼宜淺。其發鍼宜速。日再者。寧一日之內。復再刺之。不可久留其鍼也。

第三十三節　數刺之病狀

靈樞行針篇曰。數刺乃知。何氣使然。曰、此人多陰而少陽。其氣沉而氣往難。故數刺乃知也。

徐振公曰。此言陰中有陽之人。數刺而始知也。陰中有陽者。多陰而少陽。其氣沉而難於往來。故數刺乃知。此陰陽斷守於內也。

肺　脾　心　肾　包　肝
井　少商　隐白　少冲　涌泉　中冲　大敦
荥　鱼际　大都　少府　然谷　劳宫　行间
俞　太渊　太白　神门　太溪　大陵　太冲
经　经渠　商丘　灵道　复溜　间使　中封
合　尺泽　阴陵泉　少海　阴谷　曲泽　曲泉
大肠　胃　小肠　膀胱　三焦　胆

第三十四節　繆刺之病形

靈樞終始篇曰。凡刺之法。必察其形氣。形肉未脫。少氣而脉又躁。躁厥者。必爲繆刺之。散氣可收。聚氣可佈。

馬元台曰。此言氣虛脉盛者。當行繆刺之法也。形肉雖未脫。元氣則衰少。然脉又躁動。是謂氣虛脉盛也。當行繆刺之法。即右病取左絡穴。在病取右絡穴是也。其精氣之散。可以收之。邪氣之聚。可以散之。

第三十五節　春刺之確要

素問水熱穴論篇曰。春取絡脉分肉何也。曰、春者木始治。肝氣始水。肝氣急。其風疾。經脉常深。其氣少不能深入。故取絡脉分肉間。

張隱菴曰。東方生風。風生木。木生肝。風木之氣。其性急疾。而直達於絡脉分肉之間。其經脈之氣。隨冬令伏藏久深而始出。其在經之氣尚少。故不能深入而取之經。當淺取之絡脈分肉間也。

第三十六節　夏刺之確要

夏取盛經分腠何也。曰、夏者火始治。心氣始長。脈瘦氣弱。陽氣流溢。熱熏分腠。內至於經。故取盛經分腠絕膚而病去者。邪居淺也。所謂盛經者。陽脈也。

張隱菴曰。南方生熱。熱生火。火生心。而心主血脈。心氣始長。故脈氣尙瘦弱也。其陽盛之氣。留溢於外。而外之暑熱。熏蒸於分腠。內至於經脈。故當取之盛經分腠絕膚者。謂絕其膚腠之邪。不至內入於經脈。蓋邪居膚腠之淺也。陽脈。謂浮見於皮膚之脈。陽盛於外。故曰盛經。按此二節。論取氣而不論脈。

第三十七節　秋刺之確要

秋取經兪何也。曰、秋者金始治。肺將收殺。金將勝火。陽氣在合。陰氣初勝。濕氣及體。陰氣未盈。未能深入。

故取俞以瀉陰邪、取合以虛陽邪。陽氣始衰。故取於合。

張隱菴曰。秋爲刑官。於時爲金。其令收降。故肺氣將收。而萬物當殺。清肅之氣。將勝炎熱。陽氣始降。而在所合之府。其藏陰之氣。始生而初勝也。夫立秋處暑。乃太陰濕土主氣。故濕氣及體。其陰氣未盛。故未能深入而取之。當刺俞上。以瀉太陰之濕。取合穴。以虛陽府之邪。以陽氣始衰。故取之於合。蓋秋時陽氣下降。始歸於府。而後歸於陰也。

第三十八節　冬刺之確要

冬取井滎何也。曰、冬者水始治。腎方閉。陽氣衰少。陰氣堅盛。巨陽伏沉。陽脉乃去。故取井以下陰逆。取滎以實陽氣。故曰冬取井滎。春不鼽衄。此之謂也。

張隱菴曰。腎爲水藏。冬令閉藏。陽氣已衰。而陰寒之氣。堅盛於外。太陽之氣伏沉。其陽脉亦乃去陽而歸伏於內也。故當取井以下陰逆之氣。取滎以實沉伏之陽。順時令也。夫井。木也。木生於水。故取井木以下陰氣。勿使其發生而上逆也。滎。火也。故取滎穴以實陽氣。乃助其伏藏也。蓋冬令閉藏。以益春生之氣。故冬取井滎。助藏太陽少陰之氣。至春時陽氣外出。衛固於表。不使風邪有傷膚腠絡脉。故春不鼽衄。此之謂也。

第三十九節　逆治之禁刺

靈樞玉版篇曰。其腹大脹。四支清冷。形脫泄甚。是一逆也。腹脹便血。其脉大時絕。是二逆也。欬溲血。形肉脫脉搏。是三逆也。嘔血。胸滿引背。脉小而疾。是四逆也。欬嘔腹脹。且飧泄。其脉絕。是五逆也。如是者不過一時而死矣。工不察此而刺之。是謂逆治。

馬元台曰。腹大而脹。四支淸冷。其形既脫。其泄又甚。非一逆而何。腹脹於中。便血於下。乃陰証也。而脉大時絕。是大爲陽脉。絕爲死脉。非二逆而何。在上爲欬。在下溲血。其形已脫。火盛水虧也。而脉又搏擊。非三逆而何。嘔血而胸滿引背。脉固宜小。而小中帶疾。虛而火盛也。非四逆而何。上爲欬嘔。中爲腹脹。下爲飧泄。病已虛也。而其脉則絕。非五逆而何。此其所以不及一時而死也。曰一時者。一周時也。五逆不可刺而刺之。是之謂逆治耳。

第四十節　現象之禁刺

素問刺禁論篇曰。無刺大醉。令人氣亂。無刺大怒。令人氣逆。無刺大勞人。無刺新飽人。無刺大饑人。無刺大渴人。無刺大驚人。

張介賓曰。大醉亂人氣血。因而刺之。是益其氣也。怒本逆氣。刺之其氣益甚也。大勞者氣乏。刺之則氣愈耗也。新飽者穀氣盛滿。經氣未定。刺之恐其易泄也。饑人氣虛。刺則愈傷其氣也。渴者液少。刺則愈亡其陰也。

慕按靈樞終始篇。凡刺之禁。新內勿刺。已刺勿內。已醉勿刺。已刺勿醉。新怒勿刺。已刺勿怒。新勞勿刺。已刺勿勞。已飽勿刺。已刺勿飽。已饑勿刺。已刺勿饑。已渴勿刺。已刺勿渴。與此篇可滙參。

第四十一節　五奪之禁刺

靈樞五禁篇曰。何謂五奪。形肉已奪。是一奪也。大奪血之後。是二奪也。大汗出之後。是三奪也。大泄之後。是四奪也。新產及大血之後。是五奪也。此皆不可寫。

張介賓曰。此五奪者。皆元氣之大虛者也。若再瀉之。必至於死。不惟用鍼。用藥亦然。

慕按病至五奪。無論湯劑鍼灸。即急行用補。猶恐不及。而况於瀉乎。

第四十二節　四避之禁刺

靈樞逆順篇曰。無刺熇熇之肉。無刺漉漉之汗。無刺渾渾之脉。無刺病與脉相逆者。

張介賓曰。熇熇。熱之甚也。漉漉。汗之多也。渾渾。虛實未辨也。病與脉相逆。形証陰陽不合也。是皆未可刺者也。

第四十三節　過分之禁刺

素問刺要論篇曰。病有在毫毛腠理者。有在皮膚者。有在肌肉者。有在脈者。有在筋者。有在骨者。有在髓者。是故刺毫毛腠理無傷皮。皮傷則內動肺。肺動則秋病溫瘧。泝泝然寒慄。刺皮無傷肉。肉傷則內動脾。脾動則七十二日四季之月。病腹脹煩不嗜食。刺肉無傷脈。脈傷則內動心。心動則夏病心痛。刺脈無傷筋。筋傷則內動肝。肝動則春病熱而筋弛。刺筋無傷骨。骨傷則內動腎。腎動則病脹腰痛。刺骨無傷髓。髓傷則銷鑠胻酸。體解㑊然不去矣。

張介賓曰。刺毫毛腠理者。最淺者也。皮則稍深矣。皮爲肺之合。皮傷則內動於肺。肺應秋。故秋病溫瘧。泝泝然寒慄也。泝音素。皮在外。肉在內。肉爲脾之合。。肉傷則內動於脾。。脾土寄王於四季之末。。各一十八日。。共爲七十二日。。脾氣既傷。。不能運化。。故於辰戌丑未之月。。當病脹煩不嗜食也。。脉在肉中。。爲心之合。。脉傷則內動於心。。心王於夏。。外氣傷故夏爲心痛。。脉非筋也。。筋合肝而王於春。。筋傷則肝氣動。。故於春陽發生之時。。當病熱証。。熱則筋緩。。故爲弛縱。。

筋在外。。骨在內。。骨合腎而王於冬。。骨傷則內動於腎。。故至冬時爲病脹。。爲腰懈㑊。。以化元受傷。。而腰爲腎之府也。。髓爲骨之充。。精之屬。。最深者也。。精髓受傷。。故爲乾枯銷鑠胻酸等病。。解㑊者怠困弱之名。。陰之虛也。。陰虛則氣虛。。氣虛則不能舉動。。是謂不去也。。

第四十四節　失宜之禁刺

素問刺齊論篇曰。。刺骨無傷筋者。。鍼至筋而去。。不及骨也。刺筋無傷肉者。至肉而去。不及筋也。刺肉無傷脉者。至脉而去。不及肉也。刺脉無傷皮者。至皮不去。不及脉也。所謂刺皮無傷肉者。病在皮中。鍼入皮中無傷肉也。刺肉無傷筋者。過肉中筋也。刺筋無傷骨者。過筋中骨也。

張介賓曰。病在骨者。直當刺骨。勿傷其筋。若鍼至筋分而去。不及於骨。則病不在肝。是傷筋也。

▲病在筋者直當刺筋。若針至肉分而去。不及於筋。則病不在脾。是傷肉也。

▲病在肉者直當刺肉。若針至脉分而去。不及於肉。則病不在心。是傷脉也。

▲病在脉者直當刺脉。若針至皮分而去。不及於脉。則病不在肺。是傷皮也。

▲刺皮過深而中肉者。傷其脾氣也。
▲刺肉過深而中筋者。傷其腎氣也。
▲刺筋過深而中骨者。傷其肝氣也。

前四節言宜深者勿淺。後三節言宜淺者勿深。

盧良侯曰。皮肉筋骨。是屬一道。而各有淺深之分。絡脉經脉。另屬一道。而亦有淺深之分。

第四十五節　誤刺之變病

素問刺禁論篇曰。刺面中溜脉。不幸爲盲。刺舌下。中脉太過。血出不止爲瘖。刺足下布絡中脉。血不出爲腫。刺中大脉。令人仆。脫色。刺氣街中脉。血不出。爲腫鼠

耳聾 耳塞 耳鳴 針客主人

僕。刺脊間中髓。爲傴。刺乳上中乳房。爲腫根蝕。刺缺盆中內陷。爲泄。令人喘欬逆。刺手魚腹（即魚際）內陷爲腫。刺客主人內陷中脉爲內漏。爲聾。刺膝臏出液爲跛。刺足少陰脉。重虛出血。爲舌難以言。刺膺中陷中。肺爲喘逆仰息。刺肘中內陷。氣歸之爲不屈伸。刺陰股下三寸內陷。令人遺溺。刺腋下脇間內陷。令人欬。刺少腹。中膀胱。溺出。令人少腹滿。刺腨腸內陷爲腫。刺匡上陷骨中脉。爲漏爲盲。刺關節中液出。不得屈伸。

（刺面中溜脉）馬元台曰。按靈樞本輸篇云。溜於魚際。則溜與流同。所謂溜脉者。凡脉與目流通者皆是也。又按靈樞大惑篇云。五臟六腑之精。皆上注於目而爲之精。又按靈樞論疾診尺篇云。赤脉從上下者太陽病。從下上者陽明病。從外走內者少陽病。此皆溜脉之義也。不知其脉與目通。而刺面部者誤中溜脉。則不幸而目當爲盲也。

（刺舌下中脉太過）張隱菴曰。舌下。廉泉穴也。靈樞經云。會厭者。音聲之戶也。舌者。音聲之機也。會厭之脉上絡之。是以刺任脉而血出不止。則爲瘖

（刺足下布絡）張隱菴曰。此論瀉衝脉。血不出而爲腫也。衝脉者。經血之海。邪入於經。則血有餘。而當瀉血不出。則氣亦不行。故爲腫矣。

（刺　中大脉）張隱菴曰。此刺膀胱之脉。太過而爲仆也。　浮郄也。足太陽之脉。循於腰。下貫臀。至承扶浮郄委陽。入委中。所謂浮郄者。其脉浮於肉之隙間。所當淺刺者也。若刺之太過而中大脉。則傷太陽之氣矣。太陽爲諸陽主氣。陽氣暴厥。則爲仆撲。氣傷則脫色也。

（刺氣街中脉）馬元台曰。氣街一名氣衝。係足陽明胃經穴。在臍下橫骨端。鼠鼷上一寸。刺氣街者。誤中其脉。而血又不出。則血氣并聚於中。故內結爲腫

在鼠瘻之中也。

(刺脊間中髓)張隱菴曰。傴。僂也。經云。刺骨無傷髓。刺脊骨之間。深而中髓。則髓銷鑠。而爲傴僂不伸之病。

(刺乳上)張隱菴曰。乳上之穴。名曰乳中。其內爲乳房。其下爲乳根穴。皆屬足陽明胃經。刺乳上。誤中乳房則腫。其下爲乳根者。有如虫蝕之痛癢也。

(刺缺盆)馬元台曰。五藏者。肺爲之蓋。缺盆爲道。肺藏氣而主息。刺缺盆中內陷。以缺盆在橫骨陷中也。則肺氣外泄。故令人喘欬而氣逆耳。

(刺手魚腹)張隱菴曰。魚腹。在手大指下。手太陰之魚際穴也。肺主氣。脉內陷。則血不得散。氣不得出。故爲腫。

(刺客主人)張隱菴曰。客主人。足少陽胆經脉也。內陷中脉。謂客主人內之脉也。蓋手足少陽之脉。盤錯於耳前目側浮淺之內。而又有陷中之深脉也。足少陽之脉。有從耳後入耳中者。手少陽之脉。亦有從耳後入耳中。出走耳前。過客主人。病在耳聾。渾渾焞焞。此言刺客主人太過。則誤中內陷交過之脉。而爲耳內漏而聾也。

盧良候曰。浮淺者爲絡脈。深者爲經脈。而經脈之內。又有深隧之大經。所取之脈。而內有交過之陷脈。是以刺跗上陰股。太過則中大經。刺客主人太過。則中交過之脈。當知經脈之內。而又有經脈之交錯也。

（刺膝髕出液）張隱庵曰。髕。膝蓋骨也。膝乃筋之會。液者。所以灌精濡空竅者也。液脫。則精無以濡拳。屈伸不利而爲跛矣。

（刺足少陰脈）張隱菴曰。足少陰。腎脈也。腎陰而復出其血。是謂重虛。少陰之脈。循喉嚨。繫舌本。故難以言。

（刺膺中陷中）張隱菴曰。胸前之兩旁。謂之膺。足陽明之俞。在膺中。肺經之脈。六循膺中之雲門中府而分。若刺膺中之脈陷而入深。誤中肺脈。則令人喘逆仰息。

（刺肘中內陷）張隱菴曰。肘中。手太陰天澤穴也。內陷者。不能瀉出其邪。而致氣歸於內也。氣不得出。則血不得散。故不能屈伸也。

（刺陰股下）張隱菴曰。陰股下三寸。足少陰之絡也。內陷者。氣不至而及陷於內也。腎開竅於二陰。故令人遺溺。

（刺腋下脅間）張隱菴曰。肺脈從肺系橫出腋下。刺肺脈。而氣反內陷。則氣上逆而爲欬。

（刺小腹中膀胱）張隱菴曰。膀胱居小腹之內。刺小腹而誤中膀胱。則胞氣外泄。故溺出而小腹虛滿也。

（刺腨腸內陷）張隱菴曰。腨腸。一名魚腹。俗南腿肚。如魚之腹。故以爲名。張介賓曰。肉厚氣深。不易行散。氣反內陷。故爲腫也。

（刺匡上）張隱菴曰。匡。目匡也。陷骨中脉。匡骨上之陷脉也。刺脉而傷其目系。則淚流不止。而爲滿視。無所見而爲盲。

（刺關節中液出）張隱菴曰。關節者。骨節交會之機關處也。液者。淖澤注於骨。骨屬屈伸。故液脫者。骨節屈伸不利。

馬元台曰。凡刺手足關節之所。即臂肘股膝之交也。使之液出。則筋膜漸乾。

故不分手足。皆不得屈伸耳。

第四十六節　誤刺之死亡

刺中心一日死。其動爲噫。刺中肝。五日死。其動爲語。刺中腎。六日死。其動爲嚏。刺中肺。三日死。其動爲欬。刺中脾。十日死。其動爲吞。刺中胆。一日半死。其動爲嘔。刺跗上。中大脉。血出不止死。刺頭中腦戶。入腦者死。刺陰股中大脉。血出不止死。刺臂太陰脉。出血多。立死。

（刺中心）張隱菴曰。日爲陽。心爲陽中之太陽。故環轉一周而死。動者。傷其藏眞而變動也。心氣爲噫。噫則在心氣絕矣。

（刺中肝）張隱菴曰。肝在氣爲語。語則肝氣絕矣。聲合五音。五日者。五音之數終也。

(刺中腎)張隱菴曰。陰終於六。六日者。腎藏之陰氣終也。腎爲本。肺爲末。其動爲噎者。腎氣從上泄也。

(刺中肺)張隱菴曰。藏眞高於肺。主行營衛陰陽。刺中肺。故死於天地之生數也。肺在氣爲欬。欬則肺氣絕矣。

(刺中脾)張隱菴曰。十日者。陰數之極也。吞。吞嚥也。脾主涎。脾氣絕。而不能灌漑於四旁。故變動爲吞也。

(刺中胆)張隱菴曰。胆汁泄者嘔苦。嘔則胆氣絕矣。十一藏府皆取决於胆。是胆爲藏府陰陽生成之始。故中胆者一日半死。一者奇之始。二者偶之基。一日半者。死於一二日之間也。

(刺跗上)張隱菴曰。跗上。足跗之上。足陽明之衝陽處也。大脉。大絡也。胃爲藏府氣血之生原。血出不止。原將絕矣。此中傷胃氣而死也。

(刺頭中腦戶)張隱菴曰。腦戶。督脉穴名。督脉從腦戶而上至於百會。百會。

乃顖骨兩分。。內通於腦。。若刺深而誤中於腦者立死。。

（刺陰股大脉）張隱菴曰。。陰股。。足少陰經脉所循之處。。大脉。。大絡也。。血氣始於先天足少陰腎。。生於後天足陽明胃。。刺中大脉。。血出不止。。則血氣皆脫矣。。時以刺跗上與陰股。。誤中大絡而血不止者。。俱死。。謂其生始之原絕也。。馬元台曰。。此言刺陰股而誤中大脉者爲死也。。陰股之中。。脾之脉也。。脾主中央孤藏以灌四旁。。今血出不止。。脾氣將竭。。故死。。

慕按陰股大脉。。張氏指屬腎。。馬氏指屬脾。。攷內難兩經。。人身之絡凡十五。。手足三陰三陽有十二絡。。并任督各有一絡。。而脾經又有一大絡。。共十五絡。。是脾經有一大絡。。而腎經無大絡也。。今陰股大脉。。指大絡言。。當從馬解爲是。。

（刺臂太陰脉）馬元台曰。。此言刺肺脉而出血過多者。。當立死也。。臂太陰。。即手太陰肺經之脉。。按靈樞寒熱病篇。。臂太陰。。以其脉行於臂。。既可曰手。。又可曰臂也。。肺主行營衛陰陽。。今出血多。。則營衛絕。。故立死也。。

慕按素問診要經終論篇▲凡刺胸腹者必避五藏▲中心者環死 ▲中脾者五日死

▲中腎者七日死中肺者五日死　▲中鬲者皆爲傷中其病雖愈不過一歲必死
▲可與本節互參

第四十七節　反實之鍼誤

靈樞九鍼十二原篇曰。五藏之之氣已絶於内。而用鍼者反實其外。是謂重竭。重竭必死。其死也靜。五藏之氣已絶於外。而用鍼者反實其内。是謂逆厥。逆厥必死。其死也躁。

張隱菴曰。五臟之氣已絶於内者。脉口氣内絶不至。反取其外病之處。與陽絡之合。有留針以致陽氣。陽氣至。則内重竭。重竭則死矣。無氣以動。故靜。五臟之氣已絶。於外者。脉口氣外絶不至。反取其四末之輸。有留鍼以致其陰氣。陰氣至。則陽氣外入。入則逆。逆則死矣。其死也。陰氣有餘。故躁。

第四十八節　死徵之鍼戒

靈樞熱病篇曰。熱病不可刺者有九。一曰汗不出。大顴發赤。噦者死。二曰泄而復滿甚者死。三曰目不明。熱不已者死。四曰老人嬰兒。熱而腹滿者死。五曰汗不出。嘔下血者死。六曰舌本爛。熱不已者死。七曰欬而衄。汗不出。出不至足者死。八曰髓熱者死。九曰熱而痙者死。腰折瘛瘲。齒噤齘也。

馬元台曰。其一熱病汗不得出。大顴骨之上。發而爲赤。胃邪盛也。穀氣與邪氣相爭。發而爲噦。胃氣虛也。此其所以死也。其二熱病下則爲泄。而腹尤甚滿。不以泄減。脾氣衰也。此其所以死也。其三目以熱而不明。熱又甚而不已。肝氣衰也。此其所以死也。其四凡老人嬰兒。熱病而腹滿者。脾邪盛也。此其所以死也。其五熱病而汗既不出。心氣衰也。血或嘔或下。邪氣尤盛也。此其所以死也。其六舌本已爛。熱猶不已。心邪盛也。此其所以死也。其七熱病欬而且衄。肺邪盛也。其熱已極。汗猶不出。心氣衰也。縱汗出而不至足。此即上節陽脉之衰。此其所以至於死也。其八熱病而髓甚熱。熱則髓枯。腎氣衰也。此其所以至於死也。其九熱病發而爲痓。蓋熱極生風。而爲强病也。此其所以至於死也。凡此九者。其腰必折。其病發爲瘈瘲。其齒必噤月齘。皆死徵己見。刺之無益也。

第四十九節　陰陽之定位

靈樞壽夭剛柔篇曰。陰中有陰。陽中有陽。審知陰陽。刺之有方。得病所始。刺之有理。謹度病端。與時相應。內合於五臟六腑。外合於筋骨皮膚。是故內有陰陽。外亦有陰陽。在內者五臟爲陰。六腑爲陽。在外者筋骨爲陰。皮膚爲陽。故曰病在陰之陰者。刺陰之滎輸。病在陽之陽者。刺陽之合。病在陽之陰者。刺陰之經。病在陰之陽者。刺絡脉。

張隱菴曰。陽者天氣也。主外。陰者地氣也。主內。然天地陰陽之氣。上下升降。外內出入。是故內有陰陽。外亦有陰陽。皮肉筋骨。五臟六腑。外內相合。與時相應者也。五臟爲陰。六腑爲陽。在內之陰陽也。筋骨爲陰。皮膚爲陽。在外之陰陽也。病在陰之陰者。病在內之五臟。故當刺陰之滎輸。病在陽之陽者。病在外之皮膚。故當刺陽之合。謂六腑外合於皮膚。故當取腑經之合穴也。病在陽之陰者。病在外之筋骨。故當刺陰之經。謂五臟外合於筋骨。故當取陰之經也。病在陰之陽者。病在內之六腑。故當刺絡脉。

第五十節　陰陽之審治

病在陽者名曰風。病在陰者名曰痺。陰陽俱病。命曰風痺。病有形而不痛者。陽之類也。無形而痛者。陰之類也。無形而痛者。其陽完而陰傷之也。急治其陰。無攻其陽。有形而不痛者。其陰完而陽傷之也。急治其陽。無攻其陰。

張隱菴曰。有形者。皮肉筋骨之有形。無形者。五臟六腑之氣也。病有形而不痛者。病在外之陽也。病無形而痛者。氣傷痛也。陰完陽完者。臟腑陰陽之氣不傷也。

第五十一節　五邪之鍼刺

靈樞刺節眞邪篇曰。凡刺五邪之方。不過五章。癉熱消滅。腫聚散亡。寒痺益溫。小者益陽。大者必去。

張隱菴曰。邪者。謂不得中正之和調也。章。法也。謂陽盛於外而爲癉熱者。使之消滅。熱氣而爲壅腫者。使之散亡。寒者致其神氣以和之。眞氣小者益其陽。大者必使之歸去也。

第五十二節　癰邪之鍼向

凡刺癰邪。無迎隴。易俗移性。不得膿。脆道更行。去其鄉。不安處所。乃散亡。諸陰陽過癰者。取之其輸瀉之。

張介賓曰。隴。盛也。營衛生會篇曰。日中而陽隴。生氣通天論作隆。蓋隴隆通用也。無迎隴者。癰邪之來銳所當避也。易俗移性。謂宜從緩調和。如移易俗性不宜欲速。此釋上文腫聚散亡也。鄉。向也。安。留聚也。去其毒氣所向。不使安留處所。乃自消散也。故於諸陰經陽經。但察其過於壅滯者。皆當取輸穴。以瀉其銳氣。是即所謂去其鄉也。

第五十三節　大邪之鍼向

凡刺大邪日以小。泄奪其有餘。乃益虛。剽其通。鍼其邪肌肉親視之。毋有反其眞。刺諸陽分肉間。

張介賓曰。大邪。實邪也。邪氣盛大。難以頓除。日促小之。自可漸去。去其有餘。實者虛矣。此釋上文大者必去也。剽。砭刺也。通病氣所由之道也。針無妄用。務中其邪也。邪正脉色。必當親切審視。若以小作大。則反其眞矣。盛大實邪。多在三陽。故宜刺諸陽分肉間也。

第五十四節　小邪之鍼向

凡刺小邪日以大。補其不足。乃無害。視其所在。迎之界遠近盡至。其不得外侵而行之。乃自費。刺分肉間。

張介賓曰。小邪。虛邪也。虛邪補之。則正氣自大。而邪自退也。不足而補。乃可無害。此釋上文小者益陽。迎之界者。迎其氣行之所也。先補不足之經。後瀉有餘之經。邪去正復。則遠近之眞氣盡至。邪氣不得外侵。則必費散無留矣。小邪隨在可刺。故但取分肉間也。

第五十五節　熱邪之鍼向

凡刺熱邪。越而蒼。出遊不歸。乃無病。爲開辟門戶。使邪得出。病乃已。

張介賓曰。越。發揚也。蒼。卒疾也。出遊。行散也。歸。還也。凡刺熱邪者貴於速散。散而不復。乃無病矣。此釋上文痺熱消滅也。開通壅滯。辟其門戶。以熱邪之宜瀉也。

張隱菴曰。熱邪者。陽氣盛而留於肌腠之間。故爲熱也。蒼者。天之正色也。越而蒼者。使邪熱發越。而天眞之氣色見矣。出遊不歸。謂神氣遊行於外。而不返其眞。此爲開辟門戶。使邪得出而後病乃已。故雖出遊不歸。乃無病。此蓋言眞氣外內出入。環轉無息者也。

馬元台曰。此詳言痺熱消滅之法也。凡刺熱邪。其熱盛。則神思外越。而意氣蒼茫。若出遊不歸。乃爲無病。當開辟之。以通其門戶。使熱邪得出。所謂瀉其有餘。則病乃至已。

第五十六節　寒邪之鍼向

凡刺寒邪日以溫。徐往徐來致其神。門戶已閉。氣不分。虛實得調。其氣存也。

張介賓曰。溫者。溫其正氣也。徐往徐來。欲和緩也。致其神者。致其陽氣。則寒邪自除。此釋上文寒痹益溫也。補其虛。則門戶閉。而氣不泄。故虛實可調。而眞氣可存也。

第五十七節　俞刺之認定

靈樞官鍼篇曰。凡刺有九。以應九變。一曰俞刺。俞刺者刺諸經榮俞藏俞也。

張介賓曰。諸經滎俞。凡井滎經合之類。皆腧也。藏俞。背間之臟腑俞也。

慕按五臟五俞。五五二十五俞。六腑六俞。六六三十六腧。經脉十二。絡脉十五。凡二十七氣以上下。所出爲井。所溜爲滎。所注爲俞。所行爲經。所入爲合。二十七氣所行。皆在五俞也。五臟有井滎俞經合之五俞。六腑有井滎俞原經合之六俞。五臟言五俞而不言原穴者。以陰經有俞而無原。而陽經之原。則以腧并之也。

張隱菴曰。俞刺。刺五臟之經俞。所謂滎俞。治外經也。

馬元台曰。俞刺。刺諸經之滎穴俞穴。及背間之心俞肺俞脾俞腎俞肝俞也。

第五十八節　遠道刺之認定

二曰遠道刺。遠道刺者。病在上。取之下。刺腑腧也。

張久賓曰。腑俞。謂足太陽膀胱經。足陽明諸經。足少陽胆經。十二經中。惟此三經最遠。可以因下取上。故曰。遠道刺。

張隱菴曰。遠道刺者。病在上而取下之合穴。所謂合治六腑也。

馬元台曰。遠道刺。病在上。反取穴於下。所以刺足三陽經也。

第五十九節　經刺之認定

三曰經刺。經刺者。刺大經之結絡經分也。

張介賓曰。刺結絡者。因其結聚而直取之。所謂解結也。

張隱菴曰。大經者。五臟六腑之大絡也。邪客於皮毛。入舍於孫絡。留而不去。閉結不通。則流溢於大經之分。而生奇病。故刺大經之結絡以通之。

第六十節　絡刺之認定

四曰絡刺。絡刺者。刺小絡之血脉也。

張介賓曰。調經論云。病在血。調之絡。經脈篇云。諸刺絡脉者。必刺其結上。甚血者雖無結。急取之。以寫其邪而出其血。留之發爲痺也。

第六十一節　分刺之認定

五曰分刺。分刺者。刺分肉之間也。

張介賓曰。刺分肉者。泄肌肉之邪也。

張隱菴曰。分刺者。分肉之間。谿谷之會。亦有三百六十五穴會。邪在肌肉者取之。

第六十二節　大寫刺之認定

六曰大寫刺。大寫刺者。刺大膿以鈹鍼也。

張介賓曰。治癰瘍也。

第六十三節　毛刺之認定

七曰毛刺。毛刺者。刺浮痺皮膚也。

張隱菴曰。毛刺者。邪閉於皮毛之間。浮淺取之。所謂刺毫毛無傷皮。刺皮無傷肉也。

第六十四節 巨刺之認定

八曰巨刺。巨刺者。左取右。右取左

張介賓曰。邪客於經而有移易者。以巨刺治之。

馬元台曰。巨刺者。左病取右。右病取左。素問調經論曰。病在於左。而右脉病者。巨刺之。素問繆刺論以刺經穴爲巨刺。刺絡穴爲繆刺。皆左取右取左。

第六十五節 焠刺之認定

九曰焠刺。焠刺者。刺燔鍼則取痺也。

張介賓曰。謂燒鍼而刺也。即後世火鍼之屬。取寒痺者用之。

馬元台曰。焠刺刺以燔鍼。所以取痺証也。調經論曰。病在骨。焠刺藥熨。

第六十六節 偶刺之商確

凡刺有十二節。以應十二經。一曰偶刺。偶刺者。以手直心若背。直痛所。一刺前。一刺後。以治心痺。刺此者。傍鍼之也。

張介賓曰。偶。兩也。前後各一。故曰偶刺。直。當也。以手直心若背。謂前心後心。當其痛所各用一鍼治之。然須斜鍼以刺其傍。恐中心則死也。

張隱菴曰。偶刺者。一刺胸。一刺背。前後陰陽之相偶也。傍取之。恐中傷心氣也。

第六十七節　報刺之商確

二曰報刺。報刺者。刺痛無常處也。上下行者。直內無拔鍼。以左手隨病所按之。乃出鍼復刺之也。

張介賓曰。報刺。重刺也。痛無常處。則或上或下。隨病所在。即直內其鍼。

留而勿拔。乃以左手按之。再得痛處。乃出前鍼而復刺之也。

馬元台曰。報刺。所以刺其痛無常處也。凡痛時上時下者。當直納其鍼。無拔出之。以左手隨其痛處而按之。然後出鍼。以俟其相應。又復刺之。刺而復刺。故曰報刺。

第六十八節　恢刺之商確

三曰恢刺。恢刺者。直刺傍之舉之。前後恢筋急。以治筋痺也。

張介賓曰。恢。恢廓也。筋急者。不刺筋而刺其傍。必數舉其鍼。數前或後。以恢其氣。則筋痺可舒也。

馬元台曰。恢刺。以鍼直刺其傍。復舉其鍼。前後恢蕩其筋之急者。所以治筋痺也。

第六十九節　齊刺之商確

四曰齊刺。齊刺者。直入一。傍入二。以治寒氣小深者。或曰三刺。三刺者。治痺氣小深者也。

張介賓曰。齊者。三鍼齊用也。故又曰三刺。以一針直入其中。二針夾入其傍。治寒痺消深之法也。

馬元台曰。齊刺。用一針以直入之。用二針以旁入之。所以治寒痺之小且深者。因用三針。故又曰三刺也。

第七十節　揚刺之商確

五曰揚刺。揚刺者。正內一。傍內四而浮之。以治寒氣之搏大者也。

馬元台曰。揚刺者。正內其針一。傍內其針四。而又浮舉其針而揚之。所以治寒氣之搏大也。

第七十一節　直鍼刺之商確

六曰直鍼刺。直鍼刺者。引皮乃刺之。以治寒氣之淺者也。

張介賓曰。直者。直入無避也。引起其皮而刺之。則所用不深。但治寒氣之淺者。

馬元台曰。直針刺者。先用針以引起其皮。而後入刺之。所以治寒氣之淺者也。

第七十二節　輸刺之商確

七曰輸刺。輸刺者。直入直出。稀發鍼而深之。以治氣盛而熱者也。

張介賓曰。輸。委輸也。言能輸寫其邪。非上文榮輸之謂。直入直出。用其鋭也。稀發針。留之久也。久而且深。故可以去盛熱之氣。

第七十三節　短刺之商確

八日短刺。短刺者。刺骨痺。稍搖而深之。致鍼骨。所以上下摩骨也。

張隱菴曰。短刺者。用短針深入而至骨。所以使上下摩之。而取其骨痺也。

第七十四節　浮刺之商確

九日浮刺。浮刺者。傍入而浮之。以治肌急而寒者也。

張介賓曰。浮。輕浮也。傍入其鍼而浮舉之。故可治肌膚之寒。

馬元台曰。浮刺。似前揚刺。但彼有正納旁納。而此則但用旁入之鍼耳。

第七十五節　陰刺之商確

十日陰刺。陰刺者。左右率刺之。以治寒厥中寒厥足踝後少陰也。

張介賓曰。陰刺者。刺陰寒也。率。統也。言治寒厥者。於足踝後少陰經左右晳刺之。

馬元台曰。中寒厥者。必始於陰經。自下而厥上。故取足踝後少陰經之穴以刺之。名陰刺者。以其刺陰經也。

第七十六節　傍鍼刺之商確

十一曰傍鍼刺。傍鍼刺者。直刺傍刺各一。以治留痺久居者也。

張介賓曰。傍鍼刺者。一正一傍也。正者刺其經。傍者刺其絡。故可以治久居之留痺。

第七十七節　贊刺之商確

十二曰贊刺。贊刺者。直入直出。數發鍼而淺之出血。是謂治癰腫也。

張隱菴曰。賛。助也。數發鍼而淺之出血。助癰腫之外散也。

第七十八節　半刺之因應

凡刺有五。以應五藏。一曰半刺。半刺者。淺內而疾發鍼。無鍼傷肉。如拔毛狀。以取皮氣。此肺之應也。

馬元台曰。淺內其鍼。而又速發之。似非全刺。故曰半刺。無深入以傷其肉。如拔毛之狀。所以止取皮間之氣。蓋肺爲皮之合。故爲肺之應也。

第七十九節　豹文刺之因應

二曰豹文刺。豹文刺者。左右前後鍼之。中脉爲故。以取經絡之血者。此心之應也。

馬元台曰。因多其鍼。左右前後刺之。故曰豹文。中其脉以爲故。悉取經絡中之血。蓋心主血。故爲心之應也。

第八十節　關刺之因應

三曰關刺。關刺者。直刺左右盡筋上。以取筋痺。愼無出血。此肝之應也。

馬元台曰。直刺左右手足盡筋之上。正關節之所在。所以取筋痺也。愼無出血。蓋肝主筋。故爲肝之應也。

第八十一節　合谷刺之因應

四曰谷刺。合谷刺者。左右雞足。鍼於分肉之間以取肌痺。此脾之應也。

張介賓曰。合谷刺者。言三四攢合。爲雞足也。邪在肉間。其氣廣大。非合刺不可。脾主肌肉。故取肌痺者所以應脾。

馬元台曰。合谷刺者。左右用鍼。如雞足。然鍼於分肉之間。以取肌痺。蓋脾主肌肉。故爲脾之應也。

第八十二節　輸刺之因應

五曰輸刺。輸刺者。直入直出。深內之至骨。以取骨痺。此腎之應也。

張介賓曰。輸刺義見前章。腎主骨。刺深至骨。所以應腎。

第一章完

廣東中醫藥學校鍼灸科講義

粵東南海湘巖梁慕周編輯

目錄

第二章

第一節　鑱鍼之形式

靈樞九鍼十二原篇曰。一曰鑱鍼。長一寸六分。鑱鍼者。頭大末銳。去寫陽氣。

第二節　員鍼之形式

二曰員鍼。長一寸六分。員鍼者。鍼如卵形。揩摩分間。不得傷肌肉以寫分氣。

第三節　鍉鍼之形式

三曰鍉鍼。長三寸半。鍉鍼者。鋒如黍粟之銳。主按脉勿陷以致其氣。

第四節　鋒鍼之形式

四曰鋒鍼。長一寸六分。鋒鍼者。刃三隅以發錮疾。

第五節　鈹鍼之形式

五曰鈹鍼。長四寸。廣二分半。鈹鍼者。末如劍鋒以取大膿。

第六節　員利鍼形式

六曰員利鍼。長一寸六分。員利鍼者。大如　。且員且銳中身微大。以取暴氣。

慕按　氂同。又音毛。暴氣。脾氣之暴發也。

第七節　毫鍼之形式

七曰毫鍼。長三寸六分。毫鍼者。尖如蚊䖟喙。靜以徐往微以久留之而養。以取痛痺。

第八節　長鍼之形式

八曰長鍼。長七寸。長鍼者。鋒利身薄。可以取遠痺。

第九節　大鍼之形式

九曰大鍼長四寸。大鍼者。尖如挺。其鋒微員。以寫機關之水也。

第十節　九鍼之取法

靈樞九鍼論篇曰。九鍼者。天地之大數也。始於一而終於九。故曰一以法天。二以法地。三以法人。四以法時。

五以法音。六以法律。七以法星。八以法風。九以法野

張隱菴曰。九鍼之道。應天地之大數。而合之於人。人之身形。應天地陰陽。而合之於鍼。乃交相輸應者也。天地人者。三才之道也。天地之大數。始於一而成於三。三而三之成九。九而九之。九九八十一。以起黃鐘之數焉。以鍼應數也。肺屬金。而位居尊高。爲藏府之蓋。故應天者肺。脾屬土。而外主肌肉。故應土者肉也。血脉者。人之神氣也。故人之所以成生者血脉也。經絡出於四支。以應歲之十二月。故合於四時八風。五居九數之中。故主冬夏之分。分於子午也。律分陰陽。故合十二經脉。七竅在上。故應天之七星。人之四支。應於四旁。骨有八節。故應八方之風。九野者。在天爲分野。在地爲九州。在人爲膺喉頭首手足腰脇。故曰其氣九州。九竅皆通於天氣。

第十一節　鑱鍼之究竟

一者天也。天者陽也。五藏之應天者肺。肺者。五藏六府

之蓋也。皮者。肺之合也。人之陽也。故爲之治鍼。必以大其頭而銳其末。令無得深入而陽氣出。

張介賓曰。一者法天。法於陽也。人之五藏。惟肺最高。而覆於藏府之上。其象應天。其合皮毛。亦屬手陽。故治鑱鍼。必大其頭。鋒其末。蓋所用在淺。但欲出其陽邪耳。

第十二節　員鍼之究竟

二者地也。人之所以應土者肉也。故爲之治鍼。必箭其身而員其末。令無得傷肉分。傷則氣得竭。

張介賓曰。二者法地。地之應人者在肉。故治員鍼。必箭其身。員其末。鍼如卵形。以利導於分肉間。蓋恐過傷肌肉。以竭脾氣。故用不在銳。而主治分肉間之邪氣也。

第十三節　鍉鍼之究竟

三者人也。人之所以成生者血脉也。故爲之治鍼。必大其身而員其末。令可以按脉勿陷以致其氣。令邪氣獨出

張介賓曰。三者法人。人之生成。在於血脉。故治鍉鍼。必大其身。員其末。用在按脉致氣以出其邪。而不欲其過深陷於血脉之分也。

第十四節　鋒鍼之究竟

四者時也。時者。四時八風之客於經絡之中。爲瘤病者也。故爲之治鍼。必筩其身而鋒其末。令可以寫熱出血而痼病竭。

張介賓曰。四者法時。應在時氣瘤邪而爲病也。瘤者留也。故治鋒鍼必筩其身鋒其末。因其直壯而銳。故可以寫熱出血而取痼疾。

第十五節　鈹鍼之究竟

五者音也。音者。冬夏之分。分於子午。陰與陽別。寒與熱爭。兩氣相搏。合爲癰膿者也。故爲之治鍼。必令其末如劍鋒。可以取大膿。

張介賓曰。五以法音。音者。合五行而應天干。故有冬夏子午之分。治以鈹鍼。必令其末如劍鋒。用在治寒熱取大膿。以平陰陽之氣也。

第十六節　員利鍼之究竟

六者律也。律者。調陰陽四時而合十二經脈。虛邪客於經絡。而爲暴痺者也。故爲之治鍼。必令尖如氂。且員且銳。中身微大以取暴氣。

張介賓曰。六以法律。律應四時十二支。而合於人之十二經脈。令虛邪客於經絡而爲暴痺者。治以員利鍼。必令尖如氂且員且銳。中身微大。其用在利。故可以取諸經暴痺之氣。

第十七節　毫鍼之究竟

七者星也。星者。人之七竅。邪之所客於經。而爲痛痺。舍於經絡者也。故爲之治鍼。令尖如蚊䖟喙。靜以徐往。微以久留。正氣因之。眞邪俱往。出鍼而養者也。

張介賓曰。七以法星。而合於人之七竅。舉七竅之大者言。則通身空竅。皆所主也。治以毫鍼。令尖如蚊䖟喙。蓋用在微細徐緩。漸散其邪。以養眞氣。故可以取寒熱痛痺。浮淺之在絡者。

第十八節　長鍼之究竟

八者風也。風者。人之股肱八節也。八正之虛風。八風傷人。內舍於骨解腰脊節腠理之間爲深痺也。故爲之治鍼必長其身。鋒其末。可以取深邪遠痺。

張介賓曰。八以法風。而合於人之股肱八節。言八節。則通身骨節皆其屬也。凡虛風之深入者。必內舍於骨解腰脊節腠之間。故欲取深邪遠痺者。必爲大鍼以治之也。

第十九節　大鍼之究竟

九者野也。野者。人之節解皮膚之間也。淫邪流溢於身。如風水之狀。而溜不能過於機關大節者也。故爲之治鍼令尖如挺。其鋒微員。以取大氣之不能過於關節者也。

張介賓曰。九以法野。野以應人之周身。凡淫邪流溢於肌體。爲風爲水。不能過於關節而壅滯爲病者。必用大鍼以利機關之大氣。大氣通。則淫邪行矣。尖如挺者。。言其粗且巨也。。

廣東中醫藥學校鍼灸科講義

粵東南海湘巖梁慕周編輯

目錄

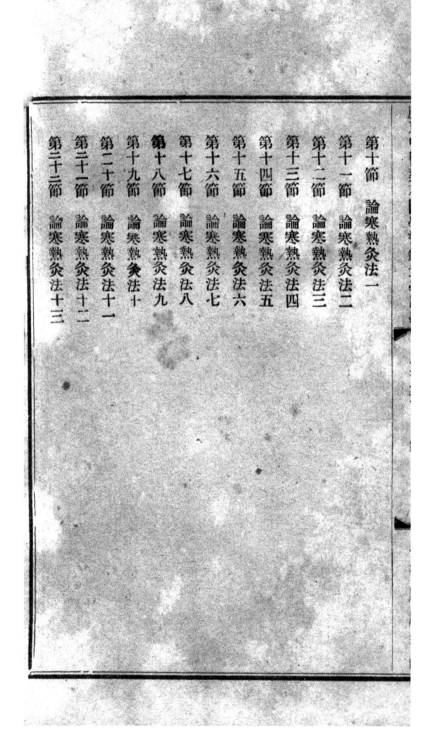

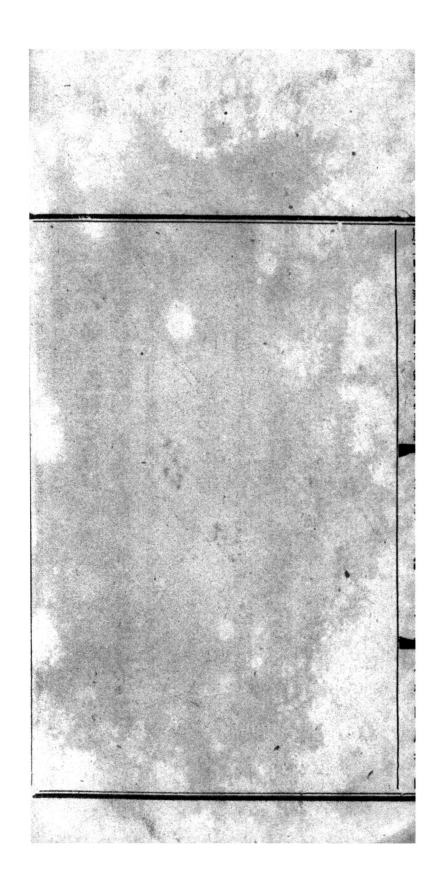

第三章

第一節　灸刺之合治

素問血氣形志篇曰。形樂志苦。病生於脉。治之以灸刺。

馬元台曰。世有身形快樂。而心志則苦。其病生於脉者。以心主脉也。當灸刺隨宜以治之。

第二節　刺灸之串治

靈樞禁服篇曰。寸口大於人迎一倍。病在足厥陰。一倍而躁。病在手心主。寸口二倍。病在足少陰。二倍而躁。病在手少陰。寸口三倍。病在足太陰。三倍而躁。病在手太陰。盛則脹滿寒中。食不化。虛則熱中出糜。少氣。溺色變。緊則痛痺。代則乍痛乍止。盛則瀉之。虛則補之。緊

則先刺而後灸之。

張隱菴曰。陰氣太盛。則脹滿寒中。虛則熱中出糜。溺色變。氣從內而外。由陰而陽也。是以候人迎氣口。則知陰陽六氣之盛虛。內可以驗其藏府之病。陰陽外內之相通也。痛痺在於分腠之氣分。腠者。皮膚藏府之肉理。故病在陽者。取之分肉。病在陰者。先刺而後灸之。蓋灸者。所以啟在內在下之氣也。

第三節　徒灸之單治

陷下則徒灸之。陷下者。脉血結於中。中有著血。血寒故宜灸之。

張隱菴曰。陷下則徒灸之。蓋言氣陷下者宜灸。今入於脉中。又當取之於經矣。如陷於脉而宜灸者。乃脉受結之留血而陷於中。中有著血。血寒故宜灸也

第四節　灸焫之緣起

素問異法方宜論篇曰。北方者。天地所閉藏之域也。其地高陵居。風寒冰冽。其民樂野處而乳食。藏寒滿病。其治宜艾焫。故艾焫者。亦從北方來。

馬元台曰。天地嚴寒之氣。盛於北方。故北方者。天地閉藏之域也。其地最高。其居如陵。風寒冰冽。民思避之。故樂於野處。多食獸乳。乳性頗寒。是以人之藏氣亦寒。而中滿之病生。故北方之人。必用灸焫以煖之。後世之用灸焫者。從北方來也。

第五節　灸法之指歸

靈樞官能篇曰。大寒在外。留而補之。入於中者。從合瀉之。鍼所不為。灸之所宜。上氣不足。推而揚之。下氣不足。積而從之。陰陽皆虛。火自當之。厥而寒甚。骨廉陷下。寒過於膝。下陵三里。陰絡所過。得之留止。寒入於中。推而行之。經陷下者。火則當之。結絡堅緊。火所治之。

張隱菴曰。太陽之上。寒氣主之。太陽之氣。主膚表。大寒在外。寒水之氣在表也。故當留而補之。候陽氣至而鍼下熱。補其陽以勝其寒也。如寒邪上入於中者。從合以瀉之。合治內府。使寒邪從腸胃以瀉出也。寒氣之甚於外而入於中者。因陽氣之在下也。故鍼所不能爲。灸之所宜也。上氣不足者。推而揚之。下氣不足者。積而從之。謂氣本於下之所生也。陰陽皆虛。火自當之。蓋艾能於水中取火。能啟陽氣於陰中也。厥而寒甚。起於廉骨下之陷中。而上逆於膝。此寒厥也。寒厥起於足五指之裡。集於膝下。而聚於膝上。蓋氣因於中陽氣衰。不能滲榮其經絡。陽氣日損。陰氣獨在。故爲之寒。是以取陽明之下陵三里以補之。此寒厥之在氣也。若寒氣從絡之所過。得之則留而止之。如寒入於中。則當推而行之。此治寒厥之法也。若經氣下陷。則以火灸之。結絡堅緊者。中有著血。血寒。則皆以火治之也。

第六節　灸法之補瀉

靈樞背兪篇曰。背中大兪。在杼骨之端。肺兪。在三焦之間。心兪。在五焦之間。膈兪。在七焦之間。肝兪。在九焦之間。脾兪。在十一焦之間。腎兪。在十四焦之間。皆挾脊相去三寸所。則欲得而驗之。按其處。應在中而痛解。乃其兪也。灸之則可。刺之則不可。氣盛則瀉之。虛則補之。以火補者。毋吹其火。須自滅也。以火瀉者。疾吹其火。傳其艾。須其火滅也。

倪冲之曰。五藏六府之俞。皆在於背。焦。椎也。在脊背骨節之交。督脈之所循也。大杼在一椎之兩旁。肺俞在三椎之間。心俞在五椎之間。膈俞在七椎之間。肝俞在九椎之間。脾俞在十一椎之間。腎俞在十四椎之間。皆挾脊相去三寸所。左右各間中行一寸五分也。按其俞。應在中而痛解者。太陽與督脉之相通也。言五藏而先言大杼者。乃項後大骨之端。督脉循於脊骨之第一椎也。言五藏而言七焦之膈俞者。五藏之氣。皆從内膈而出也。故曰七節之旁。中有小心。中膈者皆爲傷中。其病雖愈。不過一歲必死。夫五藏之俞。皆附於足太陽之經者。膀胱爲水府。地之五行。本於天一之水也。按太陽之經。而應於督脉者。太陽寒水之氣。督脉總督一身之陽。陰陽水火之氣交也。灸之則可者。能啟藏陰之氣也。刺之則不可者。中心者環死。中脾者五日死。中腎者七日死。中肺者五日死。蓋逆刺其五藏之氣。皆爲傷中。非謂中於藏形也。以火補之者。以火濟水也。以火瀉之者。艾名冰臺。能於水中取火。能啟發陰藏之氣。故疾吹其火。即傳上其艾以導引外出也。

第七節 灸癲之部分

靈樞癲狂篇曰。治癲疾者。常與之居。察其所當取之處。病至。視其有過者瀉之。置其於血瓠壺之中。至其發時。血獨動矣。不動灸窮骨二十壯。窮骨者。骶骨也。

張隱菴曰。常與之居者。得其病情也。察其所當取之處。視其有過者瀉之。謂視疾之在於手足何經而取之也。瓠壺。葫蘆也。致其血於壺中。發時而血獨動者。氣相感召也。爲厥氣傳於手太陰太陽。則血於壺中獨動。減天氣太陽之運動也。不動者病入於地水之中。故當灸骶骨二十壯。

第八節　厥癲之刺灸

厥癲疾者。暴仆。四肢之脉。皆脹而縱。脉滿。盡刺之出血。不滿。灸之挾項太陽。灸帶脉於腰相去三寸。諸分肉本輸。嘔多沃沫。氣上泄不治。

張隱菴曰。經脈者。所以濡筋骨而利關節。脈癲疾。故暴仆也。十二經脈皆出於手足之井榮。是以四肢之脈皆脹。而縱。脈滿者病在脈。故當盡刺之以出其血。不滿者。病氣下陷也。心主脈。而爲陽中之太陽。十二藏府之經俞。皆屬於太陽。故當灸太陽於項間。以啟陷下之疾。帶脈起於季脇之章門。橫束諸經脈於腰間。相去季脇三寸。乃太陽經俞之處也。諸分肉。本俞谿肉之俞穴也。蓋使脈內之疾。仍從分肉氣分而出。

馬元台曰。此言脈癲疾者。有可治之穴。有不可治之證也。脈癲疾者。癲疾成於脈也。猝時僵仆。四肢之脈。皆脹滿而弛縱。如其脈果未。則盡刺之以出其血。如其脈不滿。則灸足太陽膀胱經挾項之天柱穴。（挾項後髮際。大筋外廉陷中鍼二分留六呼灸三壯）又灸足少陽胆經之帶脈穴。此穴相去於腰。計三寸許。（帶脈季脇下一寸八分陷中鍼六分灸三壯。乃諸經分肉之本穴。蓋指四肢之脈。皆脹而縱之所也。設在上嘔多沃沫。在下氣泄。則不可治矣。

第九節　灸狂之部分

狂而新發。未應如此者。先取曲泉左右動脉。及盛者見血有頃已。不已。以法取之。灸骨骶二十壯。

張隱菴曰。應者。謂因於下而應於上也。蓋言狂乃心氣虛實之爲病。如因於腎氣之實虛。皆從水而木。木而火也。故狂而新發。未見悲驚喜怒。妄見妄聞。如此之證者。先取曲泉左右之動脉。盛者見血即已。蓋病從木氣淸散。而不及於心神矣。如不已。用灸法以取之。骶骨。乃督脉之所循。督脉與肝脉會於頭項。故灸骨骶。引厥陰之脉氣。復從下散也。按脊骨之盡處爲骶骨。乃足太陽與督脉交會之處。曰窮骨。曰骶骨。曰骨骶。蓋亦有所分別也。

第十節　寒熱灸法一

素問骨空論篇曰。灸寒熱之法。先灸項大椎。以年爲壯數。

慕按大椎穴。屬督脉。在第一椎上陷者中。如十六歲灸十六壯。十八歲灸十八壯。灸如病者之年數。

第十一節　寒熱灸法二

次灸橛骨。以年爲壯數。

慕按橛骨穴。一名長强。一名窮骨。亦名尾骶。在脊骶骨端伏地取之。屬督脉。張介賓謂屬任脉者非。

第十二節　寒熱灸法三

視背俞陷者灸之。

慕按背俞穴屬太陽。上自肩中俞起。下至白環俞止。稱俞者共二十穴。連大杼風門計之。共二十二穴。本文未指明所灸者爲何俞。全在臨證者神而明之。審其何經氣陷耳。

第十三節　寒熱灸法四

舉臂肩上陷者灸之。

慕按即肩髃穴。屬手陽明。在膊骨頭肩端上兩骨罅陷中。舉臂取之有空者是。

第十四節　寒熱灸法五

兩季脇之間灸之。

慕按即京門穴。屬足少陽。在季脇本夾脊。一云在臍上五分旁開九寸半。側臥屈上足。伸上足。舉臂取之。

第十五節　寒熱灸法六

外踝上絕骨之端灸之。

慕按即陽輔穴。屬足少陽。在足外踝上除骨四寸。輔骨前絕骨之端。

第十六節　寒熱灸法七

足小指次間　之。

慕按即俠谿穴。屬足少陽。在足小指次指本節前歧骨間陷中。足少陽所溜爲榮。即此處也。

第十七節　寒熱灸法八

膕陷下脉灸之。

慕按即承筋穴。屬足太陽。在腨腸中央陷中是。

第十八節　寒熱灸法九

外踝後灸之。

慕按即崑崙穴。屬足太陽。在足外踝後五分。跟骨上陷者中。細脉動應手是足太陽所行爲經。即此處也。

第十九節　寒熱灸法十

缺盆骨上。切之堅痛如筋者灸之。

張隱菴曰。按靈樞經脉篇。手太陽手足少陽陽明五脉。皆入於缺盆兩骨之間。故不必論其何經。切之堅痛如筋者。卽灸之。

第二十節　寒熱灸法十一

膺中陷骨間灸之。

慕按卽天突穴。屬任脉。在結喉下三寸宛宛中

第二十一節　寒熱灸法十二

掌束骨下灸之。

慕按卽陽他穴。屬手少陽。在手表腕上陷者中。自本節後骨直對腕中。手少陽所過爲原。卽此處也。

第二十二節　寒熱灸法十三

臍下關元三寸灸之。

慕按關元穴。在臍下三寸。屬任脉。此穴當人身上下四旁之中。故又名大中極

乃男子藏精。女子蓄血之處。

第二十三節　寒熱灸法十四

毛際動脉灸之。

慕按即氣衝穴。又名氣街。在歸來下鼠鼷上一寸。動脉應手宛宛中。去中行二寸。金鑑云。歸來下行在腿班中。有肉核名曰鼠谿。直上一寸動脉應手。旁開中行二寸。氣街穴也。

第二十四節　寒熱灸法十五

膝下三寸分間灸之。

慕按即三里穴。屬足陽明。在膝眼下三寸。胻骨外廉大筋內宛宛中。坐而竪膝低跗取之。極重按之。則跗上之動脉止矣。足陽明所入爲合。即此處也。

第二十五節　寒熱灸法十六

足陽明跗上動脉灸之。

慕按即衝陽穴。在足跗上五寸高骨間動脈。去陷谷二寸。足陽明所過爲原。即此處也。亦即仲景所謂趺陽脈也。

第二十六節　寒熱灸法十七

巔上一灸之

慕按即百會穴。屬督脈。在前頂後一寸五分。頂中央旋毛心。直兩耳尖上對是穴。督脈足太陽之會。手足少陽厥陰俱會於此。

第二十七節

犬所嚙之處。灸之三壯。即以犬傷病法灸之。

王太僕曰。犬傷而發寒熱者。即以犬傷法三壯灸之。

慕按犬傷無定處。故未能指出其穴。即以所傷處灸之。

以上自第十節至第二十七節俱論灸寒熱之法

廣東中醫藥專門學校鍼灸科講義

粵東南海湘巖梁慕周編輯

目錄

第一節　經穴之狀態

陳子年曰。經穴之中。即爲容鍼受艾之處。全體經穴。共計六百六十有七。分言之則左右各三百有八。加以前後中線之五十有一。而成爲六六七之數焉。陽脉之行於體外者。其竅穴多在骨節之間。陰脉之行於體外者。其竅穴多注於筋骨之處。

第二節　面積之微渺

病之中人。有中於一經者。有中於數經者。但其中病之初。未必全經受病。僅中一經之二三節者居多。按法以求。自有完善之審穴法度。則六百六十七穴。均可瞭如指掌矣。然須備有下述之三器。始可以曲盡其妙。

第三節　審穴之三器

鍼灸之要。在於審穴。審穴之方。在於三器。

三器者。一曰韓條。以硬薄之獸韓爲之。廣可二分。長可二尺。宜硬者取其牽而不伸縮。宜薄者取其不擦病人皮肉。

二曰粉線。以密綢爲囊。形如縫匠之粉囊而畧小。貯以最幼緻之圍粉。貫以稍鬆細之絹線。線之兩端。繫以小環。宜圍粉者。取其含有膏質而不撲脫。宜絹線者。取其性帶毛茸而引粉外出。

三曰粉條。粉條亦以最精之圍粉爲之。而以豕膏製之。搓成小條。大如桂枝。時復磨之使成馬蹄形。有此蹄尖。而後記畫的確。

學者具此三器便可以審求人體之穴度。惟全體之十四經線。須知各部轉動時。經線亦隨之而轉動。故審求之法。各部不同。有令病人坐而求之者。有令病人臥而求之者。更有俯求仰求。跪求蹲求。或偃掌或竪足而後求得者。均當如法以求之。若稍變體勢。則位置改移而不的確矣。今述位置之界域如下

第四節　位置之界域

審穴於病人身體。而欲着手不紊。必先認識各部之名稱。劃分各部之界域。

人體之至高處曰頭。頭有髮。髮之中心旋毛處曰巔頂。髮之週圍邊界處曰髮際。以兩耳爲髮際之界而分為前後髮際。髮際垂尖於耳前者曰髮垂。髮垂稍前之曲角處曰髮角。

自前髮際以下至眉曰額。自眉至目曰頞。頞之下有鼻。鼻垂之至高處曰鼻準。自鼻至口其處有直坑曰唇溝。又曰人中。唇下曰頦。頦下曰咽喉。目之兩角曰眥。向鼻之眥曰內眥。向耳之眥曰外眥。又曰銳眥。目下高骨曰兩顴。顴下曰頤。又曰腮。頤後曰頰。頰上有耳。耳前有脆骨突起少如半豆者曰

耳根。

咽喉之下曰胸。胸中之深陷處曰胸岐。胸岐之下曰脘。脘下曰大腹。大腹有臍坎。臍坎內綴曰臍蒂。大腹之下曰少腹。少腹之下。男有玉莖。女有玉坎。莖坎之叢毛處曰毛際。

咽喉下之兩旁有陷曰缺盆。胸之兩旁曰膺。胸歧之兩旁曰乳。脘之兩旁曰脇。大腹之兩旁曰季脇。

後髮際之下曰項。項之兩旁曰頸。項以下曰脊。脊之下半曰腰。脊之兩旁曰胛。腰兩旁曰膂。

兩頸之下曰肩。肩下曰臑。又曰肱。又曰上膊。臑下能屈處曰肘。肘下曰臂。又曰下膊。臂下能寡處曰腕。腕下曰掌。掌下曰指。指端有爪俗名曰甲。

臑肘臂腕等部。其屈出之方曰陽方。其屈入之方曰陰方。大指之方曰前廉。小指之方曰後廉。腕旁之兩高骨曰前踝後踝。五指之稱。曰大指。二指。中指。四指。小指。大指又名拇指。二指又名食指。四指又名鈍指。五指骨節有本中末之分。。近歧之骨曰本節。。近爪之端曰末節。。肩之下脇之上曰腋。。腋內叢毛處曰腋窩。。季脇之下褌帶所乘之骨曰跨。。跨下曰股。。股之陰部曰髀。。股下曰膝。。膝下曰脛。。脛下曰跗。。跗下五趾。。曰大趾。。二趾。。中趾。。四趾。。小趾。。膝之兩旁曰臏。。臏後曰膕。。膕下曰腨。。腨下曰跟。。足部亦以屈出之方爲陽方。。屈入之方爲陰方。。故跗之上曰跗陽。。跗之下曰跗陰。。大趾之方曰內廉。。小趾之方曰外廉。。故足踝亦有內踝外踝之異名也。。以上爲審穴必須之名。。其餘身體各域與鍼灸無涉者。。不復載入本篇矣。。

第五節　體度之分類

設如有穴在乳上一寸。。又有穴在肘下一寸。。又本穴在目外一寸。。是皆一寸也。。而三者之寸度不相齊等焉。。何以故。。是因身體之長短廣狹各不同。。每體上下前後之部各偏勝。。故審穴之法度。。須取其人之各部爲準的。。其綱領分爲一十五種。

一爲頸項中線。長自眉心以至項下。法在眉心誌粉一點。巔頂中心誌粉一點。頸項頸項中心誌粉一點。用韓條壓此三點之旁。以粉條沿韓條之旁而畫之。如此。則線內所有之穴。以先得其直度矣。惟巔頂心之一點。尚須有法以求之。其法先以韓條橫壓巔頂。自左耳根上而度至右耳根上。乃提左端對摺於右耳根上。如此。則巔頂之中點正矣。凡求度於起伏巖巉中之部位者。皆利用韓條而不宜粉線。

二爲前身中線。長自頦部以至陰器。令病人仰臥去枕。平伸手足。先在喉峯誌粉一點。又在陰器正中誌粉一點。乃取粉線靠此二點以彈之。彈畢。審視粉線果能壓正胸岐與臍故一部。則爲無誤矣。倘粉線未能壓正胸腹。須再小輾病人之軀體。使就正而復彈之。此線已正。則任脉二十餘穴。其穴度已得大半矣。

三爲後身中線。長自頂下至尾骶。令病人正坐平視。先在大椎骨峰誌粉一點。乃取粉線之一端。靠壓其點。而以彼端靠在臀溝以彈之。彈畢。爰察線痕果能壓正諸椎之骨峰。則無誤矣。否則稍輾其軀而復彈之。此線已正。則督脉諸穴之直度已得其半矣。

四爲頭面旁線。法用韓條度取病人之目內眥至外眥爲一寸。凡諸穴在頭面中線之旁若干寸者。皆以此度爲標準。故此度又名曰目度。惟韓條不便壓入目中以度之。其法使病人開目正視。先用粉條在目之兩角。各誌一點。復使閉目。然後以韓條度其粉點。而目度乃得之。

五爲身軀旁線。法令病人仰臥。乃用韓條自左乳峰度至右乳峰。摺誌分爲八度。故名曰乳度。凡諸穴在前身後身中線之旁開若干寸。皆以乳度爲標準。

六爲頭面高度。設如有穴在髮際之上下若干寸。或在巔頂之前後若干寸。或在目鼻之上下若干寸。皆用頭面高度以計之。法在項下大椎骨之上界誌粉一點。乃取韓條照此點度至眉心。摺分一十八寸。名爲頭度。說明。審認大椎骨須得法。令病人正坐平視。醫者以兩指向病人之後髮際處。按推至項坑盡處。覺有高骨大如杏核。此頸骨之第五節而名大椎骨也。頸骨第一二三四節。皆爲項肉所蔽。。至第五節。。始可外按覺之。。下此者名第二椎骨。。三四椎照此類椎。。凡兩椎交界處名骨界。。設有穴在三椎與四椎交界處。。此穴則稱在三椎之下界。。

七爲髮際標準。。常人髮際。。多屬巉巖。。法用粉筆在前髮際處誌粉一點。。又在後髮際處誌粉一點。。更在兩耳上髮際處誌一點。。爰取轉條向此四點圍之。。畫以粉痕。。是爲髮際之周界。。四周髮際之高度。。卽以此周界爲標準。。

八爲身軀高度。。設如有穴在乳之上下若干寸。。或在臍之上下若干寸。。或在背脊之高下者。。皆以身軀之高度求之。。法令病人仰臥。。醫者以兩指按於病人之心坎上。。推至胸骨岐拱下界。。誌粉一點。。乃取轉條一端。。照此粉點以度至臍坎中心。。摺分九寸。。名曰胸度。。 轉條分爲九寸之法。。可先摺爲三度。。三而三之。。以以成九度可也。。後身之高度。。當以第幾椎骨之上界或下界或中峰而計之。。若其穴在脊骨兩旁。。而離椎骨太遠者。。則須取其粉線。。橫按椎骨以彈之。。使粉線與椎骨成爲平正之十字形。。而後脊旁之高度乃的確。。

九爲結喉標準。凡喉部之上下左右諸穴。每取結喉爲標準。結喉者。乃氣管之蒂。位於兩頸之前。宜令病人高枕仰卧。醫者以兩指向病人之頦部推下之。覺其一連三骨。每骨長不及寸。而濶約寸許。最上之骨。在頦頸交界之曲隅處。摸之形如仰月。其下之骨。形如豎欖。再下之骨。形如横欖。過此三骨之下。是爲結喉。結喉形如杏仁。按之四走不定。故又名喉核。頸部諸穴及前身諸穴之高度。應靠喉核之中峰及其上下界爲標準者也。

十爲手足高度。設如有穴在腕肘踝指之上下若干寸。或在膝膕跗趾之上下若干寸。皆用手足高度以計之。法令病人屈中指與大指。(男左女右)復以大指之端。壓在中指爪上。使兩指交爲環形。則中指中節之兩摺紋顯現。乃取韓條度取兩摺紋之末端。是爲指度之一寸。

十一爲腋部標準。凡近腋諸穴。宜靠腋隅爲標準。法令病人垂手直立。以掌向股。則腋隅兩端之摺紋顯現。乃取粉條誌點於腋紋兩端。復令病人舉手向天。以粉線照腋兩端之粉點彈之。而得腋部之高度。即以韓條照兩端之粉點對摺之。而得腋部之中點。

十二爲肘部標準。肘部諸穴。須靠肘紋爲標準。令病人平舉其臑。又屈肘以掌自按其頭。肘紋兩端。因而顯現。乃取粉條點誌其兩端。復令平伸其手。取粉線照肘紋兩端之粉點彈之。而得肘部之高度。又取鞾條照肘紋兩端之粉點對摺之。而得肘部之中點。

十三爲腕部標準。近腕諸穴。必以腕環爲標準。法使病人伸手向前。臂陰向上。復使屈掌。指端向天。使手臂與手掌成一矩形之直角。視腕上諸紋有深摺而透過腕部者。用粉點誌其紋之兩端。點畢。復令其掌伸直。取鞾條照腕紋兩端之粉點對摺之。而得腕部之中點。又以鞾條按住腕紋兩端之粉點環繞之。并用粉條沿鞾條而環繞之。即用粉條沿鞾條而環畫之。而得腕部四周之高度。是因腕部四周之諸穴。亦以腕環爲標準也。

十四爲膕部標準。法使病人正坐。提高其足而蹈於所坐之位。復以兩手圍抱足脛。使足跟接近臀肉。則膕紋之兩端顯現。以粉條點其兩端。復使伸其足。倣照前段所述環畫腕部之法以誌之。則膕部之中點與旁點與前後高度。皆得之矣。。十五爲諸器官。。標準。。諸穴近於某器官者。。必以此器官爲標準。。若器官而高聳者。。則其中點稱曰某器官之峯。。如顴峯踝峰之類是也。。若器官而深陷者。。則其中點稱爲某器官之坎。。如胸坎臍坎之類是也。。器官之四旁盡處。。則稱曰某器官之上界下界。。或前後左右界。。如耳本爪本之類是也。。

廣東中醫藥專門學校鍼灸科講義

粤東南海湘巖梁慕周編輯

目錄

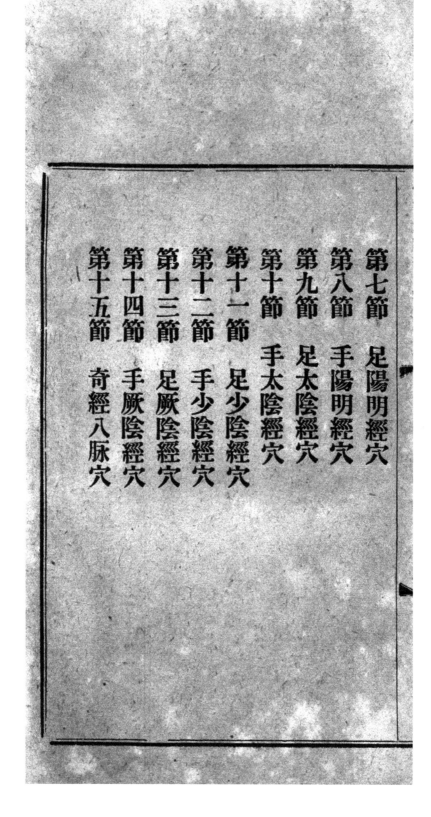

第一節　任脉之經穴

會陰　曲骨　中極　關元　石門　氣海　陰交　神闕
水分　下脘　建里　中脘　上脘　巨闕　鳩尾　中庭
膻中　玉堂　紫宮　華蓋　璇璣　天突　廉泉　承漿

任脉穴歌

任脉中行二十四。會陰潛伏兩陰間。曲骨之上游中極。
關元石門氣海邊。陰交神闕水分處。下腕建里中腕前。
上腕巨闕連鳩尾。中庭膻中玉堂裏。紫宮華蓋連璇璣。
天突廉泉承漿止。

第二節　督脉之經穴

長强　腰俞　陽關　命門　懸樞　脊中　中樞　筋縮

至陽　靈臺　神道　身柱　陶道　大椎　瘂門　風府

腦戶　强間　後頂　百會　前頂　顖會　上星　神庭

素髎　水溝　兌端　齗交

督脉穴歌

督脉行背之中行。二十八穴始長强。腰俞陽關入命門。懸樞脊中中樞長。筋縮至陽歸靈臺。神道身柱陶道開。大椎瘂門連風府。腦戶强間後頂排。百會前頂通顖會。上星神庭素髎對。水溝兌端在唇上。齗交在齒縫之內。

第三節　足太陽經穴

睛明　攢竹　眉冲　曲差　五處　承光　通天　絡郄
玉枕　天柱　大杼　風門　肺兪　厥陰兪　心兪　督
兪　膈兪　肝兪　膽兪　脾兪　胃兪　三焦兪　腎兪
氣海兪　大腸兪　關元兪　小腸兪　膀胱兪　中膂兪
白環兪　上髎　次髎　中髎　下髎　會陽　附分　魄
戶　膏肓兪　神堂　譩譆　膈關　魂門　陽綱　意舍
胃倉　肓門　志室　胞肓　飛陽　附陽　崑崙　僕參
申脉　金門　京骨　束骨　通谷　至陰　秩邊　承扶
殷門　浮郄　委陽　委中　合陽　承筋　承山

足太陽經穴歌

足太陽經六十七。睛明目內紅肉藏。攢竹眉冲與曲差。
五處上寸半承光。通天絡郤玉枕昂。天柱後際大筋外。
大杼背部第二行。風門肺俞厥陰四。心俞督俞膈俞強。
肝膽脾胃俱挨次。三焦腎气海大腸。關元小腸到膀胱。
中膂白環仔細量。自從大杼至白環。各各節外寸半長。
上髎次髎中復下。一空二空腰髁當。會陽陰尾骨外取。
附分俠脊第三行。魄戶膏肓與神堂。譩譆膈關魂門九。
陽綱意舍仍胃倉。肓門志室胞肓續。二十椎下秩邊場。
承扶臀橫紋中央。殷門浮郄到委陽。委中合陽承筋是。
承山飛陽踝附陽。崑崙僕參連申脉。金門京骨束骨忙。

通谷至陰小趾旁。

第四節　手太陽經穴

少澤　前谷　後谿　腕骨　陽谷　養老　支正　少海

肩貞　臑俞　天宗　秉風　曲垣　肩外俞　肩中俞

天窗　天容　顴髎　聽宮

手太陽經穴歌

手太陽經十九穴。少澤先於小指設。前谷後谿腕骨間。陽谷須同養老列。支正少海上肩貞。臑俞天宗秉風合。曲垣肩外復肩中。天窗循次上天容。此經全屬小腸主。還有顴髎入聽宮。

第五節　足少陽經穴

童子髎　聽會　客主人　頷厭　懸顱　懸釐　曲鬢
率谷　天衝　浮白　竅陰　完骨　本神　陽白　臨泣
目窗　正營　承靈　腦空　風池　肩井　淵腋　輒筋
日月　京門　帶脈　五樞　維道　居髎　環跳　風市
中瀆　陽關　陽陵泉　陽交　外邱　光明　陽輔　懸鐘　邱墟　臨泣　地五會　俠谿　竅陰

足少陽經穴歌

足少陽經童子髎。四十四穴行迢迢。聽會主人頷厭雅。
懸顱懸釐曲鬢翹。率谷天衝浮白次。竅陰完骨本神昭。

陽白臨泣目窗開。正營承靈腦空搖。風池肩井淵腋部。
輒筋日月京門標。帶脉五樞維道續。居髎環跳風市招。
中瀆陽關陽陵穴。陽交外邱光明宵。直從陽輔懸鐘去。
猶帶邱墟臨泣潮。透過此間地五會。俠谿行盡竅陰條。

第六節 手少陽經穴

關衝 液門 中渚 陽池 外關 支溝 會宗 三陽絡 四瀆 天井 淸冷淵 消濼 臑會 肩髎 天髎 天牖 翳風 瘈脉 顱息 角孫 耳門 和髎 絲竹空

手少陽經穴歌

手少陽三焦所從。二十三穴起關衝。液門中渚陽池認。

外關支溝及會宗。三陽絡兮通四瀆。天井到清冷淵中。消濼臑會肩髎共。天髎天牖經翳風。瘈脉顱息角孫入。耳門和髎絲竹空。

第七節　足陽明經穴

承泣　四白　巨髎　地倉　大迎　頰車　下關　頭維　人迎　水突　氣舍　缺盆　氣戶　庫房　屋翳　膺窓　乳中　乳根　不容　承滿　梁門　關門　太乙　滑肉門　天樞　外陵　大巨　水道　歸來　氣衝　髀關　伏兎　陰市　梁邱　犢鼻　三里　上巨虚　條口　下巨虚　豐隆　解谿　衝陽　陷谷　內庭　厲兌

足陽明經穴歌

四十五穴足陽明。承泣四白巨髎生。地倉大迎登頰車。下關頭維對人迎。水突氣舍連缺盆。氣戶庫房屋翳屯。膺窗乳中下乳根。不容承滿出梁門。關門太乙滑肉起。天樞外陵大巨裏。水道歸來達氣衝。髀關伏兎走陰市。梁邱犢鼻足三里。上巨虛連條口底。下巨虛下有豐隆。解谿衝陽陷谷同。內庭厲兌陽明穴。大趾次趾之端終。

第八節　手陽明經穴

商陽　二間　三間　合谷　陽谿　偏歷　溫溜　下廉

上廉　三里　曲池　肘髎　五里　臂臑　肩髃　巨骨

天鼎　扶突　禾髎　迎香

手陽明經穴歌

手陽明穴起商陽。二間三間合谷藏。陽谿偏歷過溫溜。下廉上廉三里長。曲池肘髎迎五里。臂臑肩髃巨骨起。天鼎扶突接禾髎。終以迎香二十止。

第九節　足太陰經穴

隱白　大都　大白　公孫　商邱　三陰交　漏谷　地機　陰陵泉　血海　箕門　衝門　府舍　腹結　大橫　腹哀　食竇　天谿　胸鄉　周榮　大包

足太陰經穴歌

足太陰脾起足拇。隱白先從內側抱。大都大白繼公孫。
商邱直上三陰搗。漏谷地機陰陵泉。血海箕門衝門覩。
府舍腹結大橫間。腹哀食竇天谿府。胸鄉周榮大包終。
二十一穴太陰土。

第十節　手太陰經穴

中府　雲門　天府　俠白　尺澤　孔最　列缺　經渠
太淵　魚際　少商

手太陰經穴歌

手太陰經十一穴。中府雲門天府列。俠白尺澤孔最存。
列缺經渠太淵涉。魚際直出大指端。內側少商如韮葉。

第十一節　足少陰經穴

湧泉　然谷　大谿　大鍾　水泉　照海　復溜　交信
築賓　陰谷　橫骨　大赫　氣穴　四滿　中注　肓俞
商曲　石關　陰都　通谷　幽門　步廊　神封　靈墟
神藏　彧中　俞府

足少陰經穴歌

足少陰穴二十七。湧泉然谷大谿迄。大鍾水泉通照海。
復溜交信築賓實。陰谷橫骨也牽連。大赫聯同氣穴溢。
四滿中注肓俞臍。商曲石關陰都密。通谷幽門寸半開。
折量腹上分十一。步廊神封膺靈墟。神藏彧中俞府畢。

第十二節　手少陰經穴

極泉　靑靈　少海　靈道　通里　陰郄　神門　少府
少衝

手少陰經穴歌

九穴午時手少陰。極泉靑靈少海深。靈道通里陰郄考。
神門少府少衝尋。

第十三節　足厥陰經穴

大敦　行間　太衝　中封　蠡溝　中都　膝關　曲泉
陰包　五里　陰廉　急脈　章門　期門

足厥陰經穴歌

足厥陰經一十四。大敦行間太衝是。中封蠡溝伴中都。膝關曲泉陰包次。五里陰廉上急脉。章門纔過期門至。

第十四節　手厥陰經穴

天池　天泉　曲澤　郄門　間使　內關　大陵　勞宮　中衝

手厥陰經穴歌

心包九穴天池近。天泉曲澤郄門認。間使內關踰大陵。勞宮中衝中指盡。

第十五節　奇經八脉穴

陳壽田曰。脉有奇常。十二經者常脉也。奇經則不拘於常。故謂之奇也。奇經有八。曰任督衝帶陽蹻陰蹻陽維陰維是也。任脈起於會陰。循腹而行於身之前。爲陰脈之承任。故任爲陰脈之海。督脈起於會陰。循背而行於身之後。爲陽脈之總督。故督爲陽脈之海。衝脈起於會陰。夾臍而行。直衝於上。爲諸脈之衝要。故衝爲十二經脈之海。帶脈則橫圍於腰。狀如束帶。所以總約諸脈也。陽蹻起於跟中。循外踝上行於身之左右。陰蹻起於跟中。循內踝上行於身之左右。所以使機關之蹻捷也。陽維起於諸陽之會。由外踝而上行於衛分。陰維起於諸陰之交。由內踝而上行於營分。所以爲一身之綱維也。是故任衝主身前之陰。督主身後之陽。以南北言也。帶脉橫束諸脉。以六合言也。陽蹻主一身左右之陽。陰蹻主一身左右之陰。以東西言也。陽維主一身之表。陰維主一身之裏。以乾坤言也。是故醫而知乎八脉。則十二經十五絡之大旨得矣。

任脉共二十四穴。督脉共二十八穴。衝帶陽蹻陰蹻陽維陰維無專穴。衝帶蹻維有病。皆借偶經之穴以治之。

衝脉之穴。以足少陰橫骨大赫氣穴四滿中注肓俞商曲石關陰都通谷幽門十一穴爲穴。

按衝脉起於會陰。其入腹也。並足少陰之經。俠臍上行。至胸中而散。

足少陰俠臍左右各開一寸而上行。自橫骨起。至幽門止。共十一穴。幽門在巨闕之旁。適當胸中地位。故曰至胸中而散。然則衝脈之穴。以足少陰之穴爲穴。可以得其故矣。

衝脈穴歌

衝脈橫骨大赫起。氣穴四滿中注紀。肓俞商曲石關參。陰都通谷幽門止。

帶脈之穴。以足少陽帶脈五樞維道三穴爲穴。

按帶脈起於季脇。廻身一周。適與足少陽帶脈五樞維道三穴相會。故以足少陽之穴爲穴也。

帶脈穴歌

帶起少陽帶脈穴。統行五樞維道間。京門之下居髎上。

束帶周廻季脇環。。

陽蹻之穴。。以申脈僕參附陽居髎肩髃巨骨臑兪地倉巨髎承泣睛明十一穴爲穴。。

按陽蹻乃足太陽經之別脉。。起於足外踝下五分陷中之申脉穴。。繞後跟骨下僕參穴。。前斜足外踝上三寸附陽穴。。故以足太陽申脉僕參附陽之穴爲穴也。。　又與足少陽會於居髎。。故以足少陽居髎之穴爲穴也。。　又與手陽明會於肩髃及巨骨。。故以手陽明肩髃巨骨。。之穴爲穴也。。　又與手太陽陽維會於臑兪。。故以手陽明臑俞之穴爲穴也。。　又與足陽明會於地倉及巨髎。。故以足陽明地倉巨髎之穴爲穴也。。　又與任脉足陽明會於承泣。。又與手足太陽足陽明陰蹻會於睛明。。故以足陽明承泣足太陽睛明之穴爲穴也。。

陽蹻穴道歌

陽蹻穴起申僕附。。居髎巨骨透肩髃。。臑俞倉巨髎承泣。。終向睛明一穴趨。。

陰蹻之穴。。以足少陰照海交信二穴爲穴。。

按陰蹻乃足少陰之別脉。。起於足內踝前大骨下陷中然骨後。。上循內踝之下一寸照海穴。。又循大谿谿於足內踝之上二寸。。直行交信穴。。故以足少陰照海交信之穴爲穴也。。

陰蹻穴道歌

陰蹻穴起足少陰。。足內踝前然骨後。。踝下一寸照海眞。。踝上二寸交信走。。

陽維之穴。。以足太陽金門穴爲穴。。以手太陽臑俞穴爲穴以手陽明臂臑穴爲穴。以足少陽陽交日月肩井風池腦空承靈正營目窗臨泣陽白本神穴爲穴。以手少陽天髎穴爲穴。以督脉風府瘂門穴爲穴。

按陽維起於足太陽經外踝之下金門穴。故以足太陽金門穴爲穴也。又行於足外踝上七寸足少陽經陽交穴。又三肋端橫之日月穴。乃陽維與足少陽足太陰之會。故以足少陽陽交日月穴爲穴也。又肩後大骨下胛骨上廉臑俞穴。乃陽維與手太陽陽蹻之會。故以手太陽臑俞穴爲穴也。又肘上七寸臂臑穴。乃陽維與手陽明之會。故以手陽明臂臑穴爲穴也。又肩上陷中之肩井穴。乃陽維與足少陽之會。故以足少陽肩井穴爲穴也。又缺盆上毖骨際之天髎穴。乃類維與手足少陽之會。故以手少陽天髎穴爲穴也。又耳後陷中之風池。枕骨下之腦空。腦前寸半之承靈。靈前一寸之正營。隔營一寸之目窗。眉上一寸之陽白。目中直人髮際五分陷中之臨泣。入髮四分之本神。俱屬陽維足少陽之會。故以足少陽之風池腦空承靈正營目窻臨泣陽白本神穴爲穴也。又項後入髮五分之瘂門。入髮一寸之風府。乃陽維督脉之會。故以督脉瘂門風府穴爲穴也。

陽維穴道歌

陽維脉起金門穴。陽交日月臑俞經。臂臑肩井天髎過。風池腦空接承靈。正營目窻并臨泣。陽白還與本神稱。風府瘂門會督脉。穴名十七辨層層。

陰維之穴以足少陰築賓穴爲穴。以足太陰府舍大橫腹哀穴爲穴。以足厥陰期門穴爲穴。以任脉天突廉泉穴爲穴

按陰維起於足內踝後上腨分中。此處爲足少陰築賓穴。故足以少陰築賓穴爲穴也。。 又府舍大橫腹哀三穴。。俱去腹中行四寸半。。府舍(大成)在腹結下二寸。。(圖攷)在腹結下三寸。。腹結在大橫下一寸三分。。大橫在腹哀下三寸五分。。腹哀在日月下一寸五分。。皆屬足太陰經穴。。而陰維適與會之。。故以足太陰府舍大橫腹哀穴爲穴也。。 又乳旁開一寸半直下一寸半爲期門穴。屬足厥陰。而陰維適與會之。。故以足厥陰期門穴爲穴也。。 又天突在結喉下一寸宛宛中。。廉泉在頸下結喉上中央。。仰面取之。。屬任脈穴。。而陰維適與二穴會之。。故以任脈之天突廉泉穴爲穴也。。

陰維穴道歌

陰維之穴起築賓。。府舍大橫腹哀循。。期門天突連舌本。。穴攷陰維此問津。。

第一節　任脉穴部位療

第一穴會陰。一名屏翳　在大便前小便後兩陰之間。任脉別絡。俠督脉衝脉之會。一云任督衝三脉所起。任由此而行腹。督由此而行背。衝由此而行少陰之分。

銅人灸三壯。指微禁鍼。主治陰汗。陰中諸病。前後相引痛。不得大小便。穀道搔癢。久痔。女子經水不通。陰門腫痛。類經載一治婦人產後昏迷不省人事。惟卒死者鍼一寸補之。溺死者令倒拖出水。用鍼補之。屎尿出則活。餘不多鍼。

第二穴曲骨。在橫骨上中極下一寸毛際陷中動脉。任脉足太陰之會。

銅人灸七壯。至七七壯。鍼二寸。一云鍼一寸。素注鍼六分。留七呼。（按鍼法當從素注）主治失精。五藏虛弱。小腹脹滿。水腫。小便淋澁不通。血癃𤸫疝。小腹痛。失精。虛冷。婦人帶下。

第三穴中極。一名玉泉 一名气泉 在臍坎下四寸。膀胱募也。足三陰脉任脉之會。

銅人鍼八分。留十呼。得氣卽瀉。灸百壯至三百壯。明堂灸不及鍼。下經灸五壯。

主治冷氣積聚。時上衝心。腹中熱。臍下結塊。賁豚搶心。陰汗水腫。陽氣虛憊。小便頻數。失精絕子。疝瘕。婦人產後惡露不行。胎衣不下。月事不調。血結成塊。子門腫痛。陰癢而熱。陰痛。恍惚尸厥。飢不能食。臨經行房。羸瘦寒熱。轉脬不得尿。

神農經云。治血結成塊。月水不調。產後惡露不止。臍下積聚疼痛。血崩不止。可灸十四壯。類經載孕婦不可灸。誌之以備參考。

第四穴關元。

在臍坎下三寸。此穴當人身上下四旁之中。故又名大中極。乃男子藏精女子蓄血之處。小腸募也。足三陰陽明任脉之會。

銅人鍼八分。留三呼。瀉五吸。灸百壯至三百壯。甲乙經鍼二寸。素註鍼一寸二分。留十呼。灸七壯。千金婦人刺之無子。明堂孕婦禁鍼。落鍼而胎不出。鍼外崑崙立出。（慕按鍼一寸多見效）

主治積冷諸虛。臍下絞痛。寒氣入腹。小腹賁豚。結塊。失精白濁五淋七疝。溲血。小便赤澀。遺瀝。轉胞不得溺。婦人帶下。癥瘕經閉。絕嗣不生。產後下血過多。惡露不止。

類經載治陰証傷寒及小便多。婦人赤白帶下。俱當灸此。多者千餘壯。少亦

三里即足三里在足外廉膝眼下三寸霍乱中風灸三里之極效能拯死者復生

二三百壯。活人多矣。然須頻次灸之。仍下兼三里。千金治瘕癖。灸五十壯。治霍亂。灸三七壯。治五淋癲疝。及臍下三十六種疾。灸五十壯至百壯。治胞門閉塞絕子。灸關元三十壯報之。

神農經云。治痃癖氣痛。可灸二十一壯。

席弘賦云。兼照海陰交曲泉氣海同寫。治七疝痛如神。

第五穴石門。一名丹田一名命門 一名利機一名精露 在臍坎下二寸。三焦募也。

銅人灸二七壯至一百壯。甲乙經鍼八分。留三呼。得氣即瀉。千金鍼五分。下經灸七壯。素註鍼六分。留七呼。（慕按各家所載。婦人禁刺灸。犯之終身絕孕

主治小便不利。泄利不禁。小腹絞痛。陰囊入小腹。賁豚搶心。腹痛堅硬。卒疝繞臍痛。氣淋血淋。嘔吐血。不食穀。食穀不化。水腫支滿。水行皮膚。小腸敦敦然氣滿。

千金治血淋。灸隨年壯。治水腫人中滿。灸百壯。

第六穴氣海。（一名脖胦 一名下肓）在臍坎下一寸半宛宛中。肓之原也。爲男子生氣之海。

銅人鍼八分。得氣即瀉。瀉後宜補之。灸五壯。明堂灸七壯。甲乙經鍼一寸三分。一日灸百壯。類經孕婦不可灸。

主治腹中腫脹。氣喘。心下痛。臟氣虛憊。眞氣不足。一切氣疾久不瘥。肌體羸瘦。四肢力弱。賁豚七疝。癥瘕結塊。狀如覆杯。腹暴脹。按之不下。臍下冷氣痛。中惡脫陽欲死。陰證卵縮。四肢冷厥。大便不通。小便赤。卒心痛。婦人崩中帶下。月事不調。產後惡露不止。繞臍疼痛。小兒遺屎。

玉龍賦云。灸氣海兼灸璇璣。治尫羸喘促。（慕按兼灸天突膻中更妙。但宜先灸天突。次璇璣。次膻中。次氣海。使氣下行。其喘便止。每穴灸七壯。

席弘賦云。治五淋。須更鍼三里。　又兼水分治水腫。　又兼照海陰交曲泉

古人謂婦人無子取陰交石门云鄉

又名小腸氣撮痛連臍急瀉此穴更於湧泉取氣甚妙

又兼百会照海治咽喉痛

。關元同瀉。治七疝小腹痛如神。

百證賦云。鍼三陰與氣海。專司白濁久遺精。（幕按三陰。即足内踝上三寸之三陰交穴。）

第七穴陰交。一名少關 一名橫戶 **在臍坎下一寸。當膀胱上際三焦之募。任脉足少陰衝脉之會。**

銅人鍼八分。得氣卽瀉。瀉後宜補之。灸五壯。明堂灸三七壯至百壯。類經孕婦不可灸。

主治氣痛如刀攪。腹䐜堅痛。下引陰中。不得小便。睾丸牽痛。陰汗溼癢。賁豚。腰膝拘攣。婦人月事不調。崩中帶下。産後惡露不止。繞臍冷痛。絕子陰痒。小兒顖陷。

席弘賦云。兼照海曲泉關元氣海同瀉。治七疝小腹痛如神。　又云。治小腸氣撮痛連臍。急瀉此穴。更於湧泉取氣甚妙。

有徐平者不省人事。得桑涼為灸臍中百
法。始甦。更數月後又
越。鄭糾云。有一親卒中
風。醫者為灸五百壯
而甦。倘使徐平灸至
五百壯。安知其不永
年耶。且灸炙不為
愈疾。更復延年。若
灸暫愈。則時或
後。恐復發。必難救
矣。

百證賦云。通陰陵泉。
能去水腫盈臍。陰陵泉。
陵泉在膝內輔骨
下陷中。伸足乃取之。

玉龍賦云。兼三里水分。治鼓脹。

第八穴神闕。一名氣舍 在臍坎中央。

素註禁鍼。鍼之令人惡瘍潰。夭死不治。灸三壯。銅人灸百壯。

一曰納炒乾淨鹽滿臍上。加厚薑一片。蓋定。灸百壯。或以川椒代鹽亦妙。

主治陰證傷寒中風。不省人事。腹中虛冷。腸鳴泄瀉不止。水腫鼓脹。小兒乳痢不止。腹大風癇。角弓反張。脫肛。婦人血冷不受胎者。灸此永不脫胎。

第九穴水分。一名中守 一名分水 在臍坎上一寸。下脘下一寸。當小腸下口。至是而泌別清濁。水液入膀胱。渣滓入大腸。故曰水分。

銅人鍼八分。留三呼。瀉五吸。素註鍼一寸。甲乙經鍼一寸。明堂灸七七壯至四百壯。鍼五分。留三呼。

屈膝取之。由太陽經陽陵泉穴。內外相對。陰陵泉即太陰所入為合穴也。

主治水病。腹堅腫如鼓。衝胸不得息。腸胃虛弱。繞臍痛。腰脊急强。腸鳴泄瀉。狀如雷聲。小便不通。

神農經云。腹脹水腫。可灸十四壯至二十一壯

千金云。治反胃吐食。灸十二壯。　又治腹脹繞臍結痛。堅不能食。灸百壯。又霍亂轉筋入腹欲死。用四人持其手足。灸四五壯自不動。即勿持之。灸至十四壯。

太乙歌云。腹脹瀉此。兼三里陰谷。利水消腫

天星秘訣云。兼建里。治肚腹浮腫脹脝膨。

玉龍賦云。兼陰交三里。治鼓脹。

席弘賦云。兼氣海。治水腫。

第十穴下脘　在建里下一寸。臍坎上二寸　當胃下口。

小腸上口。足太陰任脉之會。

銅人鍼八分。留三呼。瀉五吸。灸二七壯。至二百壯。

主治臍上厥氣。堅痛腹脹滿。寒穀不化。虛腫。癖塊連臍。瘦弱不嗜食。翻胃。小便赤。

靈光賦云。兼中脘。治腹堅。

百證賦云。兼陷谷。能平腹內腸鳴。

第十一穴建里。在中脘下一寸。臍坎上三寸。

銅人鍼五分。留十呼。灸五壯。明堂鍼一寸二分。

主治腹脹身腫。心痛上氣。腸鳴腹痛。嘔逆不嗜食。

千金治霍亂腸鳴腹脹。可刺八分。瀉五吸。疾出鍼。日灸二七壯至百壯。

百證賦云。兼內關。掃盡胸中苦悶。

第十二穴中脘（一名太倉一名胃脘一名上紀）。在上脘下一寸。臍坎中央上四寸。居蔽骨與臍之中。手太陽少陽足陽明任脉之會

胃之募也。爲府之會。

銅人鍼八分。留七呼。瀉五吸。疾出鍼。灸二七壯。至二百壯。明堂灸二七壯至四百壯。素註鍼一寸二分。灸七壯。

主治五膈。喘息不止。腹暴脹。中惡。脾寒翻胃。飲食不進不化。赤白痢。寒癖結氣。心疼伏梁。心下如覆杯。心膨脹。面色痿黃。霍亂吐瀉寒熱不已。積聚痰飲。此爲府會。凡府病者當治之。

千金云。虛勞吐血。嘔逆不下食。多飽多睡百病。灸三百壯。

玉龍賦云。兼腕骨。療脾虛黃疸。　又云。合上脘。治九種心疼。

靈光賦云。兼下脘。治腹堅。

第十三穴上脘。　在巨闕下一寸五分。去蔽骨三寸。去坎五寸。上脘中脘屬胃絡脾。足陽明手太陽任脈之會。

百症赋云：直刺膻中，能除膈痛饮蓄难禁。千金治吐逆，不下食，灸五十壮；上气胃满噫，背痛，灸五十壮。

銅人素註鍼八分。先補後瀉。風癇熱病。先補後瀉立愈。日灸二七壯。至百壯。未愈倍之。

明堂灸三壯。主治腹中雷鳴。食不化。腹疞刺痛。霍亂吐利。腹痛身熱汗不出。翻胃嘔吐。食不下。腹脹氣滿。心忪驚悸。時嘔血。痰多吐涎。賁豚伏梁。虫卒心痛。積聚堅大如盤。虛勞吐血。

玉龍賦云。合中脘治九種心痛。　太乙歌云。兼豐隆。治心疼嘔吐。傷寒吐蚘。　百證賦云。合神門。治發狂奔走。

神農經云。治心疼積塊嘔吐。可灸十四壯。

第十四穴巨闕。　在鳩尾下一寸。心之募也。

銅人鍼六分。留七呼。　得氣卽瀉。灸七壯至七七壯。　一日鍼三分。灸七七壯。

主治上氣欬逆。胸滿氣短。胸痛痞塞。九種心痛。蚘痛。痰欲欬嗽。項悶喜

霍乱心痛呕吐。灸二七壮，未愈，再灸二七壮。

独难鸠尾，毋同。刺灸由丰在参中。经手截居潘氏妇女，并溢灸法奏奇功。

嘔。霍亂腹痛。恍惚發狂。膈中不利。五臟氣相干。卒心痛尸厥。妊娠子上衝心昏悶。刺巨闕。下鍼令人立甦。不悶。次補合谷。瀉三陰交。胎卽應鍼而落。

神農經云。治心腹積氣。可灸十四壯。

又治小兒諸癇病。如口噦吐沫。可灸三壯。艾炷如小麥。

第十五穴鳩尾（一名尾翳 一名髑骬）

類經在臆前蔽骨下五分。人無蔽骨者。從歧骨際下行一寸。甲乙經曰一寸半。膏之原也。

銅人禁灸。灸之令人少心力。大妙手方鍼。不然。鍼取氣。多令人夭。鍼三分。留三呼。瀉五吸。肥人倍之。

主治賁熱病。偏頭痛。引目外眥。噫喘喉鳴。胸滿欬嘔。喉痺咽腫。水漿不下。癲癇狂走。不擇言語。心中氣悶。不喜聞人語。欬吐血。心驚悸。精神耗散。少年房勞。少氣短氣。

明堂灸三壯。

素註不可刺灸。

類經經脉圖考皆云禁刺灸。此穴大難下鍼。非甚妙高手。不可輕刺也。

慕按此穴。諸家多禁刺灸。自亦不敢忘與人鍼。惟灸法有不盡然者。有戴氏友人。氣痛延六七月。治以湯藥。迄未奏功。後更增多嘔病。邀余診視。遂爲先灸天突。次璇璣。次華蓋。次紫宮。玉堂。膻中。中庭。鳩尾。巨闕。上脘。中脘。建里。下脘。水分。陰交。氣海。石門。關元。中極。每穴用艾五炷灸之。嘔痛立止。

又梁潘氏胃脘時痛。徹及於背。病有六七年。後又每食畢兩時必嘔。口酸。因求治於余。此氣血兩虛。肝不藏血。血虛生風。風木乘胃。故胃脘痛而嘔。先爲之灸膻中。次灸鳩尾巨闕上脘中脘立愈。

餘外患氣病。灸鳩尾而愈者。不能盡錄。醫道固要信古。然亦不必泥古也。

第十六穴中庭。在膻中下一寸六分陷中。仰而取之。

銅人鍼三分。灸五壯。明堂灸三壯。

主治胸脇支滿噎塞。飲食不下。嘔吐食出。

第十七穴膻中。一名元兒 一名上氣海 在玉堂下一寸六分。横兩乳間陷中。仰而取之。足太陰少陰手太陽少陽之會。

·難經云。氣會膻中。疏曰。氣病治此。灸五壯。明堂灸七壯至二七壯。禁鍼。

主治上氣短氣。欬逆噎氣。喉鳴喘氣。不下食。胸中如塞。心胸痛。膈食及胃。肺癰吐痰。嘔吐涎沫。婦人乳汁少。

玉龍賦云。兼天突醫喘嗽。

第十八穴玉堂。一名玉英 在紫宮下一寸六分陷中。仰而取之。

銅人鍼三分。灸五壯。

主治胸膺滿痛。心煩欬逆。上氣喘急。不得息。水漿不入。嘔吐寒痰。

百證賦云。兼幽門。能治煩心嘔吐。

第十九穴紫宮。在華蓋下一寸六分。仰而取之。

銅人鍼三分。灸五壯。明堂灸七壯。

主治胸脇支滿。胸膺骨痛。飲食不下。嘔逆上氣。煩心欬喘。吐血唾白如膠。

第二十穴華蓋。在璇璣下一寸陷中。仰而取之。

銅人鍼三分。灸五壯。明堂灸三壯。

主治欬逆喘急。上氣哮喘。喉痺咽腫。水飲不入。胸脇支滿痛。

神農經云。治氣喘欬嗽。胸滿喘逆。不能言語。

百證賦云。兼氣戶。治脇肋疼痛。

第二十一穴璇璣 在天突下一寸陷中。仰而取之。

銅人鍼三分。灸百壯。類經鍼三分。灸五壯。

主治同上。

玉龍賦云。兼氣海。治尪羸喘促。

百證賦云。兼神藏。治膈滿項强。

第二十二穴天突（一名玉戶 一名天衢） 在結喉下三寸宛宛中。陰維任脉之會。

銅人鍼五分。留三呼。得氣即瀉。灸亦得。不及鍼。若下鍼當直下不低手。明堂鍼一分。灸五壯。素註鍼一寸。留七呼。灸三壯。類經鍼五分。留三呼。灸二壯。甲乙經云。低頭取之。刺入一寸。

主治上氣欬逆。氣暴喘。咽腫咽冷聲破。喉中生瘡。瘖不能言。頸腫哮喘。喉中翕翕如水雞聲。胸中氣梗。舌下急。心背相控而痛。五噎黄疸。多睡嘔吐。

神農經云。治氣喘欬嗽。可灸七壯

孫思邈云。治上氣氣悶。咽塞聲壞。灸五十壯。

許氏曰。此穴一鍼四效。凡下鍼良久。先脾磨食。覺鍼動爲一效。次鍼破病根。腹中作聲。爲二效。次覺流入膀胱。爲三效。然後覺氣流行。入腰後腎中。爲四效矣。

第二十三穴廉泉（一名本池一名舌本一名石片）在頷下結喉上中央舌本下。仰而取之。陰維任脉之會。按刺瘧論篇。舌下兩脉者廉泉也。又按氣府論篇。足少陰舌下各一。又按衛氣篇。足少陰之標在背兪。與舌下兩脉。然則廉泉非一穴。當是舌根下之左右泉脉。而且爲足少陰之會也。

銅人鍼三分。得氣即瀉。灸三壯。　素註低鍼取之。鍼一寸。留七呼。

明堂鍼二分　類經鍼三分。留三呼。灸三壯。

主治欬嗽上氣喘急。吐沫。舌下腫難言。舌根急縮不食。舌縱涎出口瘡。

第二十四穴承漿。一名天池 一名懸漿　在頤前下唇稜下陷中。足陽明任脉之會。　大成唇稜下陷中。開口取之。手陽明足陽明督脉任脉之會。

銅人灸七壯至七七壯。　素註鍼二分。留五呼。灸三壯。　明堂鍼三分。得氣即瀉。留三呼。徐徐引氣而出。

主治偏風半身不遂。口眼喎斜。口噤不開。暴瘖不能言。飲水消渴。口齒疳蝕生瘡。

百证赋云
兼百会寻治脱肛。
天星秘诀云
兼大敦治肝症。

按任脉起於大便前小便後兩陰之間。循腹上胸抵頦而入於下唇之下。始於會陰。終於承漿。行身前中央直線。共計二十四穴。

第二節　督脉穴部位療治

第一穴長强（一名氣之陰郄一名撅骨 靈樞謂之窮骨亦名尾骶）**在脊骶骨端前三分。伏地取之。督脉之絡。別走任脉。足少陰足少陽之會。**

銅人鍼三分。轉鍼以大痛爲度。灸不及鍼。　甲乙經鍼二分。留七呼。

明堂灸七壯。　一云日灸三十壯。至二百壯止。

主治腰脊强急。不可俛仰。腸風下血。久痔瘻。狂病。大小便難。五痔五淋。下部疳食。洞泄失精。小兒顖陷。驚癎瘈瘲。脫肛瀉血。

千金灸尾翠骨七壯。治脫肛神良。又作龜尾。卽窮骨也。

環跳穴。非針二寸不爲功。

類經經脉圖考謂此穴爲五痔之本。

第二穴腰兪（一名髓空一名腰戶一名背解一名腰柱）　**在二十一椎節下宛宛中。大成謂以挺身伏地舒身。兩手相重支額。縱四體後。乃取其穴。**

銅人鍼八分。留三呼。瀉五吸。灸七壯至七七壯。　類經鍼二分。留七呼。灸五壯。　一日鍼五分。灸七七壯。　明堂灸三壯。

主治腰脊重痛。不得俛仰舉動。腰以下至足冷痺不仁。强急不能坐臥。溫瘧汗不出。婦人經閉溺赤。灸後忌房勞强力。

千金云。腰卒痛。去窮骨上一寸灸七壯者卽此。

席弘賦云。兼環跳燒鍼。治冷風冷痺。

第三穴陽關。　在十六椎下間伏而取之。（甲乙經無此穴）

玉龍賦云 治老人便多溺 脊俞着艾

銅人鍼五分。灸三壯。
主治膝痛不可屈伸。風痺不仁。筋攣不行。

第四穴命門。一名屬累 在背中央直線十四椎下間。伏而取之。一云與臍平。用線牽而取之。

銅人鍼五分。灸三壯。
主治腎虛腰痛。婦人赤白帶下。男子泄精耳鳴。手足冷。痺攣。驚恐頭眩。頭痛如破。身熱如火。骨蒸。汗不出。痎瘧瘈瘲。裡急腹痛。腰腹相引。小兒發癎。張口搖頭。身角弓反折。
千金云。腰痛不得動者。令病人正立。以竹杖柱地度至臍。乃取杖度背脊。灸杖頭盡處。隨年壯良。丈夫痔漏下血。脫肛不食。長洩痢。婦人崩中去血。帶下淋濁赤白。皆灸之。此俠兩旁各一寸橫三間寸灸之。
標幽賦云。秉肝俞。能使瞽士視秋毫之末。

第五穴懸樞。在背中央直線十三椎下界。伏而取之。

銅人鍼三分。灸三壯。

主治腰脊強不得屈伸。積氣上下疼痛。水穀不化。瀉利不止。腹中留疾。

第六穴脊中。（一名神宗 一名脊俞）在背中央直線十一椎下界。俛而取之。

銅人鍼五分。得氣即瀉。禁灸。灸之令人腰傴僂。

主治風癇癲邪。黃疸。腹滿不食。五痔積聚下利便血。小兒脫肛。

第七穴中樞。在背中央直線第十椎下界。俛而取之。

此穴諸書皆失之。惟氣府論督脈下。王氏註中有此穴。及考之氣穴論。曰背與心相控而痛。所治天突與十椎者。即此穴也。

国風報張清之子七歲。於壬申年夏歷二月十一晚忽染急症。牙関緊閉。目直視。聘達保羅治之。達言腦炎。用針射治之。後針即宣告絕望。而往韜美診治。其論斷達同。張遂同他往方便医院。牙関緊閉愈甚。欲行用藥無技可施。有竹佤屏父子往診之。余間此症危險萬分。去死不遠。用針灸治之。非祇屬人事已矣。於是針醫風類章。在右共十四穴。其

類經鍼五分。禁灸。

一云此穴能退熱進飲食。可灸三壯。常用常效。

第八穴筋縮。在背中央直線第九椎下界。俛而取之。

銅人鍼五分。灸三壯。　明堂灸七壯。

主治癲疾驚狂。脊强風癇。目轉反戴上視。目瞪。多言心痛。

第九穴至陽。在背中央直線第七椎下界。俛而取之。

銅人鍼五分。灸三壯。　明堂灸七壯。

主治腰脊强痛。胃中寒不食。少氣難言。胸脇支滿。羸瘦身黃。淫濼脛痠。

四支重痛。寒熱解㑊。此穴灸三壯治氣喘立已常氣衝胃苦難深。

七椎下界至陽專艾炷點肉三多壯。立奏奇功并有功。

第十穴靈臺。在背中央直線第六椎下界。俛而取之。

銅人缺。甲乙經無此穴。出氣府論註。

類經刺三分。灸三壯。　大成載禁鍼。

牙車蹉。察其病。佳者黃黑。兩目直視。已有四天。肝經有热目直視。即断此為肝经实热。胆衣矣云乎哉。

百症賦云。針神道用心俞。治風癇常發。

乾坤生意云。灸陶道肺俞膏肓。治虚損五勞七傷。最為要法。灸為之歌曰

主治氣喘不能臥。及風冷久嗽。火到便愈。

第十一穴神道。在背中央直線第五椎下界。俛而取之。

銅人灸七七壯至百壯。禁鍼。　明堂鍼五分。灸三壯。　千金灸五壯。

類經刺五分。留五呼。灸五壯。

主治傷寒頭痛。寒熱往來。痎瘧悲愁。健忘驚悸。牙車蹉。張口不合。少兒風癇瘈瘲。可灸七壯。

第十二穴身柱。在背中央直線第三椎下界。俛而取之。

銅人鍼五分。灸七七壯至百壯。　明堂灸五壯。　下經灸三壯。　類經鍼五分。留五呼。灸五壯。

主治腰脊痛。癲癇狂走。怒欲殺人。瘈瘲身熱。忘言見鬼。小兒驚癇。

神農經云。治欬嗽。可灸十四壯。

第十三穴陶道。在背中央直線第一椎下界。俛而取之。

虛旁身柱法規模。陶道膏肓五肺俞。任衝骨蒸瘵症巧。曲果華之七三腸。

古人謂衄血不止，至大椎二三十壯。斷根不發。又為之數日血通外合見大椎二三十壯又連煩斷根不發真神極此穴如珠合操驗也

足太陽督脉之會。

銅人鍼五分。灸五壯。

主治痎瘧寒熱。洒淅脊强。煩滿。汗不出。頭重目瞑。瘈瘲。恍惚不樂。

類經載此穴善退骨蒸之熱。

乾坤生意云。兼身柱肺俞膏肓。治虛損五勞七傷。

第十四穴大椎。（一名百勞）在背中央直線第一椎上界陷者中。

一曰平肩。 手足三陽督脉之會。

銅人鍼五分。留三呼。瀉五吸。灸以年為壯。

主治肺脹脇滿。嘔吐上氣。五勞七傷。乏力。溫瘧痎瘧。肩背拘急。頸項不回顧。風勞骨蒸。前板齒燥。

仲景云。太陽與少陽併病。頸項强痛。或眩冒。時如結胸。心下痞硬者。當刺大椎第一間。即此穴也。

瘂门在项後入髮際五分。先贤谓自心起至前髮際止。為三寸。自前髮際至後髮際為十二寸。自後髮際至大椎為三寸。自眉心計至大椎為十八寸。此皆針灸家所承認。筋畏髮際有高下不齐。度瘂门穴。應自大椎起度二寸半是穴。度風府穴。應自大椎起度上四寸。是穴。

千金云。。凡瘧有不可瘥者。。從未發前。。灸大椎。。至發時。。滿白壯。。無不。。瘥

第十五穴瘂門。。一名瘖門一名舌厭一名舌横　在頸項中央直線項後入髮際五分宛宛中。。仰頭取之。。督脉陽維之會。。入系舌本。。禁灸。。灸之令人瘂。。

銅人鍼二分。。可繞鍼八分。。留三呼。。瀉五吸。。瀉盡。。更留鍼取之。。

素註鍼四分。。

主治頸項強急。。重舌不語。。諸陽熱盛。。衄血不止。。寒熱瘂門。。脊強反折。。瘈瘲巓疾。。頸風疼痛。。汗不出。。寒熱風痓。。中風尸厥。。暴死不省人事。。

百證賦云。。兼關衝。。治舌緩不語。。

第十六穴風府。。一名舌本　在頸項中央直線項上入髮際一寸。。大筋內宛宛中。。疾言其肉立起。。言休其肉立下。。足

推之上星穴入前髮
五分。前髮際亦有
高下不齊。應自眉
心度上至前髮量上
星穴。
席弘賦云。風府風池
尋得到。傷寒百病
一時消。又曰陽明二日
尋風府。
從來風府最難尋。
須用功夫度淺深。
倘若膀胱氣未散。
更宜三里穴中尋。
千金云。卒病風。昏昏
不自知。風府主之。余
自臨症以來。遇有
昏昏不自知。照千
金風府主之。难見效
矣。

太陽陽維督脉之會。。

銅人鍼三分。。禁灸。。灸之令人失音。 明堂鍼四分。。留三呼。 素註鍼四分。。

主治中風舌緩。。暴瘖不語。。振寒汗出。。身重頸痛。。項急不得回顧。。偏風。。半身不遂。。鼻衄。。咽喉腫痛。。傷寒狂走。。欲自殺。。目忘視。。頭中百病

昔魏武帝患風傷項急。。華陀治此穴得效。。

第十七穴腦戶 。。一名匝風一名會額一名合顱 在頭部中央直線枕骨上強間後一寸五分。。一曰在髮際上二寸。。足太陽督脉之會。。

銅人禁灸。。灸之令人啞。。 明堂鍼三分。。 素註鍼四分。。

主治面赤目黃。。頭面腫痛。。癭瘤。。

素問刺腦戶。。入腦立死。。大成謂此穴鍼灸俱不宜。。 圖攷亦謂此穴禁刺灸。。

慕按此穴禁灸。。固不待言。。至謂禁鍼。。又當別論。。明堂顯鍼三分。。素註顯鍼四分。。彼豈未讀刺腦戶入腦立死之素問耶。。素問不曰刺腦戶立死。。

不治风寒，呕吐不止。

古人謂头痛难禁。强间主之。

而曰入腦立死。則刺腦與入腦。蓋有深淺之分。明堂素註。一鍼三分。一鍼四分。吾知其從刺腦之淺。而非犯入腦之深也。

第十八穴強間。一名大羽 **在頭部中央直線後頂後一寸五分。**

銅人鍼二分。灸七壯。明堂灸五壯。

主治頭痛目眩腦旋。煩心。嘔吐涎沫。項強。左右不得回顧。狂走不休。

第十九穴後頂 一名交衝 **在頭部中央直線百會後一寸五分。枕骨上。**

銅人鍼二分。灸五壯。明堂鍼四分。素註鍼三分。

主治頸項強急。風眩。惡風寒。目𥆧𥆧。額顱上痛。歷節汗出。狂癇癲疾。瘈瘲。頭偏痛。

第二十穴百會 一名三陽五會一名巔上一名天滿 **在巔頂中央直線前頂後一寸五**

神農經云。治头風
可灸百会三壮。
小儿脫肛可灸五壮。
艾炷如小麦
玉龍賦云。兼顖会。
治卒暴中風。
又灸百壯会垂太衝
照海陰交。治咽喉疾。

分。頂旋毛心容豆許。直兩耳尖上對是穴。督脉足太陽之會。手足少陽足厥陰俱會於此。

銅人鍼二分。灸七壯至七七壯。甲乙經鍼三分。灸三壯。圖攷鍼二分。灸五壯。一曰灸此穴不得過七七壯。

主治頭風頭痛。耳聾鼻塞。言語蹇澀。口噤不開。中風偏風。半身不遂。風癇卒厥。角弓反張。吐沫。心神恍惚。驚悸健忘。羊鳴悲哭。目眩心煩。女人血風。胎前產後風疾。小兒驚風急疾。痎瘧脫肛。久不瘥。

大成圖攷載治悲笑欲死。四肢冷。氣欲絕。身口溫。可鍼人中三分。灸百會三壯。即甦。

史記載扁鵲治虢太子尸厥。鍼取三陽五會。有間。太子甦。

第二十一穴前頂。在頭部中央直線顖會後一寸五分骨

陷中。。一云在百會前一寸。。

銅人鍼一分。。灸三壯至七七壯。。　素註鍼四分。。　類經鍼一分。。灸五壯。。

主治頭風目眩。。面赤腫。。小兒驚癇瘈瘲。。發作無時。。鼻多清涕。。項腫痛。。

神農經云。。治小兒急慢驚風。。可灸三壯。。艾炷如小麥。。

第二十二穴。。顖會。。　在頭部中央直線上星後一寸陷中。。

銅人鍼二分。。留三呼。得氣即瀉。。灸二七壯至七七壯。。　類經刺二分。灸五壯。。

素註鍼四分。。

主治腦虛冷。。頭風腫痛。。項痛。。腦疼如破。。飲酒過多。。頭皮腫。。風癇清涕。。

白屑風。。頭眩顏靑。。目眩鼻塞。。不聞香臭。。驚悸。。目戴上不識人。。

第二十三穴上星。。一名神堂　在鼻上直線神庭後入髮際一寸陷中。。

銅人灸七壯。素註鍼三分。留六呼。灸五壯。類經載宜三稜鍼出血。以瀉諸陽熱氣。

主治面赤腫。頭風頭皮腫。鼻中息肉。鼻塞頭痛。不聞香臭。鼻血臭涕。痎瘧寒熱。汗不出。目眩睛痛。不能遠視。

第二十四穴神庭。 在鼻上中央直線入髮際五分。督脉足太陽陽明之會。

銅人灸二七壯至七七壯。素註灸三壯。禁鍼。鍼則癲狂。目失明。

主治登高而歌。棄衣而走。癲狂風癇。角弓反張。吐舌。目上視。不識人。頭風目眩。淚出驚悸。不得安寢。嘔吐煩滿。寒熱頭痛喘渴。鼻淵流涕不止。

張戴人曰。目腫目翳。鍼神庭上星顖會前頂。翳者可使立退。腫者可使立消。

第二十五穴素髎。（一名面王） 在鼻端準頭。

素註鍼三分。外臺鍼一分。禁灸。

神農經治小兒急慢驚風。可灸三壯。千金云。此穴名鬼市。治百癲狂。此當在第一次下針。凡人中惡。先掐鼻下是也。鬼擊卒死者須灸之。

孫真人針十三鬼穴歌

百邪癲狂所為病。針有十三穴須認。凡針之体先鬼宮。次針鬼信無不應。一一從頭逐下求。男從左起女從右。一針人中鬼宮停。左邊下針右出針。第二手大指甲下。名鬼信。刺三分深。三針足大指甲下。名曰

主治鼻中瘜肉不消。喘息不利。喎噼多涕衄血。

第二十六穴水溝。（一名人中）**在鼻下人中陷中。督脉手足陽明之會。**

銅人鍼四分。留五呼。得氣即瀉。 素註鍼三分。留六呼。灸三壯。明堂灸三壯。 下經灸五壯。 類經大成載灸不及鍼。

主治中風口噤。喎斜牙關不開。卒中惡邪鬼擊。不省人事。失笑無時。癲癇卒倒。消渴多飲無度。面腫唇動。水氣遍身腫。

第二十七穴兌端。在上唇端中央紅白肉交界間。

銅人鍼二分。灸三壯。

主治癲疾吐沫。唇吻強。齒齦痛。鼻塞痰涎。舌乾消渴。衄血鼓頷。口噤口瘖臭穢不可近。小便黃。

第二十八穴齦交。在唇內中央上齒縫中。任督足陽明

鬼壘入二分。四針掌上大陵穴，入針五分為鬼心。五針申脈為鬼路。火針三分七鋥。名第六却尋大椎上入髮一寸名鬼枕。七刺耳垂下八分。名曰鬼床針要溫。八針承漿名鬼市。從左出右君須記。九針勞宮為鬼窟。十針上星名鬼堂。十一陰下縫三壯女玉门头為鬼藏。十二曲池名鬼腿火針仍要七鋥名十三舌头当舌中。

席弦賦云 治眼若未效。并合谷光明又可訣。

百症賦云 兼行间可治雀目。

之會。

銅人鍼三分。灸三壯。

主治鼻中瘜肉蝕瘡。鼻塞不利。面赤心煩。頭額痛。頸項強。目淚多眵赤痛。內背赤痒痛。生白翳。牙疳腫痛。

類經大成逆刺三分。灸三壯。治鼻瘜牙疳小兒面瘡。

按督脈穴。始於長强。終於斷交。行身後中央直線。循腰俠脊抵頭而入於上唇內上齒縫中。共計二十八穴。

第三節 足太陽穴部位療治

第一穴睛明。一名淚孔 在目內眥外一分宛宛中。 手足太陽足陽明陰蹻陽蹻五脈之會。

廣東中醫藥學校鍼灸學講義 第六章 十七 本校印刷部印

拇大指縫间動脈，手此穴入足，歌诀足厥阴所通為荥，即此穴也。
睛明隐高首头中，攢竹眉头動脈竅，背尾参童子穴，眼红肿痛痒关功，此三穴為眼疾红肿痛治法，往生经手所得手者。
玉龍賦云兼头维，治目疾痛。
通玄賦云
臉昏目赤瀉此

銅人鍼一分半。。留三呼。。　甲乙經鍼六分。。　一曰禁灸。。

主治目痛。。視不明。。惡風淚出。。頭痛目眩。。腫赤。。背痒白翳。。努肉攀睛。。雀目。。瞳人生障。。小兒疳眼。。

類經凡治雀目者。。可久留鍼。。然後速出之。。

第二穴攢竹。。（一名始光 一名夜光 一名光明 一名員柱）　**在眉頭陷者中。。有微動脉。。**

銅人鍼一分。。留三呼。。瀉三吸。。禁灸。。　素註鍼二分。。留六呼。。灸二壯。。

甲乙經灸三壯。。　明堂用細三稜鍼刺之。。宜泄熱氣。。眼目大明。。宜剌三分出血。。

主治目䀮䀮。。視不明。。淚出目眩。。瞳子癢。。眼中赤痛。。腮臉瞤動。。不得臥。。

第三穴眉衝。。　在直眉頭上神庭曲差之間。。　自內眥度至髮際。。對摺一半得之。。

大成鍼三分。。禁灸。。

主治五癇。。頭痛鼻塞。。

百症賦云 針通天穴能去鼻內無聞之苦

第四穴曲差。一名鼻衝　在神庭旁開一寸五分。入髮際取之。

銅人鍼二分。灸三壯。

主治目不明。鼽衄。鼻塞鼻瘡。鼻流清涕臭涕。心煩滿。汗不出。頭頂腫痛。身體煩熱。

第五穴五處。　在曲差後五分。夾上星旁開一寸五分。

銅人鍼三分。留七呼。灸三壯。　明堂灸五壯。

主治腰强反折。瘈瘲癲疾。頭風熱。頭痛戴眼。目不明。眩暈不識人。

第六穴承光。　在五處後一寸五分。

銅人鍼三分。禁灸。

主治頭風眩痛。嘔吐心煩。鼻塞不聞香臭。口喎。鼻多清涕。目生白瞖。

第七穴通天。一名天白　在承光後一寸五分。

銅人鍼三分。留七呼。灸三壯。

主治頭旋項痛。不能轉側。鼻塞偏風。鼻衄。鼻瘡。鼻多清涕。口喎喘息。頭重耳鳴。尸厥僵仆。瘿瘤。

第八穴絡卻。（一名強陽 一名腦蓋）**在通天後一寸五分。**

銅人灸三壯。素註鍼三分。留五呼。甲乙經鍼一寸三分。

主治頭眩耳鳴。口喎鼻塞。狂走。瘈瘲。恍惚不樂。腹脹。項腫。靑盲內障。目無所見。

第九穴玉枕。在絡卻後一寸五分。俠腦戶旁開一寸三分。起肉枕骨上。入後髮際二寸。

銅人鍼三分。留三呼。灸三壯。

主治目痛如脫。不能遠視。內連系。急頸風。痛不可忍。鼻窒不聞。

第十穴天柱。在項後髮際大筋外廉陷中。

銅人鍼五分。得气卽瀉。明堂鍼二分。留三呼。瀉五吸。素註鍼二分。留六呼。下經灸三壯。

主治頭旋腦痛。鼻塞涙出。項强肩背痛。足不任身。目瞑視。腦重如脫。項如拔。不能回顧。

第十一穴大杼。在項後中央第一椎下兩旁。相去脊中二寸陷中。正坐取之。海論曰。衝脉者。其輸上在於大杼。气穴論註曰。督脈別絡。手足太陽三脈之會。難經曰。骨會大杼。疏曰骨病治此。

袁氏曰。肩能負重。以骨會大杼也。

銅人鍼五分。灸七壯 下經素註鍼叁分。留七呼。灸叁壯。明堂禁灸。

資生云。非有大急不可灸。

主治傷寒汗不出。腰脊項背强痛。不得俛仰。不得臥。僵仆不能久立。膝痛不可屈伸。喉痺煩滿。痎瘧頭旋。欬嗽勞气身熱。目眩腹痛。裡急身不安。瘈瘲筋攣巔疾。身踡急大。

第十二穴風門。一名熱府 在項後中央第二椎下兩旁。相去脊中二寸。正坐取之。督脉足太陽之會。熱府俞也。

銅人鍼五分。素註鍼叁分。留七呼。明堂灸五壯。

主治背發癰疽。身熱上气。喘气欬逆。胸背痛。風勞嘔吐。多嚔。鼻衄。傷寒頭項强。目眩。胸中熱。卧不安。

神農經云。傷風欬嗽。頭痛。鼻流清涕。可灸十四壯。及治頭疼風眩鼻衄不止。

第十三穴肺俞。 在三椎下兩旁。相去脊中二寸。千金對乳。引繩度之。 甄權以搭手左取右。右取左。當中指末是。正坐取之。

千金主治胸膈積聚。好吐。灸隨年壯。如二十歲灸二十壯。三十歲灸三十壯是也。

甲乙經鍼叁分。留七呼。得氣卽泄。　明堂灸叁壯。　甄權灸百壯。　素問刺中肺。叁日死。其動爲欬。

主治五勞傳尸。骨蒸。肺風肺痿。欬嗽嘔吐。上氣喘滿。虛煩口乾。目眩支滿。汗不出。腰脊强痛。背僂如龜。寒熱癭氣黃疸。皮癢。餘後吐水。不嗜食。狂走。欲自殺。肺中風。偃臥胸滿。短氣瞀悶。

慕按傷寒太陽少陽幷病。心下硬。頸項强而眩者。當刺大椎。肺俞。肝俞。是肺俞又爲太陽少陽幷病所鍼之穴。

又按此穴主瀉五藏之熱。與五藏俞同。

第十四穴厥陰俞。（一名厥俞）　在四椎下兩旁。相去脊中一寸。正坐取之。（此穴出山眺經甲乙經無）　或曰。臟腑皆有俞在背。獨心包絡無俞何也。曰、厥陰俞。卽心包絡俞也。

銅人鍼叁分。灸七壯

玉龍賦云。兼腎俞。治腰腎虛乏夢遺。
捷徑云。治憂噎。云療心虛遺精盜汗。補之。

主治欬逆牙痛。心痛結胸。嘔吐煩悶。

第十五穴心俞。 在五椎下兩旁。相去脊中二寸。正坐取之。

銅人鍼叁分。留七呼。得氣即瀉。不可灸。 明堂灸叁壯。 素問曰。刺中心。一日死。其動爲噫。

主治偏風半身不遂。食噎。積熱寒熱。心氣悶亂。煩滿恍惚。心驚。心中風。偃臥不得傾側。汗出。唇赤。狂走。發癇悲泣。嘔吐欬血。黃疸。鼻衂目瞤。目昏。不下食。健忘。

神農經云。小兒氣不足者。數歲不能語。可灸五壯。艾炷如麥粒。

此穴主瀉五藏之熱。與五藏俞同。

第十六穴督俞。 在六椎下兩旁。相去脊中二寸。正坐取之。

此血會也。凡諸血病者。皆宜灸之。如吐血衄血不已。虛損昏暈。血熱妄行。心肺二經嘔血。灸之自效。千金云。脇脹腹滿。灸百壯三報之。又治吐逆不得飲食灸百壯。

膈俞一穴最為奇。血逆非膈刺灸之。位在七椎旁二寸。立能奏效莫遲疑。

按經脈闕攷無此穴。大全無此穴。張氏類經無此穴。惟鍼灸大成有之。

大成灸叁壯。

主治寒熱。心痛。腹痛雷鳴。氣逆。

第十七穴膈俞。在七椎下兩旁。相去脊中二寸。正坐取之。為血之會。難經曰。血會膈俞。疏曰。血病治此。

銅人鍼叁分。留七呼。灸叁壯　素問刺中膈。皆為傷中。其病難愈。不過一歲必死。

主治心痛周痺。吐食翻胃。骨蒸。四肢怠惰。嗜臥。欬逆。嘔吐。膈胃寒痰。食飲不下。熱病汗不出。身重常溫。食則心痛。身痛腫脹。脇腹滿。自汗盜汗。痃癖五積。氣塊血塊。

千金云：吐血灸百壮。又胸满心腹積聚疼痛，灸百壮。又氣短不語，灸百壮。百症賦云：兼尺澤，可治板精。按尺澤穴在手肘彎外側，去爪甲角下一分陷中，手太阳所外為井，即是此穴。標幽賦云：兼命门，能使聾者見秋毫。

兼膈俞，治嘗咽。兼陽綱穴屬足太陽，在十椎下兩旁相去脊三寸。

第十八穴肝俞。在九椎下兩旁。相去脊中二寸。正坐取之。

銅人鍼叁分。留六呼。灸叁壯。明堂灸七壯。素問刺中肝。五日死。其動爲欠。

主治氣短。欬血。多怒。脇肋滿悶。欬引兩脇脊胸急痛。不得息。轉側難。腰反折。目上視。目䀮䀮生白翳。淚多出。眼目諸疾。驚狂衄衂。寒疝。小腹痛。熱病瘥後食五辛目暗。痓病相引轉筋入腹。肚中風。坐不得低頭。兩目連額上色微青。積聚痞痛。

此穴主瀉五藏之熱。與五藏俞治同。

第十九穴膽俞。在十椎下兩旁。相去脊中二寸。正坐取之。

銅人鍼伍分。留七呼。灸叁壯。明堂鍼叁分。下經灸伍壯。素問刺中胆

食不消化，泄利不
此肌膚脹滿，水腫
灸隨年壯。又虛勞
尿血白濁，灸百壯
又兼膀胱俞，治脾虛
穀食不消。
腹痛腸鳴泄下痢
肌膚脹滿食難消
脾胃兩俞針灸發
兼尋三里最飄飄
一傳治水腫鼓脹氣
腸不收泄瀉年久
不止脾胃兩俞左

一日半死。其動爲嘔。

主治頭痛振寒。汗不出。脘下腫。心腹脹滿。口乾苦。咽痛嘔吐。翻胃食不下。骨蒸勞熱。目黃。胸脇痛。不能轉側。

第二十穴脾俞。在十一椎下界兩旁。相去脊中二寸。正坐取之。

銅人鍼三分。留七呼。灸三壯。　明堂灸五壯。　素問刺中脾。十日死。其動爲吞。

主治腹脹引胸背痛。多食身瘦。痃癖積聚。脇下滿。痎瘧寒熱。黃疸。腹脹痛。吐食不食。飲食不化。或飲食倍多。煩熱嗜臥。善欠。泄利。體重。四肢不收。

此穴主瀉五藏之熱。與五藏俞同。

第二十一穴胃俞。在十二椎下界兩旁。相去脊中二寸

小腹堅大如盤盂。胸
腹脹滿。飲食不消。
婦人癥瘕瘦瘠。灸
三焦俞百壯。東壯
氣海一百壯。
又主治五藏大虛積
聚。心腹滿。腰背痛
吐逆寒熱。小便不利
灸隨年壯。
又治尿血灸百壯。
千金云　腎虛冷風虛

。。正坐取之。。
銅人鍼三分。。留七呼。。灸隨年爲壯。。　明堂灸三壯。。　下經灸七壯。。
主治霍亂胃寒。。腸鳴腹痛。。翻胃嘔吐。。不嗜食。。多食羸瘦。。目不明。。胸脇支滿。。脊痛筋攣。。小兒不生肌肉。。痢下赤白。。
李東垣曰。。中濕者。。治在胃俞。。

第二十二穴三焦俞。。　在十三椎下界兩旁。。　相去脊中二寸。。正坐取之。。
銅人鍼五分。。留七呼。。灸三壯。。　明堂鍼三分。。灸五壯。。
主治傷寒身熱。。頭痛吐逆。。肩背急。。腰脊强。。不得俛仰。。藏府積聚。。脹滿。。膈塞不通。。飲食不化。。羸瘦。。不能飲食。。水穀不分。。泄注下利。。腹痛腸鳴目眩。。

第二十三穴腎俞。。　在十四椎下界兩旁。。　相去脊中二寸。。正坐取之。。前與臍平。。

灸百壯。又小便濁夢遺失精灸百壯。百症賦云。兼巨髎。能除胸膈停留瘀血。下焦寒甚補刺頭。屢服辛溫而未除。氣海関元從穴取。腎俞兼命门求。玉龍賦云。兼命门治老人便多。灵光賦云。治大便病。

銅人鍼叁分。留七呼。灸以年爲壯。　明堂灸叁壯。　素問。刺中腎。六日死。其動爲嚏。

主治虛勞羸瘦。耳聾腎虛。水藏久冷。面目黃黑。腰痛夢遺。精滑。脚膝拘急。身熱頭重。振寒。心腹䐜脹。兩脇滿痛。牽引小腹急痛。少氣溺血。小便淋濁。目視䀮䀮。腎中風。腰寒如水。足冷如冰。腸鳴洞泄。食不化。女人積氣成勞。月經不調。赤白帶下。

第二十四穴氣海兪。　在十五椎下界兩旁。　相去脊中一寸。正坐取之。

銅人類經圖攷無此穴。惟大成有此穴。

大成鍼叁分。灸五壯。

主治腰痛痔漏。

第二十五穴大腸兪。　在十六椎下界兩旁。　相去脊中二

寸。伏而取之。

銅人鍼叁分。留六呼。灸叁壯。

主熱脊强不得俯仰。腰痛。腹中氣脹。繞臍切痛。多食身瘦。腸鳴。大小便不利。洞泄。食不化。小腸絞痛。腸澼。

第二十六穴關元俞。在十七椎下界兩旁。相去脊中二寸。伏而取之。

銅人類經圖攷無此穴。惟大成有此穴。

慕按鍼三分。灸三壯。

主治風勞腰痛。泄痢虚脹。小便難。婦人瘕聚諸疾。

第二十七穴小腸俞。在十八椎下界兩旁。相去脊中二寸。伏而取之。

百症賦。膀胱俞脾俞。治脾虛穀食不消。慕按脾經虛。即中氣不能健運。穀食入。必帶滯於中州。無論用灸用針。禁用瀉法。必用補法。至於膀胱俞。則宜用先補後瀉。先補者。先使太陽之氣足。運行於一身。後瀉者。瀉其不消之邪也。腰痛挾脊裡。灸中膂內俞立愈。

銅人鍼叁分。留六呼。灸叁壯。

主治膀胱三焦病。大小腸寒熱。小便赤不利。淋瀝遺溺。小腹脹滿疞痛。泄痢膿血五色。脚腫。五痔疼痛。消渴津液少。口乾不可忍。婦人帶下。

第二十八穴膀胱俞。在十九椎下界兩旁。相去脊中一寸。伏而取之。

銅人鍼叁分。留六呼。灸叁壯。　明堂灸七壯。

主治小便赤澀黃濁。遺溺。泄痢。腰脊腹痛。陰生瘡。少氣。脛寒拘急。不得屈伸。脚膝寒冷無力。腹滿。大便難。女子瘕聚。

第二十九穴中膂內俞。在二十椎下界兩旁。相去脊中二寸。夾脊胂起肉間。伏而取之。

銅人鍼叁分。留六呼。灸叁壯。

一云主治夢遺白濁。腎虛腰痛。先瀉後補之。赤帶瀉之。白帶補之。月經不調亦補之。
百症賦云
兼委中。治背連腰痛大驗。
泄瀉腸鳴痢未瘳。婦人經帶各研求。四髎穴道施針灸。元化功夫壓地球。

主治腎虛。消渴。腰脊强。不得俯仰。腸冷。赤白痢。疝痛。汗不出。腹脇脹痛。　明堂云。腰痛俠脊裡痛。上下按之應者。從項至此穴。痛皆宜灸。

第三十穴白環俞。在二十一椎下界兩旁。相去脊中二寸。伏而取之。

素註鍼五分。甲乙經鍼八分。得氣則先瀉。瀉訖多補之。不宜灸。　明堂灸叁壯。

主治腰脊痛。不得坐臥。手足不仁。疝痛。二便不利。温瘧。勞損虛風。筋痺攣縮。虛熱閉塞。

第三十一穴上髎。在腰髁骨下一寸。夾界兩旁第一穴陷中。　繆刺論註曰。腰下夾尻有空骨各四。蓋卽此四髎穴也。　刺腰痛論註曰。上髎當髁骨下陷中。餘

三髎少斜下。按之陷中是也。腰髁者。即十六椎下腰脊兩旁起骨之夾脊者。足太陽少陽之絡。

銅人鍼三分。灸七壯。類經鍼三分。留七呼。灸七壯。

主治大小便不利。嘔逆。腰膝冷痛。寒熱瘧。鼻衄。婦人白瀝絕嗣。陰中痒痛。陰挺出。赤白帶下。

第三十二穴次髎。在腰髁骨下一寸。夾脊兩旁第二空陷中。

銅人鍼三分。灸七壯。類經載鍼三分。留七呼。灸七壯。一日灸三壯。

主治小便赤淋不利。腰痛不得轉搖。急引陰氣。痛不可忍。疝氣下墜。腰以下至足不仁。背膝寒。心下堅脹。足清氣痛。腸鳴。泄瀉。婦人赤白帶下。

第三十三穴中髎。在腰髁骨下一寸。夾脊兩旁第三空陷中。

銅人鍼三分。留十呼。灸三壯。 類經鍼二分。

主治二便不利。腹脹飧泄下痢。五勞七傷六極。婦人絕子。帶下。月事不調。

第三十四穴下髎。 在腰髁骨下一寸。夾脊兩旁第四空陷中。

銅人鍼二分。留十呼。灸叁壯。

主治二便不利。腸鳴泄瀉。寒濕內傷。大便下血。腰不得轉。痛引卵。小腹急痛。淋濁不禁。婦人帶病。

第三十五穴會陽。一名利機 **在陰尾尻骨兩旁。 甲乙經曰。督脈氣所發。**

銅人鍼八分。灸五壯。 類經大成載一曰鍼八分。

主治腹中寒熱泄瀉。腸澼便血。久痔。陽氣虛乏。陰汗濕。

神農經治虛勞熱。可壯魄戶十四壯。百症賦云兼膏肓治勞瘵。標幽賦云魄戶治傳尸骨嗽。

第三十六穴附分。在二椎下界附項內廉兩旁。相去脊中各三寸半。正坐取之。手足太陽之會。

銅人鍼三分。素註鍼八分。灸五壯。甲乙經鍼八分。

主治肘臂不仁。肩背拘急。風客腠理。頸痛不得回顧。

第三十七穴魄戶。在三椎下界兩旁。相去脊中各三寸半。正坐取之。

銅人鍼五分。得氣卽瀉。又宜久留鍼。日灸七壯。至百壯。素註灸五壯。類經載鍼叁分。

主治虛勞肺痿。叁尸走注。肩膊胸背連痛。項強急。不得回顧。喘息欬逆。煩滿嘔吐。

第三十八穴膏肓兪。在四椎下界兩旁。相去脊中各三寸半。正坐曲脊取之。

千金翼云。先令病人正坐。曲脊伸兩手。以臂著膝前。令正直。手大指膝頭齊。以物支肘。勿令臂動。乃從胛骨上角。摸索至胛骨下頭。其間病有四肋三間。依胛骨之際。相去際如容側指許。按其中一間空處。自覺牽引肩中。是其穴也。

又法。但以右手搭左肩上。中指梢所不及處。是其穴也。左手亦然。乃以前法灸之。其有不能久坐伸臂者。亦可伏衣襆上。伸兩臂。令人挽兩胛骨。使相離去。不爾。胛骨覆穴。不得其眞也。所伏衣襆。當令大小得宜。不爾。則前卻亦失其穴也。此穴灸後。令人陽氣日盛。當消　自爲補養。令得平復。則諸病無所不治。

又法。如其人骨節分明。則以椎數爲準。若脊背肥厚。骨節難尋。須以大椎至尾骶量分三尺折取之。不然。則以平臍十四椎命門爲則。逐椎分寸取之。則穴無不眞。然取大椎之法。除項骨三節不在內。或亦有項骨短而無可尋者。當以

乾坤生意云。針膏肓。兼陶道。身柱。肺俞。治虛勞五損七傷。此爲緊要之穴。瘧疾針膏肓立愈。每用湯劑不同。湯劑治瘧。必於瘧未來時。早一上

肩之處爲第一椎。以次求之。可無差也。捷徑云。灸膏肓功效。諸書例能言之。而取穴則未也。千金等方之外。莊綽論之最詳。然繁而無統。不能歸定於一。余嘗以意取之。令病人兩手交在兩膊上。灸時亦然。胛骨遂開。其穴立見。以手指摸索第四椎下兩旁各三寸半四肋三間之中。按之痠疼是穴。當以千金立點立灸。坐點坐灸。臥點臥灸爲的。劉瑾云。取膏肓穴。當除第一椎小骨不算。若連第一椎數下。當在五椎下兩旁各三寸。共折七寸。分兩旁按其痠疼處。乃是眞穴。此穴晉以前未有。乃後人所增也。

銅人灸百壯。至五百壯。千金灸至千壯。少亦七七壯。主治百病。無所不療。虛羸瘦損。五勞七傷。夢遺失精。上氣欬逆。痰火發狂。健忘。瘧疾。胎前產後諸疾。

大成云。人年二旬後。方可灸此穴。仍灸足三里二穴。引火氣下行。以固其本。若未出幼而灸之。恐火氣盛。上焦作熱。每見醫家不分老幼。又多不灸三里

瘧治之方為有效。針灸治瘧。必乘其瘧未而始治之。無不立效。但瘧來，如值惡寒。須用補法。如值發熱。須用瀉法。不可不知。瘧疾瘳身數日愈。四椎下界兩膏肓。脊中相去卅寸五。歷盡劑中一切方

。以致虛火上炎。是不經口授而妄作也。豈能瘳其疾哉。患者灸此。必鍼三里或氣海。更清心絕慾。參閱前後各經。細意調攝。何患疾不瘳也。

慕按膏肓一穴。昔賢多主用灸而禁鍼。慕嘗療治瘧疾。乘其方來。如發寒則用補鍼。如發熱則用瀉鍼。出鍼立愈。不一而足。願以公諸同好者。

第三十九穴神堂。在五椎下界兩旁。相去脊中各三寸半陷中。正坐取之。

銅人鍼三分。灸五壯。明堂灸三壯。素註鍼五分。

主治腰背脊强痛。不可俯仰。洒淅寒熱。胸腹滿逆時噎。

第四十穴譩譆。在肩髆內廉六椎下界兩旁。相去脊中各三寸半。正坐取之。甲乙經曰。以手痛按之。病者呼譩譆是穴。蓋因其痛也。

凡諸血病若論吐血
嘔血唾血咳血咯血
灸何膈俞灸之或
針之最為收效
人身諸病血為先
氣逆衝心嘔吐來旁
列七椎三寸半膈關
必度但敲推
百症賦云兼胃俞
治胃冷食難化
標幽賦云筋攣骨
痛補此

銅人鍼六分。留三呼。瀉五吸。灸二七壯至百壯。素註鍼七分。明堂灸五壯

主治大風熱病。汗不出。勞損不得臥。溫瘧寒瘧。胸腹脹悶。目眩氣噎。肩背脇肋痛急。不得俯仰。目痛。鼻衄。喘逆上氣。小兒食時頭痛。

第四十一穴膈關。在七椎下界兩旁。相去脊中各三寸半。正坐開肩取之。類經云。此亦血會。治諸血病。

銅人鍼五分。灸三壯。類經灸五壯。

主治背痛惡寒。脊强。俯仰難。嘔吐。食飲不下。胸中噎悶。多涎唾。大便不節。小便黃不利。

第四十二穴魂門。在九椎下界兩旁。相去脊中各三寸半。正坐取之。

銅人鍼五分。灸三壯。

百症賦云兼胆俞治目黄最效

百症賦云兼中府能除膈胸噎塞胃背脇痛兜吞嘔吐

主治尸厥走注。胸背連心痛。食飲不下。腹中雷鳴。大便不節。小便黃赤。

此穴主瀉五藏之熱。與五藏俞同。

第四十三穴陽綱。在十椎下界兩旁。相去脊中各三寸半。正坐開肩取之。

銅人鍼五分。灸三壯。下經灸七壯。

主治腸鳴腹痛。食飲不下。小便澁赤。腹脹身熱。大便泄利。消渴目黃。怠惰

第四十四穴意舍。在十一椎下界兩旁。相去脊中各三寸半。正坐取之。

銅人鍼五分。灸五十壯至百壯。類經鍼五分。灸七壯。明堂灸五十壯。下經灸七壯。素註灸二壯。甲乙經鍼五分。灸三壯。

主治背痛腹脹。大便滑泄。小便赤黃。飲食不下。嘔吐消渴。惡風寒。身熱目黃。

此穴主瀉五藏之熱。與五藏俞同。

第四十五穴胃倉。在十二椎下界兩旁。相去脊中各三寸半。正坐取之。

銅人鍼五分。灸五十壯。甲乙經灸三壯。

主治腹滿虛脹。水腫。食飲不下。惡寒。背脊痛。不得俛仰。

第四十六穴肓門。在十三椎下界兩旁。相去脊中各三寸半。又肋間陷中。前與鳩尾相直。正坐取之。

銅人鍼五分。灸三十壯。類經載灸三壯。氣府論註灸三十壯。

主治心下痛。大便堅。婦人乳疾。

第四十七穴志室。在十四椎下界兩旁。相去脊中各三寸半陷中。正坐取之。

銅人鍼九分。灸三壯。明堂灸七壯。類經鍼五分。灸叁壯。

主治陰腫陰痛。。小便淋瀝。。夢遺失精。。腰脊强痛。。不得俯仰。。脇痛。。腹脹滿。。吐逆。。飲食不消。。霍亂。。

此穴主瀉五藏之熱。。與五藏俞同。。

第四十八穴胞肓。。在十九椎下界兩旁。。相去脊中各三寸半陷中。。伏而取之。。

銅人鍼五分。。灸五七壯。。明堂灸叁七壯 甲乙經灸叁壯。。

主治腰脊急痛。。食不消。。腹堅急。。腸鳴淋瀝。。不得大小便。。癃閉下腫。。

第四十九穴秩邊。。在二十椎下界兩旁。。相去脊中各三寸半陷中。。伏而取之。。

銅人鍼五分。。明堂鍼三分。。灸三壯。。

主治五痔發腫。。小便赤澀。。腰背痛。。

第五十穴承扶。一名肉郄一名陰關一名皮部　在尻臀下股陰上約紋中。

銅人鍼七分。灸三壯。　甲乙經鍼二寸。

主治腰脊相引如解。久痔。尻臀腫。大便難。陰胞有寒。小便不利。

第五十一穴殷門。　在承扶下六寸。膕上兩筋之間。

又在浮郄下三寸。

銅人鍼七分。　類經鍼七分。留七呼。灸三壯。

主治腰脊不可俛仰。舉重。惡血流注。外股腫。

第五十二穴浮郄。　在委陽上一寸。屈膝得之。

銅人鍼七分。灸七壯。　類經鍼五分。灸三壯。

主治霍亂轉筋。膀胱小腸熱。大腸結。股外筋急。髀樞不仁。

第五十三穴委陽。　在承扶下六寸。屈伸取之。　在足太

邪氣藏府病形篇云三焦者合於委陽又曰委阳三焦下輔腧也本输篇曰三焦下输出於委阳并太阳之正入络于膀胱约下焦实则癃闭虚则遗溺遗溺则补之癃闭则泻之
百症赋云兼天地穴腋腫針而速散
委中
此穴主瀉四肢热委中青血郄刺血不止者須反折疼痛癫疾足热厥逆不得屈伸其络血立愈
又古人云虚汗盗汗補委中
又云兼居髎环跳除退风湿痛

陽之前。少陽之後。出於膕中外廉兩筋間。三焦下輔俞。足太陽之別絡也。

素註鍼七分。留五呼。灸三壯。

主治腰脊腋下腫痛。胸滿膨膨。筋急身熱。瘈瘲癲疾。小腹滿。飛尸遁注。痿厥不仁。

第五十四穴委中。一名血郄 **在膕中央約紋動脈陷中。伏臥屈足取之。足太陽所入爲合。即此穴也。**

銅人鍼八分。留三呼。瀉七吸。素註鍼五分。留七呼。甲乙經鍼五分。禁灸。類經鍼五分。留七呼。灸三壯。

主治腰膝痛。腰俠脊沉沉然。腰重不能舉。遺溺。小腹堅滿。風痺。髀樞痛。可出血。痼疹皆愈。傷寒四肢熱。熱病汗不出。取其經血立愈。大風髮眉墮落。刺之出血。但春月刺之。勿令出血。蓋太陽合腎。腎主於冬。水衰於春

馬丹阳天星十二穴云
委中曲瞅裏横纹脉中央腰痛不能举沉引脊梁痠風痛乃转筋疼痛难移屈膝痹復無常担病不能当膝头难伸屈针入即安康
古人又谓
肚痛三里留
腰痛委中求
头项寻列缺
面口合谷收
千金灸转筋随年壮
神聰霍乱灸百壮
玉龙赋云兼表烙灸
痔日最妙
席弘赋云阳陵泉

故春毋令出血。

第五十五穴合陽。在膝膕約紋下一二寸。

銅人鍼六分。灸五壯。

合阳穴兼可治女子少氣下血

主治腰脊強引腹痛。陰股熱。胻痠腫。步履難。寒疝偏墜。女子崩中帶下。

第五十六穴承筋。一名腨腸 一名直腸 在腨腸中央陷中。脛後腳跟上七寸。

承筋穴
千金云霍乱转筋灸五十壮

銅人灸三壯。

辛極學生梁錦增患邪兩者腳肚痠痛經已數月連腰部難以屈伸同病相憐服藥十餘劑均不奏效兩者屈時會見余商約余为小针承筋三穴兩者登時立愈矣

主治腰背拘急。腋腫。大便秘。五痔。腨痠。寒痺不仁。腳跟急痛。牽引小腹。鼽衄。霍亂轉筋。

第五十七穴承山。一名魚腹 一名肉柱 一名腸山 在腨腸下分肉間陷中。一云腿肚下尖分肉間。鍼經云。取穴須用兩手高托。按壁上。兩足趾離地。用足趾大尖豎起。上看足腕腨腸下

治心胸痛兼此穴八
而飲食自[illegible]
又云兼京門治[illegible]
筋目眩立消
[illegible]賦云刺長强兼
承山善主腸風新下
血
[illegible]秘訣云兼[illegible]
治腳筋並眼花
馬丹陽云善治腰疼
痛痔疾大便難脚
氣并膝腫兩足尽
寒疼戰慄痠[illegible]
寒霍亂及轉筋刺
之立便安
童[illegible]將兵[illegible]之長也
[illegible]不衝民十年大
月十六聽[illegible]治兩足
腫很痛止延及腹[illegible]
[illegible]云針承筋承山

分肉間。。

銅人鍼七分。。灸五壯。。　明堂鍼八分。。得氣卽瀉。。速出鍼。。灸不及鍼。。止六七壯。。下經灸五壯。。

主治大便不通。。轉筋。。痔腫。。戰慄。。不能立。。脚氣脚腫。。脛痠。。脚跟痛。。筋急痛。。霍亂。。急食不通。。傷寒水結。。

靈光賦云。。治轉筋並久痔。。　今時多用此穴治傷寒立效。。亦有初發癱疾者。。灸之立已。。

第五十八穴飛陽。。一名厥陽　在足外踝上七寸後陷中。。足太陽絡別走少陰。。

千金云瘧實則腰背痛虛則鼻衄飛陽主之[illegible]

銅人鍼三分。。灸三壯。。　明堂灸五壯。。

主治痔患腫痛。。體重。。起坐不能。。步履不收。。脚腨痠腫。。戰慄。。不能久坐久立。。足趾不能屈伸。。目眩痛。。歷節風。。逆氣癲疾。。寒瘧。。實則鼽窒頭背痛。。瀉之

僕參中胍崑崙[illegible]
針三天[illegible]
立癒，童日兩日而癒
真[illegible]三天[illegible]

玉龍賦云針崑崙兼申脉善療足腫之迍
靈光賦云能治喘[illegible]
勝[illegible]
席弘賦云兼魚際承山治轉筋目眩立有
千金云[illegible]不下針足太陽入四寸穴在外踝後寸
[illegible]中指雖未有指
明崑崙意必此穴

虛則鼽衄。補之。

第五十九穴附陽。在足外踝上三寸。太陽前少陽後筋骨之間。陽蹻之郄。

銅人鍼五分。灸三壯。留七呼。素註鍼六分。留七呼。灸三壯　明堂灸五壯

主治霍亂轉筋。腰痛不能立。坐不能起。髀樞股胻痛。痿厥風痺不仁。頭重䪼痛。時有寒熱。四肢不舉。屈伸不能。

第六十穴崑崙。在足外踝後五分。跟骨上陷中。細動脉應手是。足太陽所行爲經。卽此穴也。

銅人鍼三分。灸三壯。　素註鍼五分。留十呼　類經刺五分。留七呼。灸三壯。或七壯。　大成云。妊婦鍼之落胎。

主治腰尻脚氣。足腨腫不能履地。鼽衄。膕如結。踝如裂。頭痛。肩背拘急。欬喘滿。腰脊內引痛。傴僂。陰腫痛。目眩痛如脫。瘧多汗。心痛與背相接。

又云瘧疾汗腰痛不能俯仰目如脫項似拔崑崙主之
馬丹陽天星十二穴云崑崙足外踝跟骨上邊尋。轉筋尻脊背腰重更連陰頭疼腰脊痛暴喘滿沖心。舉步行不得。動足即呻吟若欲求安樂須於此穴針。

申脈
玉龍賦云。並太谿崑崙。善療足腫
攔江賦云。能除寒與熱。偏正頭風及心驚。耳鳴鼻衄胸中滿。遇麻木者虛需補。逢疼痛者

婦人孕難。。胞衣不出。。小兒發癎瘈瘲。。

神農經云。。治腰尻痛。。足痛不能履地。。肩背拘急。。可灸七壯。。

第六十一穴僕參。。一名安邪 **在足跟骨下陷中。。拱足得之。。足太陽陽蹻之會。。**

銅人鍼三分。。灸七壯。。　明堂灸三壯　類經鍼二分。。留七呼。。灸七壯。。

主治腰痛足痿不收。。足跟痛不得履地。。霍亂轉筋。。吐逆尸厥。。癲癇。。狂言見鬼。。脚氣膝腫痛。。

靈光賦云。。後跟痛在僕參求。。

第六十二穴申脉。。　在足外踝下五分陷中。。容爪甲許白肉際。。前後有筋。。上有踝骨。。下有軟骨。。其穴居中。。是陽蹻脉所生者。。

銅人鍼三分。。留七呼。。灸三壯。。

瀉而退。
捷法云。治腰背强不可俯仰。中風不語。中風半身癱瘓。偏枯疼痛等時。四肢麻木不仁。手足攣痛。不能握物。口眼喎斜。牽連不已。角弓反張。眼目盲視。口噤不開。語言蹇澀。腰脊背疼痛。头强痛不得回顧。腰痛起止艰难。手足三背生毒。臂背生毒。已上三十條症。先以申脈主治。後隨症加各穴針治之。

主治風眩。脚痛胻痠。不能久立。如在舟車。勞極冷氣逆氣。腰髖冷痺痛。脚膝屈伸難。婦人血氣痛。

神農經云。治腰痛可灸五壯。

靈光賦云。陽蹻陰蹻陽陵陰陵四穴。治脚氣。

又兼足三里同治脚氣。亦去在腰諸疾。

第六十三穴金門。一名關梁 **在足外踝下一寸。足太陽郄陽維別屬也。**

百症賦云：兼邱墟，可医轉筋。通玄賦云：兼申脈，治头風头痛。

銅人鍼一分。灸三壯。 類經載鍼三分。灸七壯。炷如小麥。

主治霍亂轉筋。尸厥癲癇疝氣。膝胻痠。身戰不能久立。小兒張口搖頭。身反折。

第六十四穴京骨。在足小指外側。本節後大骨下赤白肉際陷中。可按而得。足**太陽所過爲原。即此穴也。**

太乙歌云。束骨。治項強腫痛体重腰癱。
百症賦云
連天柱。治項強悪風。
秦承祖云。治風熱胎瘡。兩目眥赤爛。
辛未夏歷六月初二鴻昌街有曾麦氏归年三十許。脈痺。瀉足束趾起。牽引上下。胭如結項强不可回顧。氣旁痛。叫若類声。胃口全無。不能飲食。遠近八月。十易其医。近来

銅人鍼三分。留七呼。灸七壯　明堂灸五壯。　素註灸三壯。

主治頭痛如破。腰痛不得屈伸。身後側痛。目眩內眥赤爛。筋攣善驚。痎瘧寒熱。足胻髀樞痛。頸項强。不能回顧。傴僂鼽衄。

第六十五穴束骨。在足小指外側本節後陷中。赤白肉際。　足太陽所注爲俞。即此穴也。

銅人鍼三分。留三呼。灸三壯。

主治腰脊痛如折。髀不可曲。膕如結。踹如裂。耳聾。惡風寒。頭腮項痛。目眩身熱。目黃淚出。肌肉動。項强不可回顧。目內眥赤爛。腸澼泄痔。痎瘧顛狂。癰疽。背生疔瘡。

第六十六穴通谷。在足小指外側本節前陷中。　足太陽所溜爲榮。即此穴也。

銅人鍼二分。留三呼。灸三壯。

秦效。有对其夫曾某读者。谓此症非针灸不为功。因介绍来诊治。按其脉浮实弦滑。余日项强不可回顾。腘如结。脉浮。是病在太阳。乱旁痛。该经病也。处为软胀脉所行。且脉弦。是兼肝经病也。弦而滑。是挟有痰。且左指极实。是厥阴之热。侵绕太阳。肝热郁而不宣。肝主筋。故其病在於筋部。然太阳为诸筋主气。其痛在足小趾头腘及项。三者皆为太阳经脉所管。病责厥阴太阳。照内经病理断定误等错误。曾氏信针灸最笃。遂求余用针

主治頭痛頸重。。目眩。。善驚。。項痛鼽衄。。目䀮䀮。。結積留飲胸滿。。食不化。。失矢。。

李東垣曰。。胃氣下溜。。氣亂在於頭。。取天柱大杼。。不足。。深取通谷束骨。。

第六十七穴至陰。。在足小指外側。。去爪甲角如韮葉。。

足太陽所出爲井。。即此穴也。。

銅人鍼二分。。灸三壯。。素註鍼一分。。留五呼。。

主治風寒頭重鼻塞。。目痛生翳。。胸脅痛無常處。。轉筋。。寒瘧。。汗不出。。煩心。。足下熱。。小便不利。。大背痛。。失精。。脉痹從足小指起。。牽引上下。。張文仲治婦人橫產。。手先出。。諸藥不效。。爲灸右脚小指尖三壯。。炷如小麥立產。。

足太陽經穴。。起於睛明。。終於至陰。。共計六十七穴。。左右合計一百三十四穴。。

灸治之。即為之針期门。一拔針而乳旁之痛立鬆。再為之針大椎、京骨、束骨、通谷、委中、至陰。五十分鐘。內痛氣全鎮。再擬方服之。藥用白芍、生茅根、花粉、生蛤殼、杭菊、生蒡子、薏仁。連服三劑。其病亦無復發。

第四節　手太陽穴部位療治

第一穴少澤。一名小吉　在手小指外側端。去爪甲角一分陷中。手太陽所出為井。即此穴也。

銅人鍼一分。留三呼。灸一壯。素註灸三壯。

主治痎瘧寒熱。汗不出。喘痺舌强。心煩。欬嗽。瘈瘲。臂痛。頸項痛不可顧。目生翳。覆瞳子。口中涎唾。及療婦人無乳。先瀉後補。

玉龍賦云。治婦人乳腫。

靈光賦云。除心下寒。

第二穴前谷。在手小指外側本節前陷中。手太陽所溜為滎。即此穴也。

銅人鍼一分。留三呼。灸一壯。明堂灸三壯。

主治熱病。汗不出。痎瘧。癲疾。耳鳴。喉痺。頸項頰腫。引耳後。欬嗽目翳。鼻塞不利。吐衄。臂痛不得舉。婦人產後無乳。

第三穴後谿。 在手小指本節後外側。橫紋尖上陷中。仰手握拳取之。一云在手腕前外側。拳尖起骨下陷中。（嘉按前說爲是） 手太陽所注爲俞。即此穴也。

銅人鍼一分。留二呼。灸一壯。一云三壯。

主治痎瘧寒熱。目赤生翳。鼻衄。耳聾。胸滿。頸項强。不得回顧。癲癇。

臂肘急攣。五指盡痛。

神農經云。治項强不得回顧。臂寒肘疼。灸七壯。

玉龍賦云。專治時疫痎瘧。

攔江賦云。專治督脉病癲狂。

第四穴腕骨。在手外側腕前起骨下陷中。手太陽所過爲原。即此穴也。

銅人鍼二分。留三呼。灸三壯。

主治熱病。汗不出。脇下痛。不得息。頸項腫。寒熱耳鳴。目出冷淚生瞖。狂惕偏枯。臂肘不得屈伸。瘧疾煩悶。頭痛驚風。瘈瘲。五指掣攣。

第五穴陽谷。在手外側腕中。鋭骨下陷中。手太陽所行爲經。即此穴也。

素註鍼二分。留三呼。灸三壯。　甲乙經留二呼。

主治癲疾發狂。熱病。汗不出。脅痛。頸頷腫。寒熱。耳鳴耳聾。齒痛。臂不舉。吐舌戾頸。妄言。左右顧。目眩。小兒瘈瘲。舌强不乳。

第六穴養老。在手外骨上一空。腕後一寸陷中。手太陽郄。。

銅人鍼三分。。灸三壯。。

主治肩臂痠痛。。肩欲折。。臂如拔。。手不能上下。。目視不明。。

第七穴支正。。

在腕後外廉五寸。。手太陽絡別走少陰。。

銅人鍼三分。。灸三壯。。　明堂灸五壯。。　類經鍼三分。。留七呼、灸三壯。。

主治風虛驚恐。。悲憂癲狂。。五勞四肢虛弱。。肘臂攣急。。難以屈伸。。手不握。。十指盡痛。。熱病。。先腰頸痠。。喜渴。。强項疣目。。實則節弛肘廢。。瀉之。。虛則生疣小如指。。痂疥。。補之。。

第八穴小海。。

在肘內大骨外。。去肘端五分陷中。。屈手向頭取之。。手太陽所入爲合。。卽此穴也。。

素註鍼二分。。留七呼。。灸三壯。。　類經圖攷。。均刺二分。。留七呼。。灸五壯。。

臑俞穴在肩貞上一寸橫外開八分

或七壯。

主治頸頷肩臑肘臂外後廉痛。寒熱。齒根腫。風痃頸項痛。瘍腫振寒。小腹痛。肘腋腫痛。癎發羊鳴。瘈瘲狂走。頷頰腫。不可回顧。肩似拔。臑似折。耳聾目黃。

第九穴肩貞。在肩曲胛下兩骨解間。肩髃後陷中。

銅人鍼五分。素註鍼八分。灸三壯。

主治傷寒寒熱。頷腫。耳鳴耳聾。缺盆肩中熱痛。手足風痺麻木不舉。

第十穴臑俞。在肩髎後大骨下胛上廉陷中。舉臂取之。手足太陽陽蹻陽維之會。

銅人鍼八分。灸三壯。

主治臂痠無力。肩痛引胛。寒熱。气腫頸痛。

天宗穴在肩貞斜上一寸七卜

秉風穴在肩上天髎外小髃骨

有譚孔庭者。於会人。患左手痳痺痛者。歷有年半。據云經中西医約五十人診治。總未奏功。後有介紹余爲他調治。病状左手食指拇指指筋節痺痛。起上臂在腕肘。并引及肩位。後通於背左身半截偏縻

第十一穴天宗。。在秉風後大骨下陷中。。

銅人鍼五分。。留六呼。。灸三壯。。

主治肩臂痠疼。。肘外後廉痛。。頰頷腫。。

第十二穴秉風。。生肩上天髎外小髃骨。。舉臂有空。。手太陽陽明手足少陽之會。。

銅人鍼五分。。灸五壯。。

主治肩痛不能舉。。

己

第十三穴曲垣。。在肩中央曲胛陷中。。按之應手痛。。

銅人鍼五分。。灸三壯。。明堂鍼九分。。

曲垣穴在肩中央去天宗寸五分

微外些

主治肩臂熱痛。。拘急周痺痛悶。。

第十四穴肩外俞。。在肩胛上廉去脊大椎旁三寸陷中。。

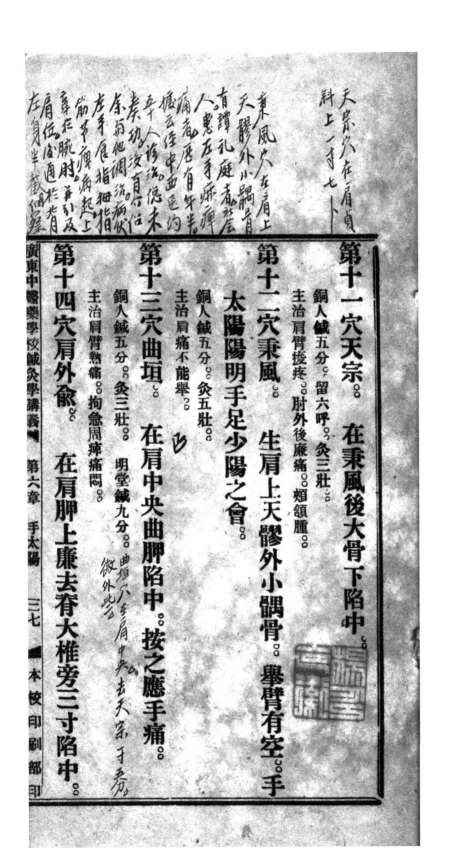

其肩狀。係患在手阳明。而牽及於於手少阳而手太阳。在手阳明言之。其脈出於肩隅。其穴出於食指內側。其痛肩由食指起上達於肩髆。至背後左手也身也。本即針肩阳。一穴在食指內側。次針其二間。一穴在食指本節前內側陷中。三針其三間。一穴在食指本節後內側陷中。四針其合谷。一穴在大指次指骨間陷中。五針其阳谿。

與大杼平。。

銅人鍼六分。。灸三壯。。　明堂灸一壯。。

主治肩胛痛。。周痺。。寒至肘。。發寒熱。。引項攣急。。

肩外俞去背椎第一節陶道三寸五分

第十五穴肩中兪。。在肩胛內廉。。去脊大椎旁二寸陷中。。

素註鍼六分。。灸三壯。。銅人鍼三分。。留七呼。。灸十壯。。

主治欬嗽上气。。唾血寒熱。。目視不明。。

第十六穴天窓。。在頸大筋前。。曲頰下。。扶突後。。動脈應手陷中。。

天窓在耳下三寸大筋間。
原文在扶突後　按扶突在人迎後寸半。人迎在喉結旁開一寸半

素註鍼六分。。　銅人鍼三分。。灸三壯。。

主治瘖瘂頸癭腫痛。。肩胛痛引項。。不得回顧。。耳聾。。頰腫痛。。喉痛。。暴瘖不能言。。齒噤中風。。

續上文

穴在腕中上側兩筋间陷中）六針手三里（穴在曲池下二寸）七針其曲池（穴在肘下輔骨屈肘横紋头陷中以手拱胸取之）八針其五里穴在肘上七寸肩髃下一寸）十針其肩髃（穴在膊骨头肩端上兩骨罅间）

第十七穴天容。在耳下曲頰後。

大成鍼一分。灸三壯。

主治喉痺寒熱。咽中如梗。癭气項癰。不得回顧。齒噤不能言。胸滿不得息。耳鳴耳聾。胸痛。嘔逆吐沫。

天容穴 在耳下頰車後一寸 頸筋间。

第十八穴顴髎。（一名兌骨）**在面頄骨下廉銳骨端陷中。手少陽太陽之會。**

素註鍼三分。銅人鍼二分。大成類經鍼二分。禁灸。

顴髎在顴骨下陷凹處。

主治口喎面赤。目黃。眼瞤動不止。䪼腫齒痛。

第十九穴聽宮。（一名多所聞）**在耳中珠子大如赤小豆。手足少陽手太陽三脉之會。**

銅人鍼三分。灸三壯。明堂鍼一分。甲乙經鍼三分。

此外他針手阳明之大概部位也。其病痒及於手太阳。在手太阳经言。原即針其肩貞。次針其臑俞、天宗、秉风、曲垣、天窗、听宫。七穴。此皆但針手太阳大概之部位也。其病又牽及於手少阳。在手太阳经言。原即針其阳池。一穴在手表腕上陷中。次針其内関。一穴在腕後二寸两骨间。與内関相对。三針其支溝。一穴在腕後臂外三寸两骨间陷中。四針其会宗。一穴在腕後三寸。一曰五針其四瀆。一穴在肘前五寸外廉陷中。不針其天井。

主治失音癲疾。心腹滿。耳聾。如物塡塞無聞。耳嘈如蟬鳴。

按手太陽經穴。始於少澤。終於聽宮。共計一十九穴。左右合計三十八穴。

第五節　足少陽穴部位療治

第一穴瞳子髎。一名太陽 一名前關　在目外去眥五分。手太陽手足少陽三脉之會。

素注鍼三分。灸三壯。

刺瞳子髎。用三稜針乃易放血。右手按孔左手隨撚其穴。若症重。攢竹穴睛明穴不必放血。攢竹穴在正眉头。睛明穴在眼头。

主治目痒翳膜白。青盲無見。遠視䀮䀮。赤痛淚出多眵。䁾內眥痒。頭痛喉閉。

（針眼疾歌）眼腫紅疼瞳子髎。三稜皆外五分挑。拔針放血稱神水。攢竹睛明繼續調。

幕按眼紅腫痛。鍼此穴放血立效。經驗多人。

第六穴聽會。一名聽河 一名後關　在耳前陷中。客主人下一寸。動脉

一穴在肘外大骨後肘上一寸。七針其清冷淵。一穴在肘上二寸，伸手舉臂取之。此兩個針手少陽穴之大概部位也。

至足少陽之經脈痛癱，亦復言及。今又為之針其肩井。一穴在肩上陷中。穴針其淵腋。一穴在腋下三寸宛宛中。

至足太陽方面之經脈，又有舉及。今即為之針風門。膈俞。陰俞。心俞。督俞。膈俞。肝俞。膽俞。脾俞。此兩個針足太陽之大概之部位也。

宛宛中。去耳珠下開口有空。側臥張口取之。

銅人鍼三分。留三呼。得氣即瀉。不須補。日灸五壯。至三七壯。十日後依前數灸。明堂鍼三分。灸三壯。大成鍼四分。灸三壯。經脉與攷同。

主治耳鳴耳聾。牙車脫臼。不得嚼物。齒痛。惡寒物。狂走瘈瘲。恍惚不樂。中風喎斜。手足不隨。

玉龍賦云。治耳聾腮腫。

（針耳疾歌）耳鳴兼耳痛難能經年認定聽會聽宮和頷厭翳風刺入三分。

第三穴客主人。一名上關 **在耳前起骨上廉開口有空。側臥張口取之。手足少陽足陽明三脉之會。本輸篇曰。刺之則呿。不能欠者。即此穴。**

銅人灸七壯。禁鍼。明堂針一分。得氣即瀉。日灸七壯。至二百壯。下經灸十壯。素註鍼三分。留七呼。灸三壯。素問禁深刺。深則交脉。破爲肉

其後頸肩部痛處而針之有數十穴。連針四天方能痊其痛乃瘳。所以針灸功夫有时确要針百餘穴而後愈者不可不知

漏。耳聾久而不得欬。甲乙經曰。刺太深。令人耳無聞。

主治口眼偏邪。吻强。耳聾耳鳴嘷耳。目眩齒痛瘈痛。口噤不能嚼物。青盲迷目䀮䀮。

第四穴頷厭。 在耳前曲角顳顬上廉。即腦空之上。手足少陽足陽明之會。

銅人鍼七分。留七呼。灸三壯。類經刺三分。留七呼。灸三壯。論註曰。刺深令人耳無所聞。

主治偏頭痛。頭風。目眩。驚癇。手捲手腕痛。耳鳴。目無見。目外眥急。善嚏。頸痛。歷節風。汗出。

第五穴懸顱。 在耳前曲角上顳顬之中。寒熱病篇曰。足陽明有挾鼻入於面者。名曰懸顱。此爲足少陽陽

凡牙関緊閉不開。異常腫痛。先針頰車穴。針曲鬢立可止痛。緊閉即開。

明之會。故气府論註。爲足陽明脉气所發。

銅人鍼三分。留三呼。灸三壯。 明堂鍼二分。 素註鍼七分。留七呼。深刺令人耳無所聞。

主治頭痛。牙齒痛。面膚赤腫熱病。煩滿汗不出。頭偏痛。引目外眥。身熱。鼻洞濁下不止。傳爲鼽懞瞑目。

第六穴懸釐。 在耳前曲角上顳顬下廉。手足少陽陽明四脉之會。

銅人鍼三分。灸三壯。 素註鍼三分。留七呼。

主治面皮赤腫。頭偏痛。煩心不欲食。中焦客熱。熱病汗不出。目銳眥赤痛。

第七穴曲鬢。 在耳上入髮際曲隅陷中。 鼓頷有空。足太陽少陽之會。

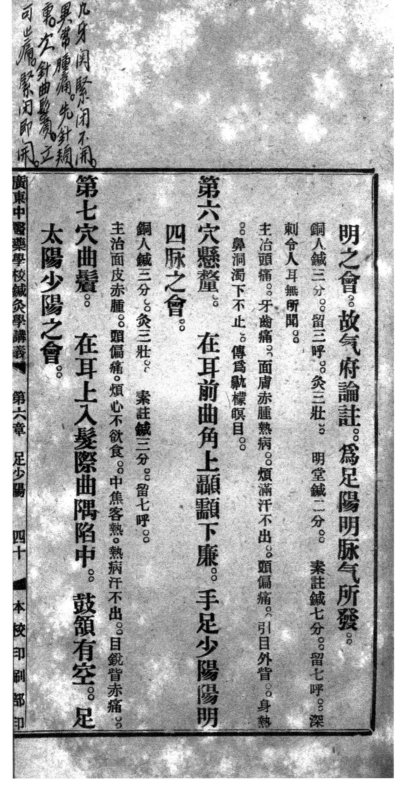

頰車穴即足陽明。穴在耳下八分曲頰端近前陷中。側臥開口有孔取之。

率谷取穴。原文嚼牙取之。按得嚼牙其肌即動。

天衝穴。在率谷之後。耳端三分。

銅人鍼三分。灸七壯。明堂灸三壯。

主治頷頰腫。引牙車不得開。急痛。口噤不能言。頸項不得回顧。腦兩角痛。巔風目眇。

第八穴率谷。在耳上入髮際一寸陷中。嚼牙取之。足太陽少陽之會。

銅人鍼三分。灸三壯。

主治腦痛。兩頭角痛。頭重。醉後酒風。皮膚腫。飲食煩滿。胃寒嘔吐。膈痛寒痰。

第九穴天衝。在耳後入髮際二寸。一曰在耳上前三分。足太陽少陽之會。

銅人鍼三分。灸三壯。

主治癲疾風痓。牙齦腫。驚恐頭痛。

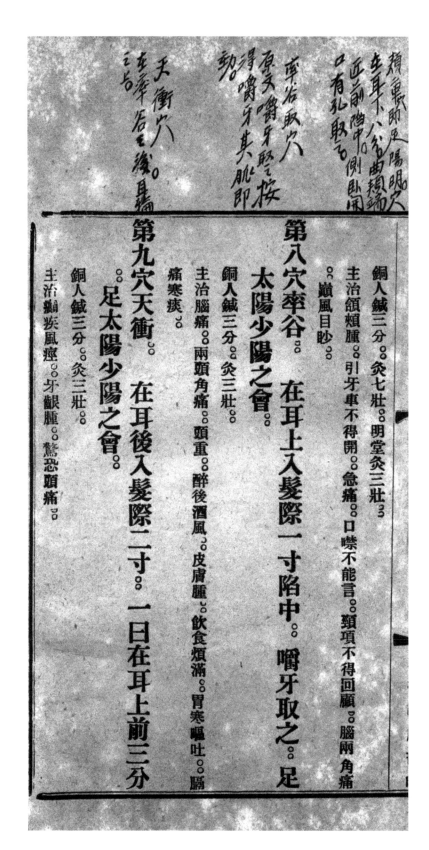

浮白穴 在天衝直下一寸。去髮際一寸。

竅陰 在浮白下一寸。

完骨穴 在竅陰下七分。

第十穴浮白。在耳後入髮際一寸。足太陽少陽之會。

銅人鍼三分。灸七壯。明堂灸三壯。

主治足不能行。耳聾耳鳴齒痛。胸滿不得息。胸痛。頸項癭癰腫。不能言。肩臂不舉。發寒熱。喉痺欬逆。痰沫耳鳴。嘈嘈無所聞。

第十一穴竅陰。一名枕骨 **在完骨上枕骨下搖動有空。足少陽太陽之會。**

銅人鍼三分。灸七壯。甲乙鍼四分。灸五壯。素註鍼三分。灸三壯。

主治四肢轉筋。目痛。頭頸頷痛。引耳嘈嘈。耳鳴無所聞。舌本出血。骨勞癰疽發厲。手足煩熱。汗不出。舌强脇痛。欬逆喉痺。口中惡苦。

第十二穴完骨。在耳後入髮際四分。足太陽少陽之會。

銅人鍼三分。灸七壯。素註灸三壯。明堂鍼二分。灸以年爲壯。

睛明攢竹已針施。
日病依然尚未離。
陽白目窗臨泣用。
針三針說君知。

主治足痿失履不收。牙車急。頰面腫。頸項痛。頭風耳後痛。煩心。小便赤黃。喉痺齒齲。口眼喎斜。癲疾。

第十三穴本神。在曲差旁一寸五分。一曰直耳上入髮際四分　足少陽陽維之會。

銅人鍼三分。灸七壯。

主治驚癇。吐涎沫。頸項强急痛。目眩。胸脇相引不得轉側。偏風。

第十四穴陽白。在眉上一寸。直瞳子。手足陽明少陽五脉之會。

銅人鍼二分。灸三壯。　素註鍼三分。

主治瞳子癢痛。目上視。遠視䀮䀮。昏夜無見。目眵。背膝寒慄。重衣不得溫。

第十五穴臨泣。在目上直入髮際五分陷中。正睛取之。足太陽少陽陽維三脉之會。

銅人鍼三分。留七呼。

主治鼻塞。目眩生翳。眵䁾冷淚。眼目諸疾。驚癇反視。卒中風不識人。目外眥痛。枕骨合顱痛。

第十六穴目窻（一名至榮）在臨泣後一寸。足少陽陽維之會。

銅人鍼三分。灸五壯。三度刺。令人目大明。

主治目赤痛。忽頭旋目䀮䀮。遠視不明。頭面浮腫。頭痛寒熱。汗不出。惡寒。

第十七穴正營。在目窻後一寸。足少陽陽維之會。

銅人鍼三分。灸三壯。

主治目眩瞑。頭項偏痛。牙齒痛。唇吻急强。齒齲痛。

第十八穴承靈。在正營後一寸五分。足少陽陽維之會。

類經鍼三分。灸五壯。

主治腦風頭痛。惡風寒。喘息不利。鼻窒不通。

第十九穴腦空。一名顳顬 在承靈後一寸五分。夾玉枕骨下陷中。氣府論王氏註曰。夾枕骨後枕骨上。足少陽陽維之會。

銅人鍼五分。得氣即瀉。灸三壯 素註鍼四分。 類經刺四分。灸五壯。

主治羸瘦身熱。頸項强。不得回顧。腦風頭痛不可忍。目瞑。鼻衄。耳聾心悸。巔風引目眇鼻痛。 昔魏武帝苦患頭風。發即心亂。頭目眩。元化鍼此穴立愈。

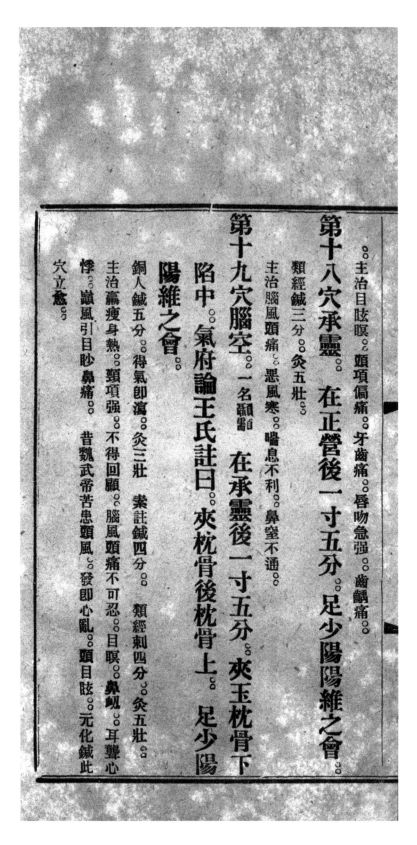

有蔡氏婦人年三十歲。到余處請診。謂右膊并痛。右手不能舉高。問其起病之年。他謂当幼时十一歲已患此病。迄今二十一年矣。即為之針肩井肩髃兩穴。俱用瀉法。行針三次。一拔而愈。

第二十穴風池。在耳後顳顬後腦空下髮際陷中。按之引於耳中。足少陽陽維之會。

銅人鍼七分。留七呼。灸七壯。　素註鍼四分。明堂鍼三分。

主治灑淅寒熱。傷寒溫病。汗不出。目眩。偏正頭痛。痎瘧。頸項如拔。痛不得回顧。目淚出。欠氣多。鼻鼽衄。目中背赤痛。氣發耳塞。腰背俱痛。傴僂無力。引筋不收。大風中風氣塞。流涎不語。

第二十一穴肩井。一名膊井　在肩上陷解中。缺盆上大骨前一寸半。以三指按取之。當中指下陷而中。手足少陽足陽明陽維之會。

大成鍼五分。灸五壯。先補後瀉。　類經鍼五分。灸三壯。孕婦禁鍼。

主治中風氣塞。涎上不語。氣逆。五勞七傷。臂痛不能舉。兩手不得向頭。若鍼深悶倒。急補足三里。若婦人難產。墮胎後手足厥逆。鍼此穴立愈。灸

而二十一年之病。遂臻之烟銷雲散之鄉。不用服药。有时针法確有如是神速者

輒筋穴
在腋下三寸。復
前行一寸着脇即
前向乳房一寸

更勝。

百證賦云。治乳癰極效。

經脉圖攷。灸瘰疬。隨年壯。

第二十二穴淵腋。一名泉腋 **在腋下三寸宛宛中。舉臂取之。**

明堂鍼三分。銅人禁灸。

主治寒熱。馬刀瘍。胸滿無力。臂不舉。

第二十三穴輒筋。一名神光 一名膽募 **在腋下三寸。復前行一寸着脇三肋端横直蔽骨旁七寸五分。平直兩乳側臥。屈上足取之。膽之募也。足太陽少陽之會。**

銅人鍼六分。灸三壯。素註鍼七分。

主治胸中暴滿。不得臥。太息善悲。小腹熱。欲走。多唾。言語不正。四肢不收。嘔吐宿汁。吞酸。

第二十四穴日月。一名神光在期門下五分。氣府論註曰。在第三肋端。横直心蔽骨旁。各同身寸之二寸五分。上直兩乳。膽之募也。足太陰少陽陽維之會。

大成針七分。灸五壯。

主治太息善悲。小腹熱。欲走。多唾。言語不正。四肢不收。

第二十五穴京門。一名氣俞 一名氣府在監骨腰中季脇本夾脊。一云在臍上五分旁九寸半季脇本夾脊。側臥屈上足伸下足舉臂取之。腎之募也。

銅人鍼七分。留七呼。灸三壯。類經鍼三分。

主治肩背腰髀引痛。小腹急腫痛。腸鳴洞泄。寒熱䐜脹。引背不得息。不得俯仰久立。水道不利。溺黃。

帶脈。玉龍賦云。帶脈關元多灸。最治腎敗。

第二十六穴帶脈。在季脇下一寸八分陷中。臍旁開八寸半。如帶繞身。管束諸經。足少陽帶脉之會。

銅人鍼六分。灸五壯。明堂灸七壯。

主治腰腹縱。溶溶如囊水之狀。婦人小腹痛急瘈瘲。月經不調。赤白帶下兩脇氣引背痛。

第二十七穴五樞。在帶脉下三寸。水道旁一寸半陷中。足少陽帶脉之會。

銅人鍼一寸。灸五壯。明堂灸三壯。

主治痃癖。小腸膀胱寒疝。陰卵上入小腹。赤白帶下。瘈瘲。

第二十八穴維道。一名外樞 在章門下五寸三分。中極旁八寸五分。足少陽帶脉之會。

環跳穴
環跳在髀樞。側臥
屈足取。拆腰莫能
顧。冷風并濕痺。腿
胯連腨痛。轉側重
欷歔。若經灸後
須刻病消除。
余有家伯母黎氏。

銅人鍼八分。。留六呼。。灸三壯。。
主治嘔逆不止。。三焦不調。。水腫。。不嗜食。。

第二十九穴居髎。。在章門八寸三分監骨上陷中。。足少陽陽蹻之會。。

銅人鍼八分。。留六呼。。灸三壯。。
主治肩引胸臂。。攣急不得舉。。腰引小腹痛。。

第三十穴環跳。。在髀樞中。。側臥伸下足。。屈上足取之。。足少陽太陽之會。。

銅人灸五十壯。。素註鍼一寸。。留二呼。。灸三壯。。
主治冷風溼痺不仁。。遍身風疹。。半身不遂。。腰胯痛。。蹇膝不得轉側伸縮。。胸脇相引。。

行年六十有八。左臂部筋痛。不能側身左眠。倘有誤觸其部位。則悲聲呼苦。劇痛不堪。如是者已三年矣。余乃之針環跳穴。刺深三寸。并掛其线於針柄。如凡眼核先。连灸五壮。拔針之際。随補隨瀉。即看病者将氣隨吸隨呼。針出後。痛根一瘳而空。即能以歸左边。泰然事。爰名之歌曰
不能左臥已三年知臂部呻吟痛苦無奈手針深環跳

馬丹陽天星十二穴云。。能鍼偏廢軀。。折腰莫能顧。。冷風并溼痺。。身體似繩拘。。腿胯連腨痛。。屈轉重欷吁。。若人能鍼灸。。頃刻病消除。。

第三十一穴風市。。在膝上外廉兩筋間。。以手着腿中指盡處是。。

大成鍼五分。。灸三壯。。　類經圖攷諸書無此穴。。

主治中風腿膝無力。。脚氣。。渾身搔痒痲痺。。厲風。。

第三十二中瀆　在髀骨外膝上五寸分肉間陷中。。足少陽絡別走厥陰。。

中瀆在髀骨外（環跳直下）屈伸横紋外角直上五分。

銅人鍼五分。。留七呼。。灸五壯。。

主治寒氣客於分肉間。。攻痛上下。。筋痺不仁。。

第三十三穴陽關　在陽陵泉上三寸。。犢鼻外陷中。。

穴。按針瞬息立安然。

陽陵泉穴治病歌

阳陵居膝下。外廉一寸中。膝腫兼麻木。冷痺及偏風。舉足不能立。坐卧似衰翁。針入六分止。神功妙不同。

銅人鍼五分。禁灸。

主治風痺不仁。膝痛不可屈伸。

陽関穴　在膝蓋之旁。兩筋之間盡處。

第三十四穴陽陵泉　**在膝下一寸外廉陷中尖骨峰前筋骨間。蹲坐取之。爲筋之會。足少陽所入爲合。即此穴也。難經云。筋會陽陵泉。疏曰。筋病治此。**

銅人鍼六分。留十呼。得氣即瀉。宜久留鍼。日灸七壯。至七七壯。素註灸三壯。明堂灸一壯。

主治膝伸不得屈。髀樞膝骨冷髀。脚氣。膝股內外廉不仁。偏風半身不遂。脚冷無血色。嗌中介然。頭面腫。足筋攣。

神農經治足膝冷痺不仁。屈伸不得。半身不遂。脇肋疼痛。可灸十四壯至二十一壯。

玉龍賦云。兼陰陵。驅膝腫之難消。

光明穴
在懸鍾上寸分。

天星秘訣云。。棄環跳。。治冷風溼痺。。又云。。棄肩井三里。。治脚氣痠痛。。

第三十五穴陽交。。（一名別陽　一名足髎）在足外踝骨峰上七寸。。斜屬三陽分肉間。。陽維之郄。。

銅人鍼六分。。留七呼。。灸三壯。。

主治胸滿腫。。膝痛。。足不收。。寒厥驚狂。。喉痺面腫。。寒痺。。膝胻不收。。

第三十六穴外邱。。在足外踝骨峰上七寸。。少陽所生。。

甲乙經云。。足少陽郄。。

銅人鍼三分。。灸三壯。。

主治胸脹滿。。膚痛。。痿痺。。頸項痛。。惡風寒。。猘犬傷毒不出。。發寒熱。。速以三姓人分灸所嚙處。。及豆少陽絡。。癲疾。。小兒龜胸。。

第三十七穴光明。。在外踝骨峰上五寸。。足少陽絡。。別有蘇氏婦者。年二十八歲。腰部汗出。如溶溶坐水中。足脛筋攣。絶骨外踝前旣痛。胕痠目眩。筋積。口舌乾。心煩不得息。此病延有十月。屢医未效。日甚日深。病家有戚布朋友兩度介紹余医。

走厥陰。

銅人鍼六分。留七呼。灸五壯。明堂灸七壯。

主治淫濼脛痠疼。不能久立。熱病汗不出。卒狂。虛則痿躄。坐不能起。補之。實則足胻熱。膝痛。身體不仁。善嚙頰。瀉之。

標幽賦云。秉地五會。治眼癢痛。

第三十八穴陽輔。（一名分肉）**在足外踝上四寸。輔骨前絶骨端三分。刺腰痛論註曰。如後二分。去邱墟七寸筋肉分間。氣穴論註曰。陽維脉氣所發。足少陽所行爲經。即此穴也。**

銅人鍼五分。留七呼。灸三壯。素註鍼三分。又曰鍼七分。留十呼。

主治腰溶溶如坐水中。膝下浮腫。筋攣。百節痠疼。面塵頭角頷痛。目銳眥

余初診之即祇用湯劑。是晚歸而查書。將上列病狀病机，苦心研究。覺得俱屬足少阳經病。非針灸竅陰臨泣阳輔三穴。未易立可轉机。及再聘余。遂將此議論告知該婦，病家人亦皆主張針灸。即為之針臨泣穴竅陰阳輔三次，并同竅陰旋蓋。小兒病即退減七成。改日照針。所有病魔。俱駆退殆盡。先原夫少阳之上火氣治之，方撥白

痛。。缺盆中腫痛。。面塵頭角頷痛。。胸脅肋髀膝至絕骨外踝前痛。。腋下腫瘻。。喉痺。。馬刀俠癭。。風痺不仁。。汗出振寒瘧。。

第三十九穴懸鍾。。（一名絕骨） 在足外踝上三寸。。當骨尖前動脉中。。尋摸尖骨者是。。 鍼灸經曰。。尋摸尖骨者。。乃是絕骨兩分開。。為足三陽之大絡。。按之陽明脉絕。。乃取之。。為髓之會。。 難經曰。。髓會絕骨。。疏曰。。髓病治此。。 袁氏曰。。足能挺步。。以髓會絕骨也。。

銅人鍼六分。。留七呼。。灸五壯。。

主治心腹脹滿。。胃中熱不嗜食。。脚氣膝胻痛。。筋骨攣痛。。足不收。。逆氣。。虛勞寒損。。憂恚欬痛。。泄注。。喉痺。。頸項强。。腸痔瘀血。。陰急鼻衄腦疽。。大小便澁。。鼻中乾。。煩滿。。中風手足不隨。。

丐甘菊 石决明 覺
筋藤 玉竹 絲瓜絡
丕九 黄芩 老小生
地服药五劑而愈。

第四十穴邱墟。在足外踝下界如前陷中。去臨泣三寸。又俠谿穴中量上外踝骨前五寸。足少陽所過爲原。即此穴也。

素註鍼五分。留七呼。銅人灸三壯。

主治胸脅滿痛不得息。久瘧振寒。腋下腫。痿厥坐不能起。髀樞中痛。目生翳膜。腿胻痠。轉筋。卒疝。小腹堅。寒熱。頸腫。腰胯痛。太息。

第四十一穴臨泣。在足小趾次趾本節後間陷中。去俠谿一寸五分。足少陽所注爲俞。即此穴也。

甲乙經鍼二分。留五呼。灸三壯。

主治胸滿氣喘。缺盆中及腋下馬刀瘍瘻。齒頰天牖中腫淫濼。胻痠目眩。枕骨合顱痛。洒淅振寒。心痛。痺痛無常。厥逆痎瘧。氣喘不能行。婦人月事不利。季脇支滿乳癰。木有餘者宜瀉此。或兼陽輔。使火虛而木自平。千金云。頸漏腋下馬刀。灸百壯。

第四十二穴地五會。在足小趾次趾本節後陷中。去俠谿一寸。

銅人鍼一分。禁灸。甲乙經曰。灸之令人瘦。不出三年死。

主治腋痛。内損吐血。足外無膏澤。乳癰。

第四十三穴俠谿。在足小趾次趾本節前歧骨間陷中。足少陽所溜爲滎。即此穴也。

素註鍼三分。留三呼。灸三壯。

主治胸脇支滿。寒熱傷寒。熱病汗不出。目外眥赤。目眩。頗頷腫。耳聾。

胸中痛。不可轉側。痛無常處。

百證賦云。兼陽谷。治頷腫口噤。

第四十四穴竅陰。在足小次端（一云外側）去爪甲如韭葉。足少陽所出爲井。即此穴也。

素註鍼一分。留一呼。甲乙經留三呼。灸三壯。

主治脇痛欬逆。不得息。手足煩熱。汗不出。轉筋。癰疽頭痛。心煩喉痺。舌强口乾。肘不可舉。卒聾魘夢。目痛。小眥痛。

按足少陽經穴。起於童子髎。終於竅陰。共四十四穴。左右共計八十八穴。

第六節　手少陽穴部位療治

第一穴關衝。在手無名指外側端。去爪甲角如韭葉。

手少陽所出爲井。即此穴也。
銅人鍼一分。留三呼。灸一壯。素註灸三壯。
主治喉咽痺閉。舌捲口乾。頭痛霍亂。胸中氣噎。不嗜食。臂肘痛不可舉。
目昏昏。
一云主三焦邪熱。口渴唇焦口氣。宜瀉此出血。
捷徑云。治熱病心煩滿悶。汗不出。掌中大熱如火。舌本痛。口乾消燥。久
熱不去。

第二穴液門。在手小指次指歧骨間陷中。握拳取之。
手少陽所溜爲滎。即此穴也。
銅人鍼二分。留二呼。灸三壯。素註同。
主治驚悸妄言。寒厥臂痛。不得上下。痎瘧寒熱頭痛。目眩赤澀泣出。耳暴
聾。咽外腫。牙齦痛。若手臂紅腫痛楚。瀉之出血爲妙。

第三穴中渚　在手無名指本節後間陷中。。在液門上一寸。。把拳取之。。手少陽所注爲俞。。即此穴也。。

銅人鍼三分。。灸三壯。。　素註鍼二分。。留三呼。。　明堂灸二壯。。

主治熱病汗不出。。臂指痛不得屈伸。。頭痛目眩。。生翳不明。。耳聾咽腫。。久瘧。。手臂紅腫。。

太乙歌云。。治久患腰疼背痛。。

第四穴陽池。。一名別陽　在手表腕上陷者中。。自本節後骨直對腕中　手少陽所過爲原。。即此穴也。。

素註鍼二分。。留六呼。。灸三壯。。　銅人禁灸。。

主治消渴口乾。。煩悶寒熱。。或因折傷。。手腕捉物不得。。臂不能舉。。

第五穴外關。。　在腕後二寸兩筋間陷中。。與內關相對。。

支溝穴
肛门闭结不能通。照海分明在足中。更把支溝来瀉動。方知此穴有神功。

手少陽絡別走心主。

銅人鍼三分。留七呼。灸三壯。　明堂灸三壯。

主治耳聾渾焞無聞。肘臂痛。五指痛不能握。脇肋痛。

第六穴支溝（一名飛虎）　在腕三寸兩筋間陷中。與間使相對。手少陽所行爲經。即此穴也。

銅人鍼二分。灸二七壯。　明堂灸五壯。　素註鍼三分。留七呼。灸三壯。

主治熱病汗不出。肩臂痠重而痛。脇腋痛。四支不舉。霍亂嘔吐。口噤暴瘖。心悶不已。鬼擊卒心痛。傷寒結胸。喎瘡疥癬。婦人妊脉不通。產後血暈。不省人事。

第七穴會宗。　在腕後三寸空中一寸。手少陽郄。　金鑑云。支溝會宗二穴。相並平直。

三阳络穴歌

暴瘖喉舌不能声。快灸三阳络自宁。再向哑门針下去。宜針宜灸要分明。

按三阳脉络穴。宜於灸。禁針禁灸。須分清楚。又療瘧佫核。宜灸三阳络。針肩井曲池。

慕按支溝與會宗相平。支溝居外廉之中。會宗居外廉之前。度法偏向大指邊後。

銅人灸七壯。明堂灸五壯。禁鍼。

主治五癇耳聾。肌膚痛。

第八穴三陽絡。一名通間 在臂上大交脉支溝上一寸。

銅人灸七壯。明堂灸五壯。禁鍼。

主治暴瘖不能言。耳聾齒齲。嗜臥。身不欲動。

第九穴四瀆。在肘前五寸外廉陷中。

銅人鍼六分。留七呼。灸三壯。類經 一云鍼三分。

主治暴氣耳聾。下齒齲痛。

第十穴天井。在肘外大骨尖後肘上一寸兩筋間陷中。

屈肘得之。甄權云。在曲肘後一寸叉手按膝頭取之。手少陽所入爲合。卽此穴也。

素註鍼一寸。留七呼。明堂鍼三分。灸五壯。銅人灸三壯。甲乙經鍼一分。

主治欬嗽上氣。胸痛。短氣。不得語。唾膿。不嗜食。寒熱悽悽不得臥。驚悸瘈瘲。癲疾五癇。風痺耳聾。嗌腫喉痺。汗出。目銳眥痛。頰腫痛。耳後臑臂肘痛。不得捉物。嗜臥。撲傷腰髖痛。振寒。頸項痛。大風默默不知所痛。悲傷不樂。脚氣上攻。

第十一穴淸冷淸。在肘上二寸。伸肘舉臂取之。

銅人鍼二分。灸三壯。類經載鍼三分。灸三壯。

主治諸痺痛。肩臂臑肘不能舉。

消濼臑会肩髎天髎四穴凡肩臂月痠疼風痺手不能举宜向四穴針矣
又歌曰
肩髎臑会濼天髎
刺入針頭掛交燒
肩臂痠疼風痺痛
此四主治手三焦穴
天牖穴

第十二穴消濼。在肩下臂外間。腋斜肘分下行。

銅人鍼一分。灸三壯。明堂鍼六分。素註針五分。

主治風痺頸項强急腫痛。寒熱頭痛。肩背急。

第十三穴臑會　在臂前廉。去肩端三寸宛宛中。手少陽陽明陽維之會。

銅人鍼七分。留十呼。得氣卽瀉。灸七壯。素註針五分。灸五壯。

主治肩肘臂氣腫。痠痛無力。不能舉。寒熱。肩腫引胛中痛。項癭氣瘤瘰癧。

第十四穴肩髎。在肩端臑下陷中。斜舉臂取之。

銅人針七分。灸三壯。明堂灸五壯。

主治臂重。肩痛不能舉。

天牖穴
若遇面腫眼合。先取譩譆，該穴屬足太阳，在肩膊内廉，距椎下去脊中三寸，令正坐取之，以手按之，病者覺痛，呼譩譆，是穴。後針天牖、風

第十五穴天髎。 在肩缺盆中上毖骨際陷者中。須缺盆陷處上有空起肉上是穴。一曰直肩井後一寸。手足少陽陽維之會。

銅人針八分。灸三壯

主治肩臂痠痛。缺盆痛。汗不出。胸中煩滿。頸項急。寒熱。

第十六穴天牖。 在頸大筋外。缺盆上。天容後。天柱前。完骨下。髮際中上夾耳後一寸。

銅人鍼一分。留七呼。不宜補。明堂鍼五分。得氣即瀉。瀉盡更留三呼。瀉三吸。不宜補。素註下經灸三壯。資生灸一壯三壯。

主治暴聾。目不明。耳不聰。夜夢顛倒。面青黃無顏色。頭風面腫。項强不得回顧。目中痛。

池。其病即瘥。若不先針譩譆。其病难愈。

針翳風穴歌

翳風耳下五分斜。對落三分又頰車。緊闭牙関針此穴。華陀妙術確英華。

誤灸天牖。卽令人面腫眼合。先取噫嘻。鍼之。後取天容天池卽瘥。若不鍼噫嘻。其病難愈。

第十七穴翳風。

在耳後尖角陷中。按之引耳中痛。手足少陽之會。

銅人鍼七分。灸七壯。素註鍼三分。明堂灸三壯。針灸俱令病人咬銅錢二十文。令口開。其穴更的。

主治耳鳴耳聾。口眼喎斜。脫頷頰腫。口噤不開。牙車急痛。不能言。小兒喜欠。

第十八穴瘈脈。一名資脈

在耳本後雞足靑絡脈中。手足少陽之合。

銅人鍼一分。灸三壯。刺出血如豆汁。不宜多出。

主治頭風耳鳴。。小兒驚癎瘈瘲。。嘔吐泄利無時。。驚恐目澀眵懵。。

第十九穴 顱息。。 在耳後間青絡脉中

銅人灸七壯。。禁針。。 明堂灸三壯。。鍼一分。。不得多出血。。多出血殺人。。

主治耳鳴痛。。喘息。。小兒嘔吐涎沫。。瘈瘲驚恐發癎。。胸脅相引。。身熱頭痛。。不得臥。。耳腫流膿汁。。

第二十穴角孫。。 在耳廓中間上。。髮際下。。開口有空。。手太陽手足少陽三脉之會。。

銅人灸三壯。。類經針三分。。

主治目生翳。。齒齦腫。。唇吻强。。齒牙不能嚼物。。頸項强。。

第二十一穴耳門。。 在耳前起肉。。當耳缺處陷中。。

銅人針三分。。留三呼。。灸三壯。。下經禁灸。。病宜灸者。。不過三壯。。

針灸絲竹空承泣穴歌
喎斜偏正患頭風
承泣扶同絲竹空
絲竹宜針禁灸
自然巧妙奪天工
承泣灸禁針

主治耳鳴如蟬聲。。亭耳膿汁出。。耳生瘡。。重聽無所聞。。齒齲。。唇吻强。。

第二十二穴和髎。。 **在耳前兌髮下横動脉中。。** **手足少陽手太陽三脉之會。。**

銅人鍼七分。。灸三壯。。 類經載一日灸之目盲。。

主治頭重痛。。牙車引急。。頸頷腫。。耳中嘈嘈。。鼻涕。。面風寒。。鼻準上腫。。瘫痛。。招搖視瞻。。瘈瘲口僻。。

第二十三穴絲竹空。。 一名目髎 **在眉後陷中。。** **甲乙經曰。。足少陽脉氣所發。。**

素註針三分。。留六呼。。銅人禁灸。。灸之不幸令人目小及盲。。鍼三分。。留七呼宜瀉不宜補。。

主治目眩目赤。。視物䀮䀮不明。。風癇。。戴眼不識人。。眼毛倒睫。。發狂。。吐涎沫。偏正頭風頭痛。

按手少陽經穴。起於關衝。終於絲竹空。共二十三穴。左右共計四十六穴。

第七節 足陽明穴部位療治

第一穴承泣 一名面髎 一名鼷穴 在目下七分。上直瞳子陷中足陽明陽蹻任脉之會。

銅人灸三壯。禁鍼。鍼之令人目烏。明堂鍼四分半。不宜灸。灸後令人目下大如拳。息肉日加如桃。至三十日定不見物。甲乙經灸七壯。資生云。當不鍼不灸。

慕按此穴。余與人治療。未嘗用鍼。而常用灸。灸後亦無目下大如拳。且治目冷淚出。屢收奇效。

四白穴
目痒眩痛淚多頻，口眼偏喎視不明。
一寸直耳看瞳子下，穴名四白貴有精。

巨髎旁鼻八分開，目障青盲病可救。
唇頰鼻间兼眩痛，一針此穴上春臺。

主治目冷淚出。。上觀瞳子痒。。遠視目䀮䀮。。昏夜無見。。目瞤動。。項口相引。。口眼喎斜。。不能言。。眼赤痛。。耳鳴耳聾。。

第二穴四白。。在目下一寸。。直瞳子。。令病人正視取之。。

銅人鍼三分。。灸七壯。。甲乙經同。。素註鍼四分。。鍼太深。。令人目烏色。。

主治目眩目痛。。目赤生翳。。目痒。。多淚不明。。口眼喎僻不能言。。

第三穴巨髎　在夾鼻孔旁八分。。與瞳子正視線同一直度陽蹻足陽明之會。。

銅人鍼三分。。得氣卽瀉。。灸七壯。。　明堂灸七壯。。

主治瘈瘲。。唇頰腫痛。。目赤生翳。。目障青盲無見。。遠視䀮䀮。。面風鼻䪼腫。。

地倉
夾吻旁開廣四分。
地倉部位說其詳。
喎斜口眼牙關痛。
快用針療解此疾。

針頰車大迎翳風
穴歌
頰車針後大迎通。
健讀還須刺翳風。
翳風在耳珠下五分

癰痛。。脚氣膝脛腫痛。。

第四穴巨倉。。一名會維 在夾口吻旁四分。外如近下。微有動脉。。若久患風。其脉亦有不動者。。手足陽明任脉陽蹻之會。。

銅人鍼三分。。 明堂鍼三分半。。留五呼。。得氣即瀉。。灸二七壯。。 重者七七壯。。

主治偏風口眼喎斜。。牙關不開。。齒痛頰腫。。目不得閉。。失音不語。。飲食不收水漿漏落。。眼 動不止。。瞳子痒。。遠視 。。昏夜無見。。病左治右。。病右治左。。宜頻鍼灸。。以取盡風氣。。口眼喎斜者以正為度。。

第五穴大迎。。一名髓孔 在曲頷頷頦下也前一寸三分。。骨陷中動脉。。

本經自大迎循頰車上耳前下關頭維。。 其支者從大

口噤不開牙緊閉。神手二穴灸奇功。

下關
下關專治耳鳴聾。口眼喎斜患大風。尚有牙關悲緊閉。

迎前下人迎。

素註針三分。留七呼。灸三壯。

主治風痙口瘖。口噤不開。唇吻瞤動。頰腫牙疼。舌强不能言。目痛不得閉口喎齒齲。數欠。風痓面腫。頸痛瘰癧。寒熱。

第六穴頰車。一名機關 一名曲牙 在耳下曲頰端近前陷中。側臥開口有空取之。

銅人針四分。得氣即瀉。日灸七壯。止七七壯。明堂灸三壯。素註鍼三分。

主治中風牙關不開。噤口不語。失音。牙車疼痛。頷頰腫。牙不可嚼物。頸强不得回顧。口眼歪斜。

第七穴下關。在客主人下耳前動脈下廉。合口有空。

一針人事勝天功。

头維穴，即由印堂度上三寸半。旁開四寸半。

目痛或如脫。头風似破同。头維針得道。痛去即春同。

人迎夾結在喉旁。寸半離開是此鄉。

開口則閉。側臥閉口取之。　足陽明少陽之會。

銅人鍼三分。得氣卽瀉。禁灸。　素註鍼三分。留七呼。灸三壯。

主治偏頭風。口眼喎斜。耳鳴耳聾。痛癢出膿。失欠。牙齦腫痛。

第八穴頭維。　在額角入髮際。夾本神旁一寸五分。神庭旁四寸五分。　足少陽陽明之會。

銅人針三分。　素註鍼五分。禁灸。

主治頭風腫痛如破。目痛如脫。目風淚出。視物不明。

第九穴人迎。（一名天五會）　在頸下夾結喉旁一寸五分。大動脈應手。仰而取之。足陽明少陽之會。

銅人禁灸。明堂針四分。

主治吐逆霍亂。胸滿。喘呼不得息。項氣悶腫。咽喉癰腫瘰癧。食不下。

胃滿喘呼兼吐逆。
用針禁灸載明堂。
水突氣舍缺盆氣
戶屋庫房屋翳
六穴俱治欬逆上
氣。
水突尋其穴。
隨同氣舍研。
缺盆通氣戶。
屋翳庫房偏
短氣难呼吸。尋
療欬逆咽三分
針刺入。禁灸五
三傳。

第十穴水突（一名水門） 在頸大筋前直人迎下。夾氣舍下。內貼氣喉。

銅人鍼三分。灸三壯。

主治欬逆上氣。咽喉癰腫。呼吸短氣。喘息不得臥。

第十一穴氣舍 在頸大筋前。直人迎下。夾天突邊。陷中。貼骨尖上有缺。

銅人鍼三分。灸三壯。

主治欬逆上氣。頸項强。不得回顧。喉痺哽噎。咽腫不消。瘿瘤。

第十二穴缺盆（一名天蓋） 在肩上横骨陷中。爲五臟六腑之道。

銅人鍼三分。灸三壯。素註針三分。留七呼。鍼太深令人逆息。孕婦禁

氣戶穴
席弘賦云。此穴主治噎。若不愈兼灸氣海。
百症賦云。兼華蓋穴。除脇肋痛騐。

鍼。

主治喘急息賁。欬嗽。胸滿水腫。瘰癧寒熱。缺盆中腫外潰。傷寒胸熱不已。喉痺汗出。

第十三穴氣戶。在巨骨下兪府兩旁各二寸去中行四寸陷中。仰而取之。

銅人鍼三分。灸五壯。

主治欬逆上氣。胸背痛。欬不得息。不知味。胸脇支滿喘急。

第十四穴庫房。在氣戶下一寸六分。去中行四寸陷中。仰而取之。

銅人針三分。灸五壯。

主治胸脇滿。欬逆上氣。呼吸不利。唾膿血濁沫。

屋翳穴
百症賦云兼至陰穴治偏身之風痒疼。

傳婦人胎衣不下以乳尖向下盡處灸之即下。

第十五穴屋翳。在庫房下一寸六分。去中行四寸陷中。仰而取之。

銅人鍼三分。灸五壯。素註鍼四分。

主治欬逆上氣。唾膿血濁痰。憂怒鬱悶。脾氣消沮。肝氣橫逆。遂成結核。大如棋子。不痛不痒。十數年後爲瘡陷。名曰乳巖。

第十六穴膺窗。在屋翳下一寸六分。巨骨下四寸八分。去中行四寸陷中。仰而取之。

銅人鍼四分。灸五壯。

主治胸滿短氣。唇腫。腸鳴注泄。乳癰寒熱。臥不安。

第十七穴乳中。當正乳中。

銅人刺三分。禁灸。氣府論註曰。灸之生蝕瘡。瘡中有淸汁濃血者可治。

乳根 千金云。治反胃吐食上氣。灸兩乳下各一寸。以瘥爲度。居家必用云。灸欬逆。最爲惡候。其法於乳下指許。正與乳相直間陷中。女命屈

瘡中有瘜肉若蝕瘡者死。素問云。刺乳上中乳房。爲腫根蝕。丹溪曰。乳房。陽明胃所司。乳頭。厥陰肝所屬。乳子之母。不知調養。忿怒所逆。鬱悶所遏。厚味所釀。以致厥陰之氣不行。竅不得通。汁不得出。陽明之血沸騰。熱甚化濃。亦有所乳之子。膈有滯痰。口氣掀熱。含乳而睡。熱氣所吹。遂生結核。初起時。便與忍痛。揉令稍軟。吮令汁透。自可消散。失此不治。必成癰癤。若加以艾火兩三壯。其效尤捷。

第十八穴乳根。在乳中下一寸六分。去中行四寸陷中。仰而取之。

銅人針三分。灸五壯。素註鍼四分。灸五壯。

主治胸下滿悶。胸痛高氣不下。噎痛。臂腫痛。乳痛乳癰。霍亂轉筋四厥。

神農經云。治心下滿痛。上氣喘急。可灸七壯。

捷徑云。治憂噎。

氣未度云。氣衝處是穴。艾炷如小豆許。灸三壯。男左女右。火到眼即瘥。不瘥則不可治。

承滿刺三分。專療氣上逆。痰飲身

華陀明堂云。主膈氣不下。食噎病。

第十九穴不容。 在第四肋端幽門旁一寸五分。去中行二寸。對巨闕。 甲乙經曰。去任脉二寸。至兩肘端相去四寸。 按甲乙經曰。腹自不容以下。至氣衝二十四穴。夾幽門兩旁各一寸五分。諸書皆同。 及考幽門。則止去中行五分。是不容以下諸穴。當去中行二寸。諸云三寸者非。今悉改爲二寸。

銅人灸五壯。 明堂鍼五分。灸三壯。 素註鍼八分。

主治腹滿痃癖吐血。肩脇痛。口乾心痛。肩背相引痛。喘欬。不嗜食。腹虛鳴。嘔吐。痰癖疝瘕。

第二十穴承滿。 在不容下一寸。去中行二寸。對上脘。

体重。唾血和肩息。腹脹并腸鳴。癮疹及淫濼。

銅人針三分。灸五壯。明堂灸三壯。甲乙經鍼八分。
主治腸鳴腹脹。上氣喘逆。食飲不下。肩息唾血。血多濁膿。痰飲身體腫。
皮膚痛不可近衣。淫濼痿瘲不仁。
千金云。夾巨闕相去五寸。名承滿。

第二十一穴梁門。在承滿下一寸。去中行二寸。對中脘。

銅人鍼三分。灸五壯。甲乙經鍼八分。孕婦禁灸。
主治胸脅積氣。食飲不思。大腸滑泄。完穀不化。氣塊疼痛。

第二十二穴關門。在梁門下一寸。去中行二寸。對建里。

銅人鍼八分。灸五壯。

主治積氣脹滿。腸鳴切痛。泄利不欲食。腹中氣走。挾臍急痛。身腫。痎瘧

振寒遺溺。

第二十三穴太乙。在關門下一寸。去中行二寸。對下脘。

銅人鍼八分。灸五壯。

主治顚狂心煩吐舌。

第二十四穴滑肉門。在太乙下一寸。天樞上一寸。去中行二寸。對水分。

銅人鍼八分。灸五壯。

主治顚狂嘔逆。吐血。重舌舌强。

第二十五穴天樞。一名長谿 一名穀門 夾臍旁二寸。去肓俞一寸五分

天樞穴。千金云。久冷反婦人癥瘕。小便不通。腸鳴泄痢。繞臍伏痛。灸百壯。又云。吐血腹痛雷鳴。灸百壯。又霍亂先下痢灸二七壯。不瘥更二七壯。男左女右。百症賦云。再兼水泉治月潮違限。一傳治夫臍疼痛。腹中氣塊。久瀉不止。虛損勞弱而灸二十一壯。

陷中。大腸募也。

銅人鍼五分。留十呼。　素註鍼五分。留一呼。　拔萃灸百壯。

主治奔豚泄瀉。赤白痢。水利不止。食不下。水腫脹。腹腸鳴。上氣衝胸。不能久立。久積氣冷。繞臍切痛。時上衝心。煩滿。嘔吐霍亂。瘧不嗜食。身黃瘦。女人癥瘕。血結成塊。淋濁帶下。漏下赤白。月事不調。

第二十六穴外陵。　在天樞下一寸。去中行二寸。對陰交。

外陵治痛[illegible]心下如懸腹痛[illegible]引[illegible]臍[illegible]痛。銅人灸五又針三。

銅人鍼三分。灸五壯。　甲乙經針八分。

主治腹痛。心下如懸。下引臍痛。

第二十七穴大巨。一名腋門　在天樞下二寸。去中行二寸。對石門。

大巨穴
大巨名稱即腋門。
五分針入艾懸痛。
溺難脹滿重驚悸
㿉疝偏枯救病根。
水道
寒入侵膀胱熱侵焦。
腰痛腹脹月經潮
兩陰便溲難通暢
水道尋真入穴挑。
歸來
歸來鍼入五分深。
艾灸隨司五壯臨。
卵入腹中莖引痛
奔豚疝氣事後相侵

銅人鍼五分。灸五壯。　素註鍼八分。
主治小腹脹滿。煩渴。小便難。㿉疝偏枯。四支不收。驚悸不睡。

第二十八穴水道。　在大巨下三寸。去中行二寸。

銅人鍼三分。灸五壯。　素註鍼二分。
主治腰背強急。膀胱有寒。三焦結熱。婦人小腹脹滿。痛引陰中。月經至則腰腹脹痛。胞中瘕。子門寒。大小便不通。

第二十九穴歸來。一名谿穴　在水道下二寸。去中行二寸。

銅人鍼五分。灸五壯。　素註鍼八分。
主治奔豚疝氣。卵上入腹。引莖中痛。婦人血藏積冷。

第三十穴氣衝。一名氣街　在歸來下一寸。鼠鼷上一寸。動脉應手宛宛中。去中行二寸。　骨空論王氏註氣。在

氣衝
失灸毀。針鋒。
如何免氣衝。
胞衣因不下。
及婦氣攻胃。
莖痛陰痿苦。
奔豚石水宗。
又聞吐血无。
針按立能瘳。
髀關

髀關陰市果
邱三穴針灸歌
屈伸不得患筋掣。
注痹麻痿屬病由。

毛際兩旁。鼠鼷上一寸。動脉處也。刺禁論王氏註曰。氣街之中。膽胃脉也。膽之脉。循脇裡出氣街繞毛際。胃之脉。夾臍入氣街中。動脉所起。

明堂鍼三分。留七呼。氣至即瀉。灸三壯。甲乙經曰。灸之不幸。使人不得息。

主治腹滿。不得正臥。㿗疝。大腸中熱。身熱腹痛。奔豚。石水。陰萎莖痛。腹有逆氣上攻。婦人無子。月水不利。妊娠子上衝心。產難。胞衣不下。

李東垣曰。吐血多。不愈。以三稜鍼刺此穴。出血立愈。

第三十一穴髀關。在膝上伏兎後交文中。

銅人鍼六分。灸三壯。

主治腰痛。足麻木。膝寒不仁。痿痺。股內筋絡急。不得屈伸。小腹引喉

陰市用針不得灸。
髀關針灸及梁邱

痛。

第三十二穴伏兎。在膝上六寸。起肉間。正跪坐而取之。一云在膝蓋上七寸。左右各三指按捺。上有肉起如兎狀。因以此名。

銅人鍼五分。禁灸。

主治膝冷不得溫。風痺。狂邪攣縮。身隱疹。腹脹少氣。頭重脚氣。婦人八部諸疾。

第三十三穴陰市。（一名陰鼎）在膝上三寸伏兎下陷中。拜而取之。一云在膝內輔骨後。大筋下。小筋上。屈膝得之。

銅人鍼三分。禁灸。

犢鼻
灵光賦云
善治風邪疰。

主治腰脚如冷冰。痿痺不仁。不得屈伸。寒疝。腹痛脹滿少氣。

千金云。水腫腹大。灸隨年壯。觀此。則又不盡禁灸也。

靈光賦云。專治兩足拘攣。

第三十四穴梁邱。在膝上二寸兩筋間。足陽明郄。

銅人鍼三分。灸三壯。明堂鍼五分。

主治脚膝腰痛。冷痺不仁。不可屈伸。足寒大驚。乳腫痛。

神農經云。治膝痛屈伸不得。可灸三壯七壯。

第三十五穴犢鼻。在膝臏下。骭骨上。骨解大筋陷中。

形如牛鼻。故名。

銅人鍼三分。灸三壯。素註鍼六分。

主治膝痛不仁。跪起難。脚氣。膝臏腫潰者不可治。不潰者可治。若犢鼻堅硬

足三里

馬丹陽天星十二訣

三里膝眼下。三寸兩筋間。能通心腹脹。善治胃中寒。腸鳴并泄瀉。腿腫膝胻痠。傷寒羸瘦損。氣蠱及諸般。年過三旬後。針灸眼便寬。取穴當審的。八分三壯安。

勿便攻。先熨洗。微刺之愈。

刺禁論曰。刺膝髕出液爲跛。刺此者不可輕也。

第三十六穴三里。

（即下陵出本輸篇）

在膝眼下三寸。胻骨外廉大筋內宛宛中。坐而竪膝低跗取之。極重按之。則跗上動脉止矣。足陽明所入爲合。即此穴也。

銅人針五分。灸三壯。　素註針一寸。灸三壯。　明堂針八分。留十呼。瀉七吸。灸七壯。至百壯。　千金灸五百壯。少亦一二百壯。

主治胃中寒。心腹脹滿。腸鳴。藏氣虛憊。眞氣不足。腹痛食不下。大便不通。心悶不已。卒心痛。腹有逆氣上攻。腰痛不得俯仰。小腸氣。水氣。蠱毒。鬼擊痃癖。四支滿。膝胻痠痛。目不明。產婦血暈。秦承祖云。諸病皆治。

外臺明堂云。人年三十已外。宜灸三里。恐氣上衝。使眼無光。蓋以三里能下氣也。

傳心疾。宜灸此穴。又承山立愈。以其中有瘀血。故瀉此立愈。

又邪病大呼罵走。名鬼邪。三里主之。

神農經云。治心滿腹脹滿。胃氣不足。飲食不化。痃癖氣塊。吐血。腹內諸疾。五勞

華陀云。主治五勞羸瘦。七傷虛乏。胸中瘀血。乳癰。

千金翼云。主治腹中寒脹滿。腸中雷鳴。氣上衝。胸喘。不能久立。腹痛。胸腹主瘀血。小腸脹。皮腫。陰氣不足。小腹堅。傷寒。熱不已。熱病汗不出。喜嘔口苦。壯熱身反折。口噤鼓頷腫痛。不可回顧。口僻。乳腫。喉痺不能言。胃氣不足。久泄利。食不化。脅下支滿。膝痿。寒熱。中消穀。苦飢腹熱。身煩狂言。乳癰。喜噫。惡聞食臭。狂歌妄笑。恐怒大罵。霍亂遺尿。失氣。陽厥悽悽。惡寒頭眩。小便不利。喜噦。腳氣。

百證賦云。兼陰交。治中邪霍亂。

玉龍賦云。兼絕骨三陰交。能治連延腳氣。

第三十七穴上巨虛。一名上廉

在三里下三寸。兩筋骨陷中。舉足取之。海論曰。衝脈者。其輸下出於巨虛之上

七傷灸七壯。兼陽陵泉陰陵泉申脈照海。腳氣及在腰之疾。

增治法云

治五勞七傷。腰痛不舉。喉痺。腸間暴痛。不得息。足痿咳嗽多痰。足熱。腹中疼。膝腫。陽氣不足。熱病汗不出。善嘔口乾。身反折。噤口數欠。胃氣不足。聞食即吐。

下廉。

巨虛上廉足陽明與大腸合。上廉屬大腸。下廉屬小腸。出本輸篇及邪氣藏府病形篇。

銅人針三分。灸五壯。明堂鍼八分。得氣即瀉。日灸七壯。甄權隨年為壯。

主治藏氣不足。偏風脚氣。腰腿手足不仁。脚脛痠痛。屈伸難。不能久立。風水膝腫。骨髓冷痛。大腸冷。食不化。飧泄勞瘵。夾臍腹兩脅痛。腸中切痛雷鳴。氣上衝胸。喘息不能行。傷寒胃中熱。

李東垣曰。脾胃虛弱。濕痿汗泄妨食。三里氣街出血。不愈。於上廉出血。

類經曰。此穴主寫胃中之熱。與氣衝三里下巨虛治同。

第三十八穴條口。

在三里下五寸。下廉上一寸。舉足取之。

條口治病歌

足患傷於中央。麻痺清寒人挾濕風邪。腑臟精氣分補傳。認真條口療無差。

泄痢。水穀不化。消渴遺尿。

針灸上巨虛歌
何病宜針上巨虛。風邪脚氣患紛如。腸中切痛雷鳴狀。逆上衝胃氣結。

下巨虛治病歌
針療下巨虛。女子乳癰痛。偏風舉部痛。淫痹腿痠疼。毛焦兼肉脫。

銅人鍼五分。灸三壯。 明堂鍼八分。

主治足痲木。風氣。足下熱。不能久立。足寒膝痛。脛寒溼痺。腨腫轉筋。足緩不收。

第三十九穴下巨虛。一名下廉 **在上廉下三寸。兩筋骨陷中。蹲地舉足取之。巨虛下廉足陽明與小腸合。又為衝脉下輸。**

銅人鍼八分。灸三壯。 素註鍼三分。 明堂鍼六分。得氣即瀉。

主治小腸氣。面無顏色。偏風腿痿。足不履地。熱風。冷痺不遂。風溼痺。喉痺。脚氣。毛焦肉脫。汗不得出。胃中熱。不思食。泄膿血。胸脅小腹控睾而痛。暴驚狂。女子乳癰。足跗不收。跟痛。

第四十穴豐隆。 在外踝上八寸。下廉䯒骨外廉陷中。

針灸自安舒。

足陽明絡別走太陰。

銅人鍼三分。灸三壯。　明堂灸七壯。

主治厥逆。大小便難。怠惰。腿膝痠。屈伸難。胸痛如刺。腹若刀切痛。風痰頭痛面腫。風逆四肢腫。喉痹不能言。登高而歌。棄衣而走。見鬼好笑。足清寒溼。

第四十一穴解谿。　在衝陽後一寸五分。足腕上繫帶處陷中。　即在足大趾次趾直上踹上陷者宛宛中。　足陽明所行為經。　即此穴也。

銅人鍼五分。灸三壯。留三呼。

主治風氣面浮腫。顏黑。頭痛。目眩生翳。厥氣上衝。喘欬。腹脹。大便下重。瘈驚。膝股胻腫。轉筋。霍亂。顛疾煩心。善飢不食。食即支滿。若瘧

陷谷
千金治水病。灸隨年壯
百症賦言兼下脘。能平腹內腸鳴
胃脘痛。瀉此穴、又則胃脘積而胃氣自減

痎瘧寒熱。須兼刺厲兌三里解谿商邱出血。

第四十二穴衝陽。一名會原即仲景所謂趺陽也 **在足跗上五寸。高骨間動脈去陷谷二寸。足陽明所過爲原。即此穴也。**

銅人鍼五分。灸三壯。素註鍼三分。留十呼。

主治偏風面腫。口眼喎斜。齒齲寒熱。振寒汗不出。腹堅大。不嗜食。發狂登高而歌。棄衣而走。跗腫。足緩履不收。

第四十三穴陷谷。在足大趾次趾外間。本節後陷中。去內庭二寸。足陽明所注爲俞。即此穴也。

銅人鍼三分。素註針五分。留七呼。灸三壯。

主治面目浮腫。及水病。善噫。腸鳴腹痛。汗不出。振寒瘧疾。疝氣。少腹痛。

馬丹陽天星十二訣 內庭次指外。本屬足陽明。能治四肢厥。喜靜惡聞聲。癮疹咽喉痛。數欠及牙疼。瘧疾不能食。針著便惺惺

李東垣曰。氣在於足。取之。先去血脉。後深取足陽明之榮俞。內庭陷谷。

第四十四穴內庭。在足大趾次趾外間陷中。足陽明所溜爲榮。即此穴也。

銅人鍼三分。留十呼。灸三壯。甲乙經鍼二分。留二十呼。

主治四肢厥逆。腹脹滿。數欠。不得息。惡聞人聲。振寒。咽痛口喎。齒齲鼻衄。癮疹。赤白痢。痛不嗜食。腦皮膚痛。傷寒手足逆冷。汗不出。

第四十五穴厲兌。在足大趾次趾端。去爪甲角如韭葉。足陽明所出爲井。即此穴也。

銅人針一分。灸三壯。

主治尸厥。口噤氣絕。狀如中惡。心腹脹痛。水腫。熱病汗不出。寒熱瘧不嗜食。面腫。喉痺。齒齲。惡寒。鼻不利。驚狂。登高而歌。棄衣而走。好

臥。黃疸鼽衄。口皺唇裂。膝臏腫痛。消骨善饑溺黃。

按足陽明經穴。起於承泣。終於厲兌。共四十五穴。

左右合計九十穴。

第八節　手陽明穴部位療治。

第一穴商陽。（一名絕陽）在手食指內側。去爪甲角如韭葉。手陽明所出為井。即此穴也。

銅人鍼一分。留一呼。灸三壯。

主治胸中氣滿。喘欬。支腫。熱病汗不出。耳鳴耳聾。寒熱痎瘧。口乾。頤頷腫。目青盲。齒痛惡寒。肩背肢臂腫痛。相引缺盆中痛。左取右。右取左。如食頃立已。

第二穴二間。（一名間谷）在食指本節前內側陷中。手陽明所溜爲榮。即此穴也。

銅人鍼三分。留六呼。灸三壯。

主治喉痺頷腫。肩背痛。振寒。鼽衄多驚。齒痛目黃。口乾。口眼歪斜。飲食不通。傷寒水結。

玉龍賦云。治牙疼妙。

第三穴三間。一名少谷 在食指本節後內側陷中。手陽明所注爲俞。即此穴也。

銅人鍼三分。留三呼。灸三壯。

主治喉痺咽中如梗。鼽衄。下齒齲痛。嗜臥。胸腹滿。腸鳴洞泄。寒熱瘧。唇焦口乾。氣喘。目眥痛。吐舌。善驚。多唾。傷寒氣熱。身寒結水

第四穴合谷。一名虎口 在手大指次指歧骨間陷中。手陽明

所過爲原。即此穴也。

銅人鍼三分。留六呼。灸三壯。

主治傷寒大渴。脉浮在表。發熱惡寒。頭痛脊强。無汗。寒熱瘧。鼻衄不止。熱病汗不出。偏正頭痛。面腫目翳。頸痛。下齒齲。耳聾。喉痺。唇吻不收。瘖不能言。口噤不開。偏風。風疹痂疥。偏正頭痛。腰脊引痛。痿躄。小兒乳鵝。

按此穴婦人妊娠。可瀉不可補。補即墮胎。詳見足太陰脾經三陰交下。

神農經云。治鼻衄目痛不明。牙疼喉痺疥瘡。可灸三壯至七壯。

千金云。産後脉絶不還。針合谷三分。急補之。

第五穴陽谿。一名中魁 在手腕中上側兩筋間陷中。手陽明所行爲經。即此穴也。

銅人鍼三分。留七呼。灸三壯。

主治狂言喜笑見鬼。熱病煩心。目赤爛翳。厥逆頭痛。胸滿。不得息。寒熱瘧疾。嘔沫。喉痺。耳鳴耳聾。驚掣。肘臂不舉。齒痛。掌中熱。汗不出。痂疥。

第六穴偏歷。 在手腕後三寸。手陽明絡別走太陰。

銅人鍼三分。留七呼。灸三壯。 明堂灸五壯。

主治肩膊肘腕痠痛。迷目䀮睆。齒痛鼻衄。寒熱瘧。癲疾多言。咽乾。喉痺耳鳴。汗不出。利小便。

第七穴溫溜。（一名逆注 一名蛇頭） 在手腕後。小士五寸。大士六寸。（大士小士謂大人小兒也） 明堂云。腕後五寸六寸間。手陽明郄。慕按即在偏歷上二寸。

銅人鍼三分。灸三壯。

主治傷寒噦逆。噎膈氣閉。寒熱頭痛。腸鳴腹痛。喜笑狂言。見鬼吐沫。口舌腫痛。風逆四肢腫。喉痺。

第八穴下廉。在曲池下四寸。輔骨下去上廉一寸。輔兌肉其分外斜。

銅人鍼五分。留五呼。灸三壯。

主治飧泄。小腹滿。小便黃。便血。狂言。勞瘵。面無顏色。氣喘涎出。不能行。偏風熱風。冷痺不遂。風溼痺。小腸氣不足。痃癖腹痛。若刀刺不可忌。食不化。乳癰。

第九穴上廉。在三里下一寸。曲池下三寸。其分獨抵陽明之會外斜。

銅人鍼五分。灸五壯。

主治小便難。赤黃。腦風頭痛。胸痛喘息。偏風半身不遂。骨髓冷。手足不仁。腸鳴。大腸氣滯。

第十穴三里。（一名手三里）**在曲池下二寸兌肉之端。按之肉起。**

銅人鍼二分。灸三壯

主治中風口噼。手足不隨。肘攣不伸。手痺不仁。霍亂失音。齒痛頰腫。瘰癧。

百證賦云。兼少海。治手臂頑麻。

第十一穴曲池（十三鬼穴此名鬼臣）**在肘外輔骨。屈肘曲骨之中。以手拱胸取之。手陽明所入為合。即此穴也。**

銅人鍼七分。得氣先瀉後補。灸三壯。 素註鍼五分。留七呼。 明堂灸七壯。至二百壯。且停十餘日更灸。二百壯止。

主治傷寒振寒。餘熱不盡。胸中煩滿。目眩耳痛。瘰癧。喉痺不能言。瘈瘲顛疾。繞踝風。手臂紅腫。肘中痛。偏風半身不遂。悪風邪風。泣出。喜忘。風癮疹。臂膊疼痛。筋緩不收。屈伸難。皮膚乾燥。體痛。痒如虫行。痂疥。婦人經脉不通。

第十二穴肘髎。 在肘大骨外廉陷中。與天井相並。相去一寸四分。

銅人鍼三分。灸三壯。

主治肘節風痺。臂痛不舉。麻木不仁。屈伸攣急。嗜臥。

第十三穴五里。在肘上三寸。行向裡大脉中央。一云在

天府下五寸。

銅人灸十壯。　素問禁鍼。

主治風勞驚恐。吐血咳嗽。嗜臥。肘臂痛難動。脹滿氣逆。寒熱瘰癧。目視䀮䀮。痎瘧。

百證賦云。兼臂臑。能愈瘰癧。

第十四穴臂臑。

在肘上七寸䐃肉端。肩髃下一寸兩筋兩骨罅宛宛陷中。平手取之。手陽明絡也絡手少陽之臑會。一曰手足太陽陽維之會。

銅人鍼三分。灸三壯。　明堂宜灸不宜鍼。日灸七壯至二百壯。若鍼不得過五分。

主治寒熱臂痛。不得舉。瘰癧。頸項拘急。

第十五穴肩髃。一名中肩井 一名偏肩 左膊骨頭肩端上。兩骨罅陷中。舉臂取之有空。手太陽手陽明陽蹻之會。

明堂鍼八分。留三呼。瀉五吸。灸不及鍼。以平手取其穴。灸七壯。增至二七灸。素註針一寸。灸五壯。又云鍼六分。留六呼。銅人灸七壯。至二七壯。若灸偏風。灸七七壯。不宜多。

主治中風偏風。風痪。風痿。風病。半身不遂。手足不隨。風熱。肩中熱。頭不可回顧。肩臂疼痛。攣急。傷寒作熱不已。勞氣泄精憔悴。四支熱。諸瘿氣瘰癧。

千金云。灸瘿氣。左右相當。男左十八壯。右十七壯。女右十八壯。左十七壯。再三以差止。

第十六穴巨骨。在肩尖上行兩叉骨間陷中。手陽明陽蹻之會。

銅人鍼一寸半。灸五壯。明堂灸三壯至七壯。素註禁鍼。

主治驚癇吐血。臂膊痛　胸中有瘀血。肩臂不得屈伸。

第十七穴天鼎。在頸中缺盆上。直扶突後一寸。

銅人鍼三分。灸三壯。素註鍼四分。明堂灸七壯。

主治暴瘖氣硬。喉痺嗌腫。不得息。飲食不下。喉中鳴。

第十八穴扶突。一名水穴　在頸當曲頰下一寸。氣舍上一寸五分。人迎旁開一寸五分。仰而取之。

銅人鍼三分。灸三壯。素註鍼四分。

主治欬嗽多唾。上氣喘急。喉水如水雞。暴瘖氣硬。項癭。

第十九穴禾髎。在直鼻孔下。夾水溝旁五分。

銅人鍼三分。禁灸。

主治尸厥。口不可開。鼻瘡瘜肉。鼻塞鼽衄。

第二十穴迎香。（一名衝陽）在禾髎上一寸。鼻孔旁五分。手足陽明之會。

銅人鍼三分。留三呼。禁灸。

主治鼻塞不聞香臭。瘜肉多涕。鼽衄。偏風口喎。喘息不利。面痒浮腫。風動如虫行。唇腫痛。

按手陽明經穴。起於商陽。終於迎香。共二十穴。左右合計四十穴。

第九節　足大陰穴部位療治

第一穴隱白。在足大指內側端。去爪甲角如韭葉。足太陰所出為井。即此穴也。

銅人鍼一分。灸三壯。素註鍼一分。留三呼。灸三壯

主治腹脹喘滿。不得安臥。嘔吐。食不下。胸中痛。煩熱暴泄。衄血。尸厥不識人。足寒不得温。婦人月事過時不止。小兒客忤驚風

第二穴大都。在足大指本節後內側。骨縫白肉際陷中。足太陰所溜為榮。即此穴也。

銅人鍼三分。留七呼。灸三壯。

主治熱病。汗不出。不得臥。身重骨痛。傷寒手足逆冷。腹滿痛。嘔吐悶亂。腰痛不可俯仰。胃心痛。痛。繞踝風。

千金云。霍亂泄瀉不止。灸七壯。

第三穴大白。在足大指後內側核骨下赤白肉際陷中。

足太陰所注爲俞。即此穴也。

銅人鍼三分。留七呼。灸三壯。

主治身熱煩滿。腹脹食不化。嘔吐泄瀉膿血。腰痛。大便難。氣逆。霍亂。腹中切痛。腸鳴。膝股胻痠。轉筋身重。骨痛。胃心痛。胸滿。

第四穴公孫。在足大指內側本節後一寸。內踝前陷中。正坐合足掌相對取之。太陰絡別走陽明。

銅人鍼四分。留七呼。灸三壯。甲乙經留二十呼。

主治寒瘧。不嗜食。癎氣。好太息。多寒熱。汗出。病至則喜嘔。嘔已乃衰。頭面腫。心煩狂言。多飲。胆虛氣逆。霍亂。水腫腹脹如鼓。實則腸中切痛。瀉之。虛則鼓脹。補之。

第五穴商邱。在足內踝骨下微前陷中。前有中封。後有照海。此穴居中。內踝下有橫紋如偃月形。足太陰所行爲經。即此穴也。

銅人針三分。留七呼。灸三壯。

主治胃脘痛。腹脹腸鳴。不便。脾虛。令人不樂。身寒。善太息。心悲氣逆喘嘔舌强。脾積痞氣。黄疸。寒瘧。體重。支節痛。怠惰嗜臥。陰股內痛狐疝。走引小腹痛。不可俯仰。痔疾骨疽。食不消。溏泄。

第六穴三陰交。在內踝上。除踝三寸。骨下陷中。足太陰少陰厥陰之會。

銅人鍼三分。留七呼。灸三壯。妊娠不可灸。

主治脾胃虛弱。心腹脹滿。不思飲食。身重。四肢不舉。食不化。溏泄腸鳴便膿血。痃癖。臍下痛不可忍。中風卒厥。不省人事。膝內廉痛。足痿不能行。小便不利。陰莖痛。小便遺。夢遺失精。小腸疝氣偏墜。食後吐水。渾身浮腫。手足逆冷。呵欠。頰車蹉開。張口不合。小兒客忤。婦人羸瘦癥瘕。月水不止。漏血不止。妊娠胎動橫生。產後惡露不行。去血過多。血崩暈。不省人事。如經脉閉塞不通者。瀉之立通。經脉虛耗不行者補之。經脉益盛則通。

攷宋太子出苑。逢妊娠診曰。女。徐文伯曰。一男一女。太子性急。欲觀之。文伯瀉三陰交。補合谷。胎應鍼而下。果如文伯之診。後世遂以三陰交合谷而妊婦禁鍼。然文伯瀉三陰交。補合谷而墮胎。今獨不可補三陰交。瀉合谷而安胎乎。蓋三陰交。腎肝脾三脉之交會。主陰血。血當補。不當瀉。合谷爲大腸之原。大腸爲肺之府。主氣當補。文伯瀉三陰交以補合谷。是血衰氣旺也。今補三陰交。瀉合谷。是血旺氣衰矣。劉元賓曰。血衰氣旺定無孕。血旺氣衰應有體。觀於此言。可以知其故矣。

乾坤生意云。兼大敦。治小腸疝氣。

玉龍賦云。兼三里絕骨。治連延脚氣。

第七穴漏谷。（一名太陰絡） 在內踝上六寸骨下陷中。

銅人鍼三分。禁灸。 類經鍼三分。留七呼。灸三壯。

主治膝痺脚冷不仁。腸鳴腹脹。痃癖。冷氣。小腹痛。飲食不爲肌膚。小便不利。失精。足不能行。

第八穴地機。（一名脾舍） 在膝下五寸。膝內側輔骨下陷中。伸足取之。 足太陰郄。別上一寸有空。

銅人鍼三分。灸三壯。

主治腰痛不可俯仰。溏泄腹脅脹。水腫腹堅。不嗜食。小便不利。足痺痛。女子癥瘕。

第九穴陰陵泉。 在膝下內側輔骨下陷中。伸足取之。

或屈膝取之。在膝橫紋頭下與少陽經陽陵泉穴內外相對。一曰稍高一寸。足太陰所入爲合。卽此穴也。

銅人鍼五分。類經鍼五分。留七呼。灸三壯。

主治腹中寒痛。脹滿喘逆。不得臥。不嗜食。脇堅。腰痛不可俯仰。霍亂疝瘕。遺尿遺精。氣淋。泄瀉。小便不利。寒熱不節。陰痛。足膝紅腫。飧泄暴泄。

神農經云。治小便不通疝瘕。可灸七壯。

千金云。小便失禁。鍼五分。灸隨年壯。

第十穴血海。一名百蟲窠 在膝臏上一寸內廉白肉際陷中。一云在膝內輔骨上橫入五分。

銅人鍼五分。灸五壯。
主治女子崩中漏下。月事不調。帶下氣逆腹脹。先補後瀉。
又主治胷藏風。兩腿瘡痒。淫不可當。
靈光賦云。兼氣海療五淋。

第十一穴箕門。在魚腹上越兩筋間。陰股內廉。動脈應手。一云股上起筋間。

類經鍼三分。留六呼。灸三壯。銅人灸三壯。
主治淋病。小便不通。遺溺。鼠鼷腫痛。

第十二穴衝門。（一名慈宮）在府舍下一寸。橫骨兩端約文中動脉。去腹中行三寸半。足太陰厥陰之會。

銅人鍼七分。灸五壯。

主治腹寒氣滿。積聚。淫濼陰疝。妊娠衝心。婦人難乳。

第十三穴府舍。在腹結下三寸。去腹中行三寸半。足厥陰太陰陰維之會。甲乙經曰。此脉上下。入腹絡胸。結心肺。從脇上至肩。此太陰郄三陰陽明支別。

銅人鍼七分。灸五壯。

主治疝癖。腹脅滿痛。上下搶心。痺痛積聚。厥氣霍亂。

第十四穴腹結。一名腹屈 在大橫下一寸三分。去腹中行三寸半。

銅人鍼七分。灸五壯。

主治欬逆。上搶心繞臍腹痛。中寒瀉利。

當十五穴大橫。在腹哀下三寸五分。平臍。去腹中行三寸半。足太陰陰維之會。

銅人鍼七分。灸五壯。

主治大風逆氣。四肢不舉。多寒善悲。多汗洞痢。

第十六穴腹哀。在日月下一寸五分。去腹中行三寸半。足太陰陰維之會。

銅人鍼三分。灸五壯。甲乙經鍼七分。

主治寒中食不化。大便膿血。腹痛。

第十七穴食竇。在天谿下一寸六分陷中。舉臂取之。去胸中行五寸。

銅人針四分。灸五壯。

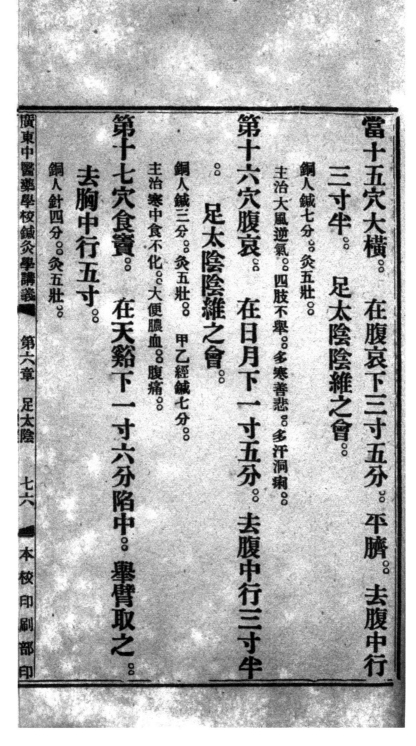

主治胸脅支滿。欬唾逆氣。飲不下膈。有水聲。

第十八穴天谿。在胸鄉下一寸六分陷中。仰而取之。

去胸中行五寸。

銅人鍼交分。灸五壯

主治胸滿喘逆上氣。喉中作聲。婦人乳腫。

第十九穴胸鄉。在周榮下一寸六分陷中。

仰而取之。去胸中行五寸。

銅人鍼四分。灸五壯。

主治胸脅支滿。引背痛。不得臥。轉側難。

第二十穴周榮。在中府下一寸六分陷中。仰而取之。

去胸中行五寸。

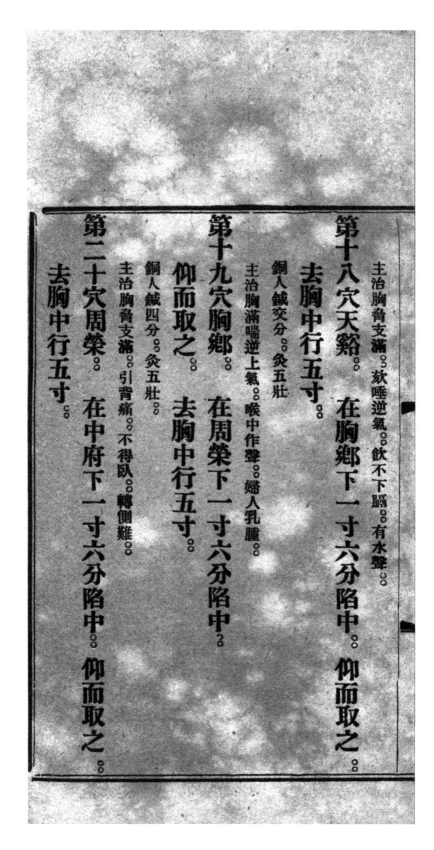

銅人鍼四分。灸五壯。

主治胸滿。不得俯仰。善飲。欬唾。氣逆。食不下。

第二十一穴大包。在淵液下三寸。脾之大絡。布胸脇中。出九肋間。及季脇端。總統陰陽諸絡。由脾灌溉五藏。

銅人鍼三分。灸三壯。

主治胸中喘痛。腹有大氣不得息。實則其身盡疼。瀉之。虛則百節皆縱。補之。

按足太陰經穴。起於隱白。終於大包。共二十一穴。

左右合計四十二穴。

第十節　手太陰穴部位療治

第一穴中府（一名膺中俞）在雲門下一寸。去任脉中行六寸。乳上三肋間陷中。動脉應手。仰耳取之。肺之募也（募猶結募也為經氣之所聚餘倣此）手足太陰之會。

銅人鍼三分。留五呼。灸五壯。

主治肺系急。肺寒熱。善咽。食不下。胸滿。喘逆上氣。欬唾濁涕。肺風面腫汗出。喉痺。肩背痛。胆熱。欬嘔膿血。少氣不得臥。飛尸遁注。瘿瘤。

第二穴雲門。在巨骨下。夾氣戶旁二寸陷中。動脉應手。舉臂取之。去胸中行六寸。

銅人鍼三分。灸五壯。素註鍼七分。甲乙經云。刺太深事人逆息。

主治傷寒四肢熱不已。欬喘不得息。短氣。氣上衝心。胸中煩滿。臂不得舉肩痛。喉痺。癭氣。

第三穴天府。在臂臑內廉。腋下三寸動脉陷中。以鼻取之。

銅人鍼四分。留七呼。禁灸。

主治暴痺。口鼻衄血。卒中風邪。悲泣。善忘。飛尸惡疰。鬼語喘息。不得安臥。痎瘧寒熱。目眩。

第四穴俠白。在天府下。去肘上五寸動脉中。手太陰之別。

大成鍼三分。灸五壯。類經鍼四分。留三呼。灸五壯。

主治心痛氣短。乾嘔煩滿。

第五穴尺澤。（千金一名鬼堂）在肘中約文上。屈肘橫文筋骨罅中動脉。　手太陰所入爲合。即此穴也。

大成鍼三分。留三呼。灸三壯五壯。　甄權云。臂屈伸橫文間。筋骨罅中不宜灸。

主治嘔吐。喉痺上氣。心煩舌乾。欬嗽短氣。唾膿血。心痛。肺積息賁。痎瘧。汗出中風。肩臂痛不得舉。風痺。臑肘攣。肺脹。喘滿。悲哭善噦。小便數。溺色變。遺失無度。脅痛腹脹。小兒慢驚風。

第六穴孔最。　在腕上七寸陷中。側取之。手太陰之郄。

大成鍼三分。灸五壯。　類經鍼三分。留三呼。灸五壯。

主治熱病汗不出。咳逆。肘臂痛。屈伸難。手不及頭。指不握。吐血失音。咽喉腫痛。頭痛。

第七穴列缺。　在腕後側上一寸五分。滑氏曰。以兩手

交叉。當食指末。筋骨罅中是穴。此手太陰之絡。從腕後別走陽明。直出食指內廉出其端。凡人有反關脈者。寸關尺三部正脈不見。而見於列缺陽谿。此經脈虛而絡脈滿。千金翼謂陽脈逆。反大於寸口三倍者是也。

大成鍼二分。留五呼。瀉五吸。灸七壯。類經鍼一分。留三呼。灸三壯。

主治偏風。口眼喎斜。手肘無力。半身不遂。掌中熱。口噤不開。痎瘧寒熱。咳嗽喉痺嘔沫。驚癇善笑。妄言妄見。縱唇健忘。面目四肢腫。肩痺。胸背寒熱。小氣不足以息。

第八穴經渠。在寸口動脈陷中。手太陰所行爲經。卽此穴也。

大成鍼二分。留三呼。禁灸。　類經針三分。留三呼。禁灸。灸則傷人神明。

主治痎瘧寒熱。胸背拘急。膨脹。掌中熱。喉痺。欬逆上氣。數欠。傷寒熱病汗不出。暴痺喘促。心痛嘔吐。

第九穴太淵。　在手掌後內側横紋頭動脉陷中。　手太陰所注爲俞。即此穴也。　脉會太淵。每日寅時。脉從此始。故難經一難曰。寸口者脉之大會。手太陰之動脉也。

大成鍼二分。留三呼。灸三壯。

主治胸痺氣逆。欬嗽嘔噦。飲氣肺脹。喘息不休。噫氣吐血。心痛煩燥。咽乾。狂言。不得臥。臂內廉痛。肩背痛引膊。目痛生翳。缺盆痛。眼赤痛。

掌中熱。溺色變。遺失無度。

第十穴魚際。在手大指本節後內側陷中。又云散脉中白肉際。手太陰所溜爲榮。即此穴也。

大成鍼二分。留二呼。禁灸　類經鍼二分。留三呼。灸三壯。

主治酒病。身熱惡風寒。虛熱。舌上黃。頭痛。傷寒汗不出。欬嗽。胸背痛痺。不得息。目眩心煩。少氣。腹痛。食不下。喉咽乾燥。寒慄鼓頷。欬引尻痛肘攣肢滿。悲恐。乳癰。

李東垣曰。胃氣下流。五臟氣亂。皆在於肺者取之。手太陰肺。足少陰俞。

第十一穴少商。在手大指內側端。去爪甲角如韭葉。白肉際宛宛中。手太陰所出爲井。即此穴也。

類經鍼一分。留三呼五吸。宜用三稜鍼刺微出血。洩諸臟熱。不宜灸。

主治頷腫喉痺。煩心嘔噦。心下滿。汗出而寒。欬逆。瘈瘲。腹脹滿。唾沫唇乾。飲食不下。喉中鳴。手攣指痛掌熱。寒熱鼓頷。小兒乳蛾。

按手太陰經穴。起於中府。終於少商。共十一穴。

左右合計二十二穴。

第十一節　足少陰穴部位療治

第一穴湧泉。一名地衝 在足心陷中。屈足捲指宛宛中。

足少陰所出爲井。即此穴也。

銅人鍼五分。無令出血。灸三壯。明堂灸不及鍼。素註鍼三分。留三呼。

主治尸厥面黑。喘欬有血。目視䀮䀮無所見。善恐。惕惕如人將捕。舌乾咽腫。上氣嗌乾。煩心心痛。欬嗽氣短。喉痺身熱。舌結失音。頸痛目眩。嗜臥。善悲欠。飢不嗜食。胸脅滿悶。小腹急痛。腸澼。泄瀉霍亂。轉胞不得溺。腰痛。大便難。轉筋足脛寒痛。腎積奔豚。熱厥。五指盡痛。足不踐地。男子如蠱。女子如娠。

千金云。鼻衄不止。灸二百壯

史記漢北齊王阿母。患足下熱。喘滿。淳于意曰。熱厥也。刺足心立愈。

第二穴然谷。（一名龍淵 一名然骨）**在足內踝前。起大骨下陷者中。別於足太陰之郄。足少陰所溜爲榮。即此穴也。**

銅人鍼三分。留三呼。灸三壯。一日刺不宜見血。

主治足跗腫胻痠。兩足寒熱。不能履地。寒疝。小腹脹。上搶胸脅。欬喘唾血。喉痺。舌縱消渴。心恐少氣。涎出。痓厥洞泄。男子遺精。婦人陰挺出。月事不調。不孕。初生小兒臍風撮口。

第三穴大谿。一名呂細 在足內踝後五分。跟骨上動脉陷中。男子婦人病。有此脉則生。無此脉則死。足少陰所注爲俞。即此穴也。

素註鍼三分。留七呼。灸三壯。

主治熱病汗不出。傷寒手足逆冷。嗜臥。欬嗽咽腫。衄血唾血。溺黃赤。消癉。大便難。久瘧欬逆。煩心不眠。脉沉手足寒。嘔吐不嗜食。善噫。寒疝。腹疼痃癖。

第四穴大鍾。 在足跟後衝中。大骨上兩筋間。水熱穴論註曰。在足內踝後衝中 足少陰絡別走太陽。

銅人鍼二分。留七呼。灸三壯。

主治氣逆煩悶。喘急腹滿。實則小便淋閉。洒洒腰脊强痛。大便秘澀。嗜臥口中熱。虛則嘔逆多寒。欲閉戶而處。少氣不足。胸脹喘息舌乾。食噎不得下。善驚恐不樂。喉中鳴。欬血。

標幽賦云。治心性之呆癡。

百證賦云。兼通里。治倦言嗜臥。

第五穴水泉。在足內踝下大谿下一寸。足少陰郄

銅人鍼四分。灸五壯。

主治目䀮䀮不能遠視。女子月事不來。來即心下多悶痛。小腹痛。小便淋瀝出。

第六穴照海。在足內踝下一寸陷中。容爪甲。一云在

內踝下四分微前高骨陷中。前後有筋。上有踝骨。

下有軟骨。其穴居中。神農經云。在內踝直下白肉

際是穴。陰蹻所生。

銅人鍼三分。灸七壯。明堂灸三壯。素註鍼四分。留六呼。灸三壯。

主治咽乾嘔吐。四支懈惰嗜臥。善悲不樂。久瘧。卒疝。大風。默默不知所痛。偏枯半身不遂。腹痛。小便淋。婦女經逆。四支淫濼。陰暴跳起。或癢。月水不調。陰挺出。

神農經云。治月事不行。可灸七壯。

玉龍賦云。兼支溝。能通大便之秘。

又合內關能醫腹疾之塊。

攔江賦云。治噤口喉風。用三稜鍼出血卽安。

第七穴復溜。一名伏白 一名昌陽 在足內踝後。上除踝二寸陷者中。前傍骨是復溜。後傍骨是交信。二穴祇隔一筋。足

少陰所行爲經。卽此穴也。

素註鍼三分。留七呼。灸五壯。明堂灸七壯。

主治腸澼痔疾。腰脊內引痛。不得俯仰起坐。目視䀮䀮。善怒多言。舌乾胃熱。虫動涎出。足痿胻寒。不得履。腹中雷鳴。腹脹如鼓。四支腫。五淋盜汗。齒齲。脉微細。

神農經云。治盜汗不收。及面色痿黃。可灸七壯。

千金云。血淋灸五十壯。

第八穴交信。在足內踝上二寸。少陰前太陰後筋骨間。陰蹻之郄。

銅人鍼四分。留十呼。灸三壯。素註留五呼。

主治五淋㿗疝。陰急陰汗。股腨內廉引痛。瀉痢赤白。大小便難。女子漏血不止。陰挺出。月事不來。小腹偏痛。四支淫濼。

百證賦云。兼合陽。治女子少氣漏血。

第九穴築賓。 在足內踝後上腨分中。陰維之郄。

銅人鍼三分。留五呼。灸五壯。素註鍼三分。灸五壯。

主治小兒胎疝。痛不得乳。癲疾狂易。妄言怒罵。吐舌。嘔吐涎沫。足腨痛。

第十穴陰谷。 在膝下內輔骨後大筋下小筋上按之應手屈膝乃得之。足少陰所入爲合。即此穴也。

銅人鍼四分。留七呼。灸三壯。

主治舌縱涎下。腹脹煩滿。溺難。小腹疝急引陰。陰股內廉痛。爲痿爲痹。膝痛不可屈伸。小便黃。婦人漏下不止。男子如蠱。女子如娠。

第十一穴橫骨（一名下極） 在大赫下一寸。肓俞下五寸。宛曲如仰月。去任脈之中行旁開五分。陰上橫骨中。按少腹下尖。自橫骨上行。不可概用腹中分寸。當以太陰之衝門起。自橫骨兩端以至陽明之氣衝。少陰之橫骨。至中行之曲骨穴。通計折量。始得其準。凡上至腹中。當以此類推。衝脈足少陰之會。

自肓俞至橫骨六穴。銅人去腹中行一寸五分。大成去腹中行一寸。圖攷與類經及各會。俱去中行旁開五分。錄之以備參攷。

銅人灸三壯。甲乙經鍼一寸。類經鍼五分。灸三壯五壯。

主治五淋。小便不通。陰器下縱引痛。小腹滿。目赤痛。從內眥始。五藏並竭。失精。

百證賦云。兼肓兪。寫五淋久積。

第十二穴大赫。（一名陰維 一名陰關）在氣穴下一寸。橫骨上一寸。去中行五分。衝脈足少陰之會。

銅人鍼三分。灸五壯。素註鍼一寸。灸三壯。千金灸三十壯。

主治虛勞失精。陰痿上縮。莖中痛。目赤痛。婦女赤帶。

第十三穴氣穴。（一名胞門 一名子戶）在四滿下一寸。大赫上一寸。去中行五分。衝脈足少陰之會。

銅人鍼三分。灸五壯。素註鍼一寸。灸五壯。

主治奔豚。痛引腰脊。脉氣上下。泄痢不止。目赤痛。月事不調。

第十四穴四滿。（一名髓府）在中注下一寸。氣穴上一寸。去中行五分。衝脈足少陰之會。

銅人鍼三分。灸三壯　甲乙經鍼一寸　千金灸百壯。
主治積聚疝瘕。腸澼切痛。石水。奔豚。臍下痛。目赤痛。月事不調。

第十五穴中注。在肓俞下一寸。四滿上一寸。去中行五分。衝脉足少陰之會。
銅人鍼一寸。灸五壯。
主治小腹有熱。大便堅燥。腰脊痛。目眥痛。女子月事不調。

第十六穴肓俞。在商曲下一寸。中注上一寸。直臍旁去臍中行五分。衝脉足少陰之會。
銅人鍼一寸。灸五壯。一云鍼五分。
主治腹痛寒疝。大便燥。腹滿不便。目赤痛。從內眥始。

第十七穴商曲。在石關下一寸。肓俞上一寸。去中行五分。衝脉足少陰之會。

銅人鍼一寸。灸五壯。 一云針五分。

主治腹中積聚切痛。不嗜食。目赤痛。從內眥始。

第十八穴石關。 在陰都下一寸。商曲上一寸。去中行五分。 衝脉足少陰之會。

銅人鍼一寸。灸五壯。 一云針五分。

主治噦噫嘔逆。脊強腹痛。氣淋。小便不利。大便不通。心下堅滿。目赤痛從內眥始。婦人無子。藏有惡血上衝。腹痛不可忍。

神農經云。治積氣疼痛。可灸七壯。孕婦禁灸。

第十九穴陰都。一名食官 在通谷下一寸。石關上一寸。中脘旁開五分。 衝脉足少陰之會。

銅人鍼三分。灸三壯。甲乙經針一寸。千金灸隨年壯。

主治心煩滿恍惚。氣逆腸鳴肺脹。氣搶嘔沫。脇下熱痛。目赤痛。從內眥始。寒熱痞。婦人無子。藏有惡血。腹絞痛。

第二十穴通谷。在幽門下一寸。陰都上一寸陷中。上脘旁開五分。衝脈足少陰之會。

銅人針五分。灸五壯。明堂灸三壯。

主治失欠口喎。食飲善嘔。暴瘖不能言。結積留飲。痃癖。胸滿。食不化。目赤痛。從內眥始。

第二十一穴幽門。一名上門 **在通谷上一寸。巨闕旁開五分陷中。衝脈足少陰之會。**

銅人鍼五分。灸五壯。

主治胸中引痛。心下煩悶。逆氣裡急。支滿不嗜食。數欬。乾噦。嘔吐涎沫健忘。洩利膿血。目赤痛。從內背始。小腹脹滿。女子心痛。氣上逆。耆吐食不下。

第二十二穴步廊。在神封下一寸六分陷中。去中行二寸。夾中庭。仰而取之。

銅人針三分。灸五壯。素註鍼四分。

主治胸脅滿痛。鼻塞少氣。欬逆不得息。嘔吐不食。臂不得舉。

第二十三穴神封。在靈墟下一寸六分。步廊上一寸六分陷中。去中行二寸。仰而取之。

銅人鍼三分。灸五壯。素註鍼四分。

主治胸滿不得息。欬逆乳癰。嘔吐。洒淅惡寒。不嗜食。

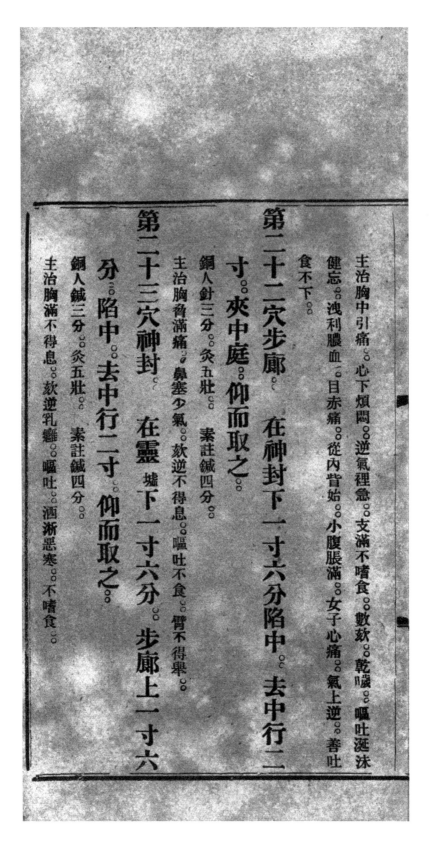

第二十四穴靈墟。在神藏下一寸六分。神封上一寸六分陷中。去中行二寸。仰而取之。

類經鍼三分。灸五壯。

主治同神封。

第二十五穴神藏。在彧中下一寸六分。靈墟上一寸六分陷中。去中行二寸。仰而取之。

銅人針三分。灸五壯。素註針四分。

主治嘔吐欬逆。喘不得息。胸滿不嗜食。

第二十六穴彧中。在俞府下一寸六分。在神藏上一寸六分陷中。去中行二寸。仰而取之。

銅人鍼四分。灸五壯。明堂灸三壯。

主治欬逆喘息。嘔吐不能言。胸脅支滿。涎出多唾。

第二十七穴俞府。在氣舍下。璇璣旁開二寸陷中。仰而取之。

銅人鍼三分。灸五壯。素註鍼四分。灸三壯。

主治欬逆上氣。嘔吐喘嗽。胸中痛。腹脹不下食。

按足少陰經穴。起於湧泉。終於俞府。共二十七穴。

左右合計五十四穴

第十二節　手少陰穴部位療治

第一穴極泉。在臂内腋下筋間。動脉入胸中。

銅人鍼三分。灸七壯。

主治肘臂厥寒。四肢不收。心痛。乾嘔煩渴。目黄。脅滿痛。悲愁不樂。

第二穴青靈。在肘上三寸。伸肘舉臂取之。甲乙經無此穴。

銅人灸七壯。明堂灸三壯。

主治目黃頭痛。振寒脅痛。肩臂不舉。

第三穴少海（一名曲節）在肘內廉節後陷中。又云肘內大骨下。去肘端五分。肘內横文頭。屈肘向頭取之。手少陰所入爲合。即此穴也。

銅人針三分。灸三壯。甲乙經針二分。留三呼。瀉五吸。不宜灸。素註灸五壯。甄權云。針五分。不宜灸。資生云。數說不同。要之非大急不灸。

主治寒熱齒痛。目眩發狂。癲癇羊鳴。嘔吐涎沫。項不得回顧。肘攣。腋脅下痛。四肢不舉。頭風疼痛。氣逆噫唏。瘰癧心疼。手顫健忘。

第四穴靈道。在掌後一寸五分。一日一寸。手少陰所行爲經。即此穴也。

銅人針三分。灸三壯。

主治心痛乾嘔。悲恐瘈瘲肘攣。暴瘖不能言。

第五穴通里。在腕側後一寸陷中。手少陰絡。別走手太陽經。

銅人針三分。灸三壯。　明堂灸七壯。

主治熱病。目眩頭痛。無汗懊憹。暴瘖。心悸。悲恐畏人。喉痺苦嘔。數欠少氣。遺溺。肘臂臑腫痛。婦人經血過多。崩漏。

神農經云。治目眩頭疼。可灸七壯。

第六穴陰郄。（一曰手少陰郄）在掌後脈中。去腕五分。當小指之後。

銅人鍼三分。灸七壯。

主治鼻衄吐血。失音不能言。洒淅惡寒。厥逆驚恐。心痛。霍亂。胸滿。

第七穴神門。（一名兌衝 一名中都）在掌後銳骨端陷中。當小指後。

手少陰所注為俞。即此穴也。

銅人鍼三分。留七呼。灸七壯。

主治瘧疾。心煩·則欲冷飲。惡寒·則欲就溫。咽乾不嗜食。心痛驚悸。少氣。身熱面赤。狂悲狂笑。嘔血吐血。遺溺。失音。健忘。手臂攣掣。大人小兒癇證。

第八穴少府。在手小指本節後骨縫陷中。直勞宮。

手少陰所溜爲滎。即此穴也。

銅人鍼二分。灸七壯。　明堂灸三壯。

主治　瘧久不愈。振寒煩滿少氣。胸中痛。悲恐畏人。臂痠。肘腋攣急。陰挺出。陰痒陰痛。遺溺。偏墜。小便不利。

第九穴少衝。一名經始　在手小指內側端。去爪甲角如韭葉。

手少陰所出爲井。即此穴也。

銅人鍼一分。灸三壯。　明堂灸一壯。

主治熱病煩滿。上氣。心火炎上。眼赤。嘔血吐沫。胸心痛。痰氣悲驚。乍寒乍熱。臑臂內後廉痛。手攣不伸。

張潔古治前陰臊臭。瀉行間。後於此穴以治其標。

按手少陰經穴。起於極泉。終於少衝。共九穴。左右合計一十八穴。足厥陰穴部位療治。

第十三節

第一穴大敦。在足大指端。去爪甲如韭葉。及三毛中。足厥陰所出爲井。卽此穴也。

銅人鍼二分。留十呼。灸三壯。

主治五淋疝證。小便數遺不禁。陰頭痛。汗出陰上。卵偏大。痛引小腹。腹脹腫滿。中熱。尸厥如死。喜寐。婦人陰挺出。血崩漏下。凡疝氣腹脹足腫者。皆宜灸之。以泄肝木。而脾胃之土自安。

第二穴行間。在足大指縫間。動脉應手陷中。卽在足大指次指歧骨間。上下有筋。前後有小骨尖。有動脉應手。其穴正居陷中。足厥陰所溜爲榮。卽此穴也。

銅人鍼三分。留十呼。灸三壯。　素註鍼三分。

主治嘔逆洞泄。欬血。心胸痛。腹脅脹。色蒼蒼如死狀。終日不得息。中風口喎四逆。嗌乾煩渴。瞑不欲視。目中淚出。太息癃疾短氣。肝積肥氣。痎瘧。寒疝。小腹腫。善怒。轉筋。婦人面塵脫色。經血過多不止。崩中。小兒急驚風。

千金云。小兒重舌。灸行間隨年壯。

又莖中痛。灸五十壯。

又失尿不禁。灸七壯。

第三穴太衝。　在足大指本節後二寸。一云一寸五分。內間陷者中。動脉應手。一云在足大指本節後行間上二寸。內間有絡亘連至地五會二寸骨罅間。動脈應手陷中。（慕按足大指本節後二寸始有動脈。當以足大指本節後二寸爲是。） 足厥陰所注爲俞。 即此穴也。

銅人鍼三分。留十呼。灸三壯。

主治虛勞吐血。嘔逆發寒。太息浮腫。腰引小腹痛。小腹滿。足寒。肝氣痛。蒼然如死狀。終日不得息。睪丸牽縮。陰痛遺溺。溏泄。小便淋癃。大小便難。大便血。疝氣。腋下馬刀。瘍瘻。內踝前痛。淫濼胻痠。女子漏下不止。小兒卒疝。

神農經云。治寒溼脚氣。行步難。可灸三壯。

千金云。產後汗出不止。刺太衝。急補之。

又治氣短下氣。灸五十壯。此穴并主肺痿。

慕按經言太衝絕。死不治。又言女子二七而天癸至。太衝脉盛。月事以時下。故能有子。是太衝脉之絕續。繫乎人之死生。亦太衝脈之盛衰。為受孕之關鍵。

第四穴中封。一名懸泉 在足內踝前一寸。筋裏宛宛中。一云在內踝前一寸。斜行小脉上貼足腕上大筋陷中。仰足取之。慕按前說為是 足厥陰所行為經。即此穴也。

銅人鍼四分。留七呼。灸三壯。

主治痎瘧。色蒼蒼然善太息。發振寒。如將死狀。小腹腫痛。五淋不得小便。足厥冷不嗜食。身體不仁。寒疝。痿厥失精。筋攣。陰縮入腹相引痛。

第五穴蠡溝。一名交儀 在足內踝上五寸。足厥陰絡別走少陽。

銅人鍼二分。留三呼。灸三壯

主治疝痛。小腹脹滿。臍下積氣如石。怒噫。恐悸。少氣。喉中悶。背拘急不可俯仰。足脛寒痠。屈伸難。小便癃閉不利。氣逆。睾丸卒痛。女子赤白帶下。月水不調。

第六穴中都。一名中郄 在足內踝上七寸。當胻骨中。與少陰相直。足厥陰郄。

銅人鍼三分。灸五壯。類經針三分。留六呼。灸五壯。

主治腸澼。㿗疝。小腹痛。溼痺。脛寒不能行立。婦人崩中。產後惡露不絕。

第七穴膝關。在犢鼻下二寸旁陷中

銅人針四分。灸五壯。

主治風痹。脉內腫痛引臏。下可屈伸。咽喉痛。寒溼走注。白虎歷節。風痛不能舉動

第八穴曲泉。在膝內輔骨下。大筋上。小筋下。陷中。屈膝橫文頭取之。足厥陰所入爲合。即此穴也。

銅人鍼六分。留十呼。灸三壯。

主治㿗疝。陰股痛。小便難。腹脇支滿。癃閉。泄痢膿血。膝痛筋攣。四支不舉。房勞失精。身體極痛。陰腫。陰莖痛。衄血。發狂喘呼。小腹痛引咽喉。女子陰挺出。陰癢。血瘕。

第九穴陰包。在膝上四寸。股內廉兩筋間。踡足取之

。。看膝內側有槽者中。。足厥陰別走者。。

銅人鍼六分。。灸三壯。。七壯。。下經針七分。。

主治腰尻引小腹痛。。小便難。。遺溺。。婦人月事不調。。

第十穴五里。。在氣衝下三寸。。陰股中動脈應手。。

銅人鍼六分。。灸五壯。。

主治腸風熱閉。。不得溺。。嗜臥。。四肢不能舉。。

第十一穴陰廉。。在羊矢下斜裏三分直上。。去氣衝二寸。。動脈陷中。。（羊矢在陰旁股內約文縫中皮肉間有核如羊矢）

銅人鍼八分。。留七呼。。灸三壯。。

主治婦人不妊。。若經水不調。。未經生產者。。灸五壯即有子。。

第十二穴急脈。。

氣府論曰。厥蔭毛中急脉各一。王氏註曰。在陰毛中。陰上兩旁相去同身寸之二寸半。按之隱指堅然甚按則痛引上下。其左者中寒。則上引小腹。下引陰丸。善爲痛。爲小腹急中寒。此兩脉皆厥陰之大絡。通行其中。故曰厥陰急脉。即睾之系也。可灸而不可刺。病疝小腹者。即可灸之。

按此穴。自甲乙經以下。諸書皆無。是遺誤也。經脉篇曰。足厥陰循股陰入毛中。過陰器。又曰。其別者循脛上睾。結於莖。然此實厥陰之正脉。而會於陽明者也。今增入之。

第十三穴章門。一名長平 一名脇髎 在大横外直臍季脇端側臥屈上足。伸下足。舉臂取之。一云肘尖盡處是穴。一云在臍上一寸八分。兩旁各八寸半季脇端。一云在臍上二寸兩旁各六寸。寸法以胸前兩乳間横折八寸。約取之。 脾之募也。爲藏之會。足厥陰少陽之會。

慕按臍上二寸。兩旁各六寸。爲此穴眞標準。當從此說。

銅人鍼六分。灸百壯。 明堂灸七壯至五百壯。 素註鍼八分。留六呼。灸三壯。

主治腸鳴。食不化。脅痛不得臥。煩熱口乾。不嗜食。腰脊冷痛。不得轉側。肩臂不舉。四肢懈惰。嘔吐欬喘。心痛支滿。少氣善恐。厥逆。溺多白濁傷飽。身黃瘦。溺泄瀉。賁豚積聚。腹腫如鼓。

魏士珪妻徐氏。病疝。自臍下上至於心。皆脹滿。嘔逆煩悶。不進飲食。滑伯仁曰。此寒在下焦。爲灸章門氣海。

難疏曰。藏會季脅。藏病治此。

第十四穴期門。

在不容旁一寸五分。上直乳第二肋端。又云在乳旁開一寸半。直下一寸半。肝之募也。足厥陰太陰陰維之會。

慕按乳旁開一寸半。直下又一寸半。爲此穴眞標準。當從此說。

銅人鍼四分。灸五壯。

主治胸中煩熱。奔豚上下。目青而嘔。霍亂泄利。胸脅痛。支滿。腹堅硬。喘不得坐臥。傷寒心切痛。喜嘔酸。飲食不下。食後吐水。血結。面赤火燥口乾消渴。

傷寒過經不解。熱入血室。男子則由陽明而傷。下血譫血。婦人月水適來。邪卽乘虛而入。及產後餘疾。

傷寒。太陽與少陽并病。頭項强痛。或眩冒。時如結胸。心下痞硬者。當刺大椎第一間肺俞肝俞。愼不可發汗。發汗則譫語。脉弦。五六日譫語不止。當刺期門。

按足厥陰經穴。起於大敦。終於期門。共一十四穴。左右合計二十八穴。

第十四節　手厥陰穴部位療治

第一穴天池（一名天會）在乳後一寸。腋下三寸。着脇。直腋撅肋間。氣府論註曰。在乳後同身寸之二寸。（慕按當從前說）

手厥陰足少陽之會。銅人鍼三分。灸三壯。甲乙經針七分。主治目䀮䀮不明。頭痛。胸脅煩滿欬逆。臂腋腫痛。四肢不舉。上氣。寒熱瘧。熱病汗不出。

第二穴天泉 一名天溼 在曲腋下。去肩臂二寸。舉臂取之。

銅人針六分。灸三壯。主治目䀮䀮不明。惡風寒。胸脅痛。支滿。欬逆。膺背胛臂間痛。

第三穴曲澤。在肘在廉橫文陷中。筋內側動脉。屈肘得之。手厥陰所入爲合。即此穴也。

銅人鍼三分。留七呼。灸三壯。主治心痛善驚。身熱煩渴。傷寒嘔吐氣逆。心下澹澹。臂肘手腕。不時動搖掣痛不可屈伸。

第四穴郄門。在掌後去腕五寸。手厥陰郄。

銅人針三分。灸五壯。

主治嘔血衄血。心痛。嘔噦。驚恐畏人。神氣不足。久痔。

第五穴間使。在掌後三寸兩筋間陷中。手厥陰所行爲經。卽此穴也。

銅人針三分。灸五壯。素註針六分。留七呼。明堂灸七壯。甲乙經灸三壯。

主治傷寒結胸。心懸如饑。嘔沫少氣。中風氣塞。昏危不語。卒狂。胸中澹澹。惡風寒。霍亂乾嘔。腋腫肘痛。卒心痛。多驚。咽中如梗。婦人月水不調。小兒客忤。久瘧。鬼邪隨年壯。

捷徑云。治熱病頻噦。

靈光賦云。兼水溝。治邪癲。
百證賦云。兼天鼎。治失音休遲。
玉龍賦云。治癚疾。
神農經云。治脾寒熱往來。渾身瘡疥。灸七壯。

第六穴內關。在掌後去腕二寸兩筋間。與外關相對。手厥陰絡別走手少陽。

銅人鍼五分。灸五壯。
主治中風失志。心痛。目赤。支滿肘攣。胸膈閉束不舒。久癚不已。實則瀉之。虛則補之。
神農經云。治心疼腹脹。腹內諸疾。可灸七壯。
席弘賦云。兼公孫。治肚痛。
標幽賦云。胸滿腹痛刺內關。

第七穴　大陵。在掌後骨下横紋中兩筋間陷中。手厥陰所注爲俞。即此穴也。

銅人鍼三分。素註鍼三分。留七呼。灸三壯。

主治熱病汗不出。手心熱。肘臂攣痛。喜笑不休。煩心。心懸若饑。身熱頭痛氣短。胸脇痛。驚恐悲泣。喉痹。口乾。目赤目黃。舌本痛。喘欬嘔血。小便如血。

神農經云。治胸中疼痛。胸前瘡疥。可灸三壯。

玉龍賦云。兼勞宮。療心悶瘡痍。

第八穴勞宮（一名五里　一名掌中）　在掌中央動脉。屈無名指取之。

滑氏曰。屈中指無名指兩者之間取之。（慕按滑說爲的）　手厥陰所溜爲滎。卽此穴也。

素註針三分。留六呼。銅人灸三壯。明堂針二分 得氣卽瀉。只一度。

針過兩度。令人虛。

主治中風。悲笑不休。熱病汗不出。脇痛不可轉側。嘔吐噫逆。煩渴。食不下。胸脇支滿。手痺。口中腥臭。黃疸目黃。衄血便血。熱痔。

一傳顚狂灸此效。

捷徑云。最治憂噎。

百證賦云。兼後谿。可治三消黃疸。

第九穴中衝。

在手中指端。去爪甲如韭葉陷中。手厥陰所出爲井。卽此穴也。

銅人針一分。留三壯。明堂灸一壯。

主治熱病汗不出。頭痛如破。身熱如火。心痛煩滿而悶。舌強。中風不省人事。

百證賦云。兼廉泉。堪攻舌下腫痛。

按手厥陰經穴。起於天池。終於中衝。共九穴。左右合計一十八穴。

第六章完

廣東中醫藥專門學校鍼灸科講義

南海湘巖梁慕周編輯

目錄

第七章　鍼灸要錄

第七章

第一節　製鍼方法

北方製鍼。喜用馬啣鐵。取其無毒。先以馬口啣鐵。再三煆鍊。百鍊剛製爲繞指柔。錘成細圓條而斷之。或截爲一寸。或截寸半。或截二寸。或截二寸半與三寸四寸。如無馬啣鐵。可用鋼線。微炭爐至通紅。待其自冷。如是者三。便不剛折。如或嫌輭。再煆紅淬以冷水。復轉堅硬矣。次以蟾酥塗鍼上。仍入火中微煆。不可令紅。取起照前再以蟾酥塗之。乘熱插入臘肉皮裡。約插數十回之後。旋用麝香五分。蟾礬金釵斛各一錢。穿山甲細辛鬱金沒藥川芎正辰砂當歸尾各三錢。沉香甘草節各五錢。磁石一兩。三大碗水煎沸。後納鍼於水內。煎至水乾。俟冷。取出鍼以黃土插百餘次。去其火毒。色明乃佳。至鍼身之宜大宜小。應取車石以車之。車至合式爲度。鍼蒂用銅線屈成小圈。圈下纏以銅線。是爲鍼柄。鍼嘴磨至犀利。則又不待言矣。

第二節　進鍼方法

欲明進鍼。先說持鍼。持鍼之法。當以右手之大指食指中指堅持之。如鍼某穴。先用左手大指或食指壓於穴上。搓鬆其血。使血散開。復用大指甲切於穴上。然後鍼入。如該穴宜鍼三分者。先向病者說明。宜咳嗽一二三聲。初咳一聲。鍼入一分。咳二聲。又入一分。咳三聲。再入一分。如該穴宜鍼一二分深者。則咳一二聲便可。如該穴宜鍼六七分。或宜鍼寸餘二寸深者。則又令咳十餘聲。將入鍼而令其咳者。實欲其祇知向咳。即乘其咳鍼入而不覺焉。所謂兩岸猿聲啼不住。輕舟已過萬重山。鍼刺情形。恍有如此景象。其用左手搓血使散開而鍼乃入者。蓋必俟血散開。鍼入乃不痛也。

第三節　向鍼方法

鍼向有三。曰竪曰迎曰隨。凡鍼法不因本經盛衰。而又不須涉及他經者。則利用竪鍼。使其鍼與所刺之經線成爲丁字形。而後刺入是也。凡鍼法宜於瀉者。則利用迎鍼。使斜入其針逆經氣之來也。凡針法宜於補者。則利用隨針。使斜入其針送經氣之去也。

第四節　留鍼方法

鍼已入穴。寂然不動。是爲經氣不至。其病難瘳。業斯道者。又有留鍼之一法。應將針頻頻搓轉。注意其經氣與針有無交合。若覺針受吸攝而致搓轉運濇者。是爲經氣已與鍼交合。氣雖交合。宜分別遲速之殊。有針入即氣至者。有針入後許久乃氣至者。經氣既至。其針不可遽退。在瀉針者。左指宜隨經氣之上游推之前進。使經氣增湧。斯邪氣易於走泄。在補鍼者。左指宜向所刺之前後左右處行搔彈法。使經氣活動。斯正氣易於復原。

第五節　退鍼方法

鍼纔進而即發生吸力者。則待吸力稍寬而退鍼。鍼進許久而後發生吸力者。則待吸力一發即退鍼。瀉鍼者退鍼宜速。補鍼者退鍼宜緩。瀉鍼者鍼隨搔而隨出。針已全出。即用左指推移上游之經氣。使向穴孔速於走泄。左右掐穴關門。則從緩也。補鍼者先退三分之一。復留數秒時間。又去三份之一。再留數秒時間。又去三份之一。分三次鍼乃全出。鍼已全出。即用左指壓搓其穴。使留聚新來經氣。左手掐穴關門。則從速也。

第六節　暈鍼治法

鍼刺治病。大抵百人中有一二暈鍼。其形狀面青白而汗多出焉。有因畏痛而暈者。有不因痛而暈者。所謂因痛而暈者。是因施治者或手術未精。或禁忌偶犯。病者必有驚怯之狀。此等暈鍼。痛定而暈即愈。若其未鍼而先暈。或刺畢而後暈者。此必病人體魄太虛。致發生此種暈狀。其未鍼而先暈者。可向足陽明三里穴而鍼補之。其刺畢而即暈者。宜取所刺之本經闆穴。與足三里穴而鍼補之。則其暈即止矣。或用生薑嚼爛。擦其額頭。片時其暈亦止。

第七節　折鍼治法

鍼經製煉而成。插入肉中而折斷者。萬中無一。惟遇顛狂疾病。失其常性。經鍼入而手舞足蹈。其顛狂力大。有非他人所能制止者。斯不免有折鍼意外之虞。果如其言。則鍼陷於肉。鍼既陷入。又當設法以出之。出之亦有數法。或在折鍼處之旁。另用別鍼刺入。深與折鍼相齊。其逼則折鍼漸出。即以小鐵鉗夾取之。折鍼若在皮部淺處者。可用磁石吸引之。折鍼若在肉中深處者。可用蛣螻研末置膏藥中。貼數時自然取出。

第八節　灸分補瀉

鍼有補瀉。人皆知之。灸分補瀉。尤須識之。艾灸之法。無論行補行瀉。究以貼肉灸爲快見功。如用瀉。艾粒取半截綠豆大。放於穴之肉上。火灸着。一見小痛。先令病者小吸其氣。旋令病者由丹田呼出其氣。用長氣以呼出之。吸占二而呼占八。在醫生亦乘時以口吹去其火。則灸瀉之事畢矣。如用補。艾粒取如綠荳大。放於穴之肉上。火灸着。一見小痛。先令病者小呼出其氣。旋令病者吸氣。用長氣以達到丹田。呼占二而吸占八。在醫生亦乘時以手壓熄其火。使火氣由穴口盡行而透入之。則灸補之能事畢矣。

第九節　隔灸治法

艾灸之種式不一。大約經脈專病者則宜於獨艾灸。病兼營衛者則宜於隔薑灸。病兼食道者則宜於隔蒜灸。或隔巴荳霜灸。病兼淫雜者則宜於和藥灸。隔薑灸者。切薑片先安穴上。而後放艾於薑上也。隔蒜灸者。切蒜片先安穴上。而後放艾於蒜上也。和藥灸者。以藥粉和入艾中。而以土圈銀盞圍定藥艾也。

第十節　灸器宜備

灸器凡三。曰艾圈。曰艾盞。曰艾夾。艾盞以銀質製之。徑約四分。薄如竹葉。形如淺盞。中開七孔。下出三足。足長半分。凡隔薑灸者利用艾盞。以盞足插連薑片。並置穴上。艾放盞中。藥乘艾上。艾灼之後。其盞甚熱。去盞時。用鐵夾挾取之。故須兼備艾夾。艾圈用黃土或白土之精者製之。徑約四分。形如耳扣而畧扁。放圈穴上。置艾圈中。凡補灸者利用土圈。取其火氣下着也。但須多備四五圈。以便圈熱時替換。否則圈熱而火力亦隨之而上散。仍失補灸之功。土圈灸者亦須備有鐵夾。

第十一節　雷火鍼灸

凡閃挫諸骨間痛。及寒溼氣刺痛者。宜照雷火鍼灸治之。方用沉香木香乳香茵陳羌活乾薑穿山甲各三錢。麝香小許。共研細末。以綿紙半尺。將艾絨二兩鋪勻紙上。次將藥末鋪勻艾上。捲緊成條。外加沙紙捲粘穩定。又用粗鬆之紙六七層。叠在痛處。乃燃藥條爍於紙上。是卽隔紙以灸患處也。但取火之法。取太陽眞火。用圓珠火鏡。爍其藥條。按至熄。剪去其灰。再爍再按。九次可愈。

第十二節　鹽灸法門

淋症有五。曰氣淋。血淋。石淋。膏淋。勞淋。氣淋者。尿澀而餘瀝不收。血淋者。尿中帶有血出。石淋者。莖痛尿出艱難。膏淋者。尿色稠濁如膏。勞淋者尿濇。

痛且牽及缺盆肩頸。五淋皆宜用鹽灸法。先將食鹽炒熱。俟鹽小溫。塡滿病者臍中。即放艾絨（如龍眼核大）於鹽上。連灸七灶。（即七壯）如尙未痊。可灸足三陰交穴。貼肉灸五壯。或七壯。

第十三節　鍼灸瘡論

西北諸省。凡經灸後。常欲其發。灸口得有膿發。名爲灸瘡。其諺有曰。若要人身安。鍼灸常時不使乾。正謂鍼灸後該穴當發膿也。若鍼灸後而瘡不發者。宜用外施之藥以發之。有用內服之藥以發之。外施法。灸後即用生麻油蘸綿以潰之。或用小皂角煎濃湯。蘸綿以敷之。然二者皆不利於衣服。不如用赤皮葱數莖。去青取白。放於搗溼之石灰中。煨使熱。去其皮灰。乘熱拍破。熨灸瘡上。三日可發。更有最便之法。經鍼灸後。用大圓艾絨灸熱其履底。使着熱履。則熱氣由蹠上升。而灸瘡更爲易發。內服法。凡經外施各種而亦不發者。審其氣虛。則處以四君子湯。審其血弱。則處以四物湯。血氣兩虛。則處以八珍丸。或兼食燒炙牛羊之類。或在灸處上再灸之。

慕按鍼灸後。發膿也可。不發膿更無不可。慕經手鍼灸。不下萬人。百人中有九十餘不發膿者。安在見其不可哉。西北人以發膿爲依歸。特其習俗相沿。盖亦一偏之見耳。

第十四節　洗護瘡法

瘡已發膿。宜設法以掩護之。使勿擦損。惟用物掩護。又恐閉其出氣。不可不知。故最忌者粘貼膏藥。爲鍼灸師者。宜備下列各物。春用柳絮。夏用竹膜。秋用新綿。冬用兎腹細毛。　灸瘡之洗法有三。一爲瘡部發癢。可用赤皮葱薄荷葉煎湯洗瘡四旁。使袪病氣由瘡口越出。二爲瘡已退痂。可用東南桃枝嫩皮煎湯溫洗。以保其新嫩之皮肉。三爲瘡口黑爛痛不可忍。可用東南桃枝青薄嫩皮。加以胡荽黃連煎湯輕洗之。使腐痛速去。新皮易生。

第十五節　鍼灸大綱

凡遇鍼灸治病。有時兼鍼灸上下二部者。則鍼灸宜先上部而後下部。有時兼鍼灸左右二部者。則鍼灸宜先其左部而後右部。有同時兼鍼灸多穴。而各穴之炷數不等者。則宜先灸少炷之穴。而後乃灸多炷之穴。此針灸之秩序。最爲注意者也。灸後而即飲茶。則衝溜其火氣於他部。灸後而即食物。則窒塞其經氣而不行。或灸後而即勞悴。或酣醉。或冒風寒。或啖瓜果。或未幾而交姘。或轉瞬而憤怒。宗宗件件。皆能閉傷經氣。而病氣反見不徐。此又先行告誡病人。無使其歸咎於針灸手術之不靈也。

第十六節　四花穴法

崔知悌四花穴法。以稻稈心量病人口縫。切斷。照口縫長裁紙四方。摺正。當中剪小孔。別用長稻稈踏脚下。前齊足大趾。後上曲脷橫紋中止。截斷。却環在結喉下。雙垂向背後。稈盡處。用筆點記。即將前裁紙四方中剪小孔處。安停點記。紙之四角。又復以筆點之。即四花穴也。

又令病人平身正坐。稍縮肩膊。取臘繩繞項向前。平結喉骨。後大杼骨。俱墨點記。向前雙垂與鳩尾穴齊。即切斷。却翻繩向後。以繩原點大杼墨。放於結喉墨。上結喉墨。放於大杼墨。從背脊中雙繩頭貼肉垂下。至繩盡處。以墨點記。別取臘繩。令病人合口。無得動喉。橫量齊兩吻。切斷。還於背上墨記處。摺中橫量。兩頭盡處點之。此是灸穴。又將循脊直量上下用墨點之。此是灸穴。

此段文字。照承澹盦編來。慕按將脊直量上下用墨點之。文義未明。上至何處止。下至何處止。殊欠標準。意必將橫量齊吻之度。一橫量之。一直量之。就照從背脊中雙繩頭貼肉垂下。至繩盡以墨點記處。一橫量以取左右穴。一直量以取上下穴。此解當否。仍俟高明卓裁。

按崔氏灸四花穴。專治五勞七傷。氣虛血弱。骨蒸潮熱。咳嗽痰喘。尩羸痼疾。

第十七節　騎竹馬法

取穴之法。男左女右。先從臂腕中横紋起。用薄篾一條。量至中指齊肉盡處。不計指甲。截斷。次用篾取同身寸一寸。即令病人脱去上下衣裳。以大竹扛一條跨定。兩人徐徐扛起。足要離地五寸。兩傍更以兩人扶定。勿令動搖。要將前量長篾。貼定竹扛竪起。從尾骶骨貼脊度至篾盡處。以墨點記。後取同身寸篾二寸對摺。復拔開。將對摺處放正墨點。自中横量兩旁各開一寸是穴。灸七壯。

此楊氏灸法。按神應經兩人抬扛不穩。當用兩木櫈擱竹扛頭。足要離地。仍用兩人兩旁扶之尤妙。又按聚英言。各開一寸。疑爲一寸五分。當合膈俞肝俞穴道。

第十八節　艾炷大小

黄帝曰。灸不三分。是謂徒冤。炷務大也。小弱乃小作之。又曰。小兒七日以上。周年以還。炷如雀糞。　明堂下經云。凡灸欲炷。下廣三分。若不三分。則火氣不達。病未能愈。則是灸炷欲其大。惟頭與四肢欲其小耳。　明堂上經曰。艾炷依小筋頭作。其病脉粗細。狀如細線。但令當脉灸之。雀糞大炷。亦能愈疾。至於腹脹疝瘕痃癖伏梁氣等。須艾大炷。小品曰。如遇巨闕鳩尾。灸之不過四五壯。炷依小筋頭大。但令正當脉上灸之。艾炷若大。復灸多。其人永無心力。如頭上灸多。令人失精神。脚背灸多。令人血脉枯竭。四肢弱而無力。既失精神。又加細節。令人短壽。王節齋云。面上灸炷。須小。手足上猶可粗。

第十九節　壯數多少

千金云。凡言壯數者。若丁壯。病根深篤。可倍於方數。老少羸弱。可減半。扁鵲灸法。有三五百壯至千壯。此亦太過。曹氏灸法。有五十壯。有百壯。小病亦然。明堂百經云。針入六分。灸三壯。更無餘治。後人不以爲準。惟以病之輕重而增損之。凡灸頭頂。宜於七壯。積至七七壯止。銅人治風。灸上星前頂百會。至二百壯。腹背灸五百壯。

慕按昔賢灸法。有三五壯者。有數十壯者。有灸百壯者。有灸數百壯多至千壯者。古人之爲是言。不一而足。必其曾灸至千壯或數百壯者。其病始轉機見效。實實經驗。而後筆之於書。斷非空言者比。吾固不敢疑古人。吾亦不肯泥古。嘗視其病之輕重而爲之。吾嘗治一黃氏婦。環跳穴處。痛經半年。卽用艾貼肉灸之。第一日灸六十壯。第二日灸七十五壯。共灸一百三十五壯。其痛遂瘳。然後知天下之病。必有灸至百餘壯。而病乃可奏功也。但亦居少數耳。

第二十節　鍼灸標準

凡針灸實用。坐點穴則坐針灸。臥點穴則臥針灸。立點穴則立針灸。若坐點穴而臥鍼灸之。或臥點穴而立鍼灸之。或立點穴而坐針灸之。均是穴道。必有變失其眞。蓋人身筋骨經絡。坐臥與立。有伸縮開合不同。穴道隨筋骨經絡而轉移。故針灸當隨坐臥立而行之。而穴道乃不失其眞也。

第二十一節　因部取穴

人身上部病。多取手陽明經。中部病。多取足太陽經。下部病。多取足厥陰經。前膺病。多取足陽明經。後背病。多取足太陽經。(說明)人身上部病。多屬手陽明。

多取其經穴鍼灸之。人身中部病。多屬足太陰。多取其經穴鍼灶之。人身下部病。多屬足厥陰。多取其經穴鍼灸之。人身前膺病。多屬足陽明。多取其經穴鍼灸之。人身後背病。多屬足太陽。多取其經穴鍼灸之。

第二十二節　八會要訣

腑會中脘。臟會章門。筋會陽陵。骨會大杼。髓會絕骨。脉會太淵。血會膈俞。氣會膻中。（說明）凡屬腑病。針灸必先中脘。而後別穴。凡屬臟病。針灸必先章門。而後別穴。凡屬筋病。針灸必先陽陵。而後他穴。凡屬骨病。針灸必先大杼。而後別穴。凡屬髓病。針灸必先絕骨。而後別穴。凡屬脉病。針灸必先太淵。而後別穴。凡屬血病。針灸必先膈俞。而後別穴。凡屬氣病。針灸必先膻中。而後別穴。先明八會之法。凡用針灸。則思過半矣。

廣東中醫藥專門學校鍼灸科講義　南海湘巖梁慕周編輯

目錄

第八章　鍼灸賦選

廣東中醫藥專門學校鍼灸科講義

第八章

第一節　靈光賦

黃帝岐伯針灸訣。依他經裏分明說。三陰三陽十二經。更有兩經分八脉。靈光典註極幽深。偏正頭疼瀉列缺。睛明治眼努肉攀。耳聾氣閉聽會間。兩鼻　衄針禾髎。鼻窒不聞迎香間。治氣上壅足三里。天突宛中治喘痰。心痛手顫針少海。少澤應除心下寒。兩足拘攣覓陰市。五般腰痛委中安。髀兪不動瀉邱墟。復溜治腫如神醫。犢鼻療治風邪疼。喘而脚痛崑崙愈。後跟痛向僕參求。承山轉筋並久痔。足掌下去求湧泉。此法千金莫妄傳。此穴多治婦人疾。男蠱女孕兩病痊。百會鳩尾治痢疾。大小腸俞大小便。氣海血海療五淋。中脘下脘治腹堅。傷寒過經期門愈。氣刺兩乳求太淵。大敦二穴主偏墜。水溝間使治邪癲。吐血定喘補尺澤。地倉能止兩流涎。勞宮醫得身勞倦。水腫水分灸即安。五指不伸中渚取。頰車可灸牙齒愈。陰蹻陽蹻兩踝邊。脚氣四穴先尋取。陰陽陵泉亦主之。陰蹻陽蹻與三里。諸穴一般治脚氣。在腰玄機宜正取。膏肓豈止治百病。灸則玄功病須愈。針灸壹穴數病除。學者尤宜加仔細。悟得明師流注法。頭目有病針四肢。針有補瀉明呼吸。穴應五行順四時。悟得人身中造化。此歌依舊是荃蹄。

第二節　席弘賦

凡欲行針須審穴。要明補瀉迎隨訣。胸背左右不相同。呼吸陰陽男女別。氣刺兩乳求太淵。未應之時瀉列缺。列缺頭痛及偏正。重瀉太淵無不應。耳聾氣否聽會鍼。迎香穴瀉功如神。誰知天突治喉風。虛喘須尋三里中。手連肩背痛難忍。合谷針時要太衝。曲池兩手不如意。合谷下針宜仔細。心疼手顫少海間。若要除根覓陰市。但患傷寒兩耳聾。金門聽會疾如風。五般肘痛尋尺澤。太淵鍼後却收功。手足上下鍼三里。食癖氣塊憑此取。鳩尾能治五般癇。若下涌泉人不死。胃中有積刺璇璣。

三里功多人不知。陰陵泉治心胸滿。鍼到承山飲食思。大杼若連長強尋。小腸氣痛即行鍼。委中專治腰間痛。脚膝腫時尋至陰。氣滯腰疼不能立。橫骨大都宜救急。氣海專能治五淋。更鍼三里隨呼吸。期門穴主傷寒患。六日過經猶未汗。但向乳根二肋間。又治女人生產難。耳內蟬鳴腰欲折。膝下明存三里穴。若能補瀉五會間。且莫向人容易說。睛明治眼未效時。合谷光明安可缺。人中治癲功最高。十三鬼穴不須饒。水腫水分兼氣海。皮肉隨鍼氣自消。冷嗽先宜補合谷。却須鍼瀉三陰交。牙疼腰痛并咽痺。二間陽谿疾怎逃。更有三間腎俞妙。善除肩背浮風勞。若鍼肩井須三里。不刺之時氣未調。最是陽陵泉一穴。膝間疼痛用鍼燒。委中腰痛脚攣急。取得其經血自調。脚痛膝腫兼三里。懸鐘二陵三陰交。更向太衝須引氣。指頭麻木自輕飄。轉筋目眩鍼魚腹。承山崑崙立便消。肚疼須是公孫妙。內關相應必然瘳。冷風冷痺疾難愈。環跳腰間鍼與燒。風府風池尋得到。傷寒百病一時消。陽明二日尋風府。嘔吐還須上脘療。婦人心痛心俞穴。男子痃癖三里高。小便不禁關元妙。

大便閉濇大敦燒。髖骨腿疼三里瀉。復溜氣滯便離腰。從來風府最難鍼。却用工夫度淺深。倘若膀胱氣未散。更宜三里穴中尋。若是七疝小腹痛。陰交照海曲泉鍼。又不應時求氣海。關元同瀉效如神。小腸氣攝痛連臍。速瀉陰交莫再遲。良久湧泉鍼取氣。此中元妙少人知。小兒肛脫患多時。先灸百會次鳩尾。久患傷寒肩背痛。但鍼中渚得其宜。肩上痛連臍不休。手中三里便須求。下針麻重即須瀉。得氣之時不用留。腰連胯痛急必大。便於三里攻其隘。下鍼一瀉三補之。氣上攻喉只管在。噎不住時氣海灸。定瀉一時立便瘥。補自卯南轉鍼高。瀉從卯北莫辭勞。逼鍼瀉氣令須吸。若補隨呼氣自調。左右撚鍼尋子午。伸鍼行氣自迢迢。用鍼補瀉分明說。更用搜窮本與標。咽喉最急先百會。太衝照氣及陰交。學者潛心宜熟讀。席弘治病名最高。

第三節　百症賦

百症俞穴。再三用心。囟會連於玉枕。頭風療以金鍼。懸顱頷厭之中。偏頭痛止。

强間豐隆之際。頭痛難禁。原夫面腫虛浮。須仗水溝前頂。耳聾氣閉。全憑聽會翳風。面上虫行有驗。迎香可取。耳中蟬鳴有聲。聽會可攻。目眩兮支正飛揚。目黃兮陽綱胆俞。攀睛攻少澤肝俞之所。淚出刺臨泣頭維之處。目中漠漠。即尋攢竹三間。目覺　。急取養老天柱。觀其雀目汗氣。睛明行間而細推。審他項强傷寒。温溜期門而主之。廉泉中衝。舌下腫疼可取。天府合谷。鼻中衄血宜追。耳門絲竹空。止牙疼於頃刻。頰車地倉穴。正口喎於片時。喉痛兮。液門魚際去療。轉筋兮。金門邱墟來醫。陽谷俠谿。頷腫口噤並治。少商曲澤。血虛口渴同施。通天治鼻內無聞之苦。復溜祛舌乾口燥之悲。啞門關衝。舌緩不語而要緊。天鼎間使。失音囁嚅而休遲。太衝瀉唇喎以速愈。承漿瀉牙疼而即移。項强多惡風。束骨相連於天柱。熱病汗不出。大都更接於經渠。且爲兩臂頑痲。少海就旁於三里。半身不遂。陽陵遠達於曲池。建里內關。掃盡胸中苦悶。聽宮脾俞。祛殘心下悲悽。從知脇肋疼痛。氣戶華蓋有靈。腹內腸鳴。下脘陷谷能平。胸脇支滿何療。章門不用細尋。

膈痛飲蓄難禁。膻中巨闕便鍼。胸滿更加噎塞。中府意舍所行。胸膈停留瘀血。腎俞巨髎宜徵。胸滿項强。神藏璇璣可試。背連腰痛。白環委中曾經。脊强兮水道筋縮。目眩兮顴髎大迎。痓病非顱息而不愈。臍風須然谷而易醒。委陽天池。腋腫鍼而速散。後谿環跳。腿疼刺而即輕。夢 不安。厲兌相諧於隱白。發狂奔走。上脘同起於神門。驚悸怔忡。取陽交解谿勿誤。反張悲哭。仗天冲大橫須精。癲疾必身柱本神之會。發熱仗少冲曲池之津。歲熱時行。陶道復求肺俞理。風癇常發。神道須還心俞寧。溼寒溼熱下髎定。厥寒厥熱湧泉清。寒慄惡寒。三間疎通陰 諳。煩心嘔吐。幽門閉徹玉堂明。行間湧泉。去消渴之腎竭。陰陵水分。去水腫之臍盈。癆瘵傳尸。取魄戸膏肓之路。中邪霍亂。尋陰谷三里之程。治疸消黃。諧後谿勞宮而看。倦言嗜臥。往通里大鐘而明。咳嗽連聲。肺俞須迎天突穴。小便赤澀。兌端獨瀉太陽經。(小腸經小海穴)刺長强於承山。主治腸風新下血。針三陰於氣海。專司白濁從遺精。且如肓俞橫骨。瀉五淋之久積。陰 後谿。治盜汗之多出。脾虛穀以不消。脾俞膀胱俞覓。胃冷食而難化。魂門胃俞堪責。鼻痔必取齦交。癭氣須求浮白。大敦照海。患寒疝而善蠲。五里臂臑。生癧瘡而能治。至陰屋翳。療癢疾之疼多。肩髃陽谿。消陰中之熱極。抑又論婦人經事改常。自有地機血海。女子少氣漏血。不無交信合陽。帶下產崩。衝門氣衝宜審。月潮違限。天樞水泉細詳。肩井乳癰而極效。商邱痔瘤而最良。脫肛取百會尾翳之所。無子搜陰交石關之鄉。中脘主乎積痢。外邱收乎大腸。寒瘧兮商陽太谿驗。痃癖兮衝門血海強。夫醫乃人之司命。非志立而莫爲。針乃理之淵微。而至人之指教。先究其病源。復考其穴道。隨手見功。應針取效。方知玄裡之玄。始達妙中之妙。此篇不盡。略舉其要。

第四節　玉龍賦

夫參博以爲要。輯簡而舍煩。總玉龍以成賦。信金針以獲安。原夫卒暴中風。頂門百會。脚氣連延。里絕三交。頭風鼻淵。上星可用。耳聾腮腫。聽會偏高。攢竹頭維。治目疼頭痛。乳根俞府。療嗽氣痰哮。風市陰市。驅腿脚之乏力。陰陵陽陵。

除膝腫之難熬。二白醫痔漏。間使勦瘧疾。大敦去疝氣。膏肓補虛勞。天井治瘰癧癮疹。神門治呆痴笑咷。咳嗽風痰。太淵列缺宜刺。尪羸喘促。璇璣氣海當知。期門大敦。能治堅痃疝氣。勞宮大陵。可療心悶瘡痍。心悸虛煩刺三里。時疫痎瘧尋後谿。絕骨三里陰交。脚氣宜此。睛明太陽魚尾。目症憑茲。老者便多。命門兼腎俞而著艾。婦人乳腫。少澤與太陽之可推。身柱蠲嗽。能除膂痛。至陽却疸。善治神疲。長強承山。灸痔最妙。豐隆肺俞。痰嗽彌奇。風門主傷冒寒邪之嗽。天樞理感患脾泄之危。風池絕骨。而療乎傴僂。人中曲池。可治其筋痿。期門刺傷寒未解。經不再傳。鳩尾針癲癇已發。愼其妄施。陰交水分三里。蠱脹宜刺。商邱解谿邱墟。脚痛堪追。尺澤理筋急之不幸。腕骨療手腕之難移。肩脊痛分五樞。兼於背縫。肘攣疼分尺澤。合於曲池。風溼傳於兩肩。肩髃可療。壅熱盛乎三焦。關衝最宜。手背紅腫。中渚液門要辨。脾虛黃疸。腕骨中脘何疑。傷寒無汗。攻復溜宜瀉。傷寒有汗。取合谷當隨。欲調飽滿之氣逆。三里可勝。要起六脉之沉匿。復溜彌神。照海支溝。通大便之秘。內庭臨泣。理小便之脂。天突膻中醫喘咳。地倉頰車療口喎。迎香攻鼻塞爲最。肩井除臂痛如拿。二間治牙疼。中魁理翻胃而即愈。百勞止虛汗。通里療心驚而即瘥。大小骨空。治眼爛能止冷淚。左右太陽。醫目疼善除血翳。心俞腎俞。治腰腎虛乏之夢遺。人中委中。除腰脊痛閃之難制。太谿崑崙申脈。最療足腫之疼。湧泉關元豐隆。爲治屍勞之例。印堂治其驚搐。神庭理乎頭風。大陵人中頻瀉。口氣全除。帶脈關元多灸。腎敗堪攻。腿部重疼。針髖骨膝關膝眼。行步艱楚。刺三里中封太衝。取內關於照海。治腹疾之塊。搐迎香於鼻內。消眼熱之紅。肚痛秘結。大陵合外關於支溝。腿風溼痛。居髎兼環跳於委中。上脘中脘。治九種之心痛。赤帶白帶。求中極之異同。又若心虛熱壅。少衝明於濟奪。目昏血溢。肺俞辨其實虛。（下畧）

第五節 指要賦

必欲治病。莫如用針。功用神機之妙。工開聖理之深。外取砭針。能蠲邪而扶正。

中合水火。善回陽而補陰。原夫絡別支殊。經交錯綜。或溝池谿谷以歧異。或山海邱陵而隙共。斯流派以難揆。在條綱而有統。理繁而昧。縱補瀉以何功。法捷而明。日迎隨而得用。且如行步難移。太衝最奇。人中除脊膂之强痛。神明去心性之呆癡。風傷項急。始求於風府。頭暈目眩。要覓於風池。耳閉須聽會而治也。眼痛則合以推之。胸結身黃。取湧泉而卽可。腦昏目赤。瀉攢竹以偏宜。但見兩肘之拘攣。仗曲池而平掃。四肢之懈惰。憑照海以消除。牙齒痛。呂細堪治。頭項强。承漿可保。太白宜通於氣衝。陰陵開通於水道。腹膨而脹。奪內庭兮休遲。筋轉而疼。瀉承山而在早。大抵脚腕痛。崑崙解愈。股膝疼。陰市能醫。癇發顚狂兮。憑後谿而療理。瘧生寒熱兮。仗間使以扶持。期門罷胸滿血膨而可已。勞宮退胃翻心痛亦何疑。稽夫大敦去七疝之偏墜。王公謂此。三里却五勞之羸瘦。華陀言斯。固知腕骨祛黃。然骨瀉腎。行間治膝腫目疾。尺澤去肘疼筋緊。目昏不見。二間宜取。鼻窒無聞。迎香可引。肩井除兩臂難任。絲竹療頭痛不忍。咳嗽寒痰。列缺堪治。眵冷淚。。臨泣尤準。。骨將腿痛以袪殘。。腎俞把腰疼而瀉盡。。以見越人治尸厥於維會。。隨手而甦。。文伯瀉死胎於陰交。。應針而隕。。聖人於是察麻與痛。。分實與虛。。實則自外而入也。。虛則自內而出歟。。故濟母而裨其不足。。奪子而平其有餘。。觀二十七之經絡。。一一明辨。。據四百四之疾症。。件件皆除。。故得夭枉俱無。。躋斯民於壽域。。而今幾微已判。。彰往古之玄書。。抑又聞心胸病。。求掌後之大陵。。肩背患。。責肘前之三里。。冷痺腎敗。。取足陽明之土。。連臍腹痛。。瀉足少陰之水。。脊間心後者。。針中渚而立痊。。脇下肋邊者。。刺陽陵而即止。。頭項痛。。擬後谿以安然。。腰脚疼。。在委中而已矣。。夫用針之士。。於此理苟能明焉。。收袪邪之功。。而在乎撚指。。

鍼灸講義共八章完

香港针灸专科学院讲义（卷上）

提 要

一、作者小传

苏天佑（1911—2001），原名佐仁，广东阳江人。师从澄江针灸学派创始人、针灸名家承淡安弟子曾天治。1939年悬壶，1940年创办香港针灸医学院，后改名为香港针灸专科学院（该书即为此学院教学材料）。在抗日战争期间极困难条件下，苏天佑坚持针灸济世，同时坚持办针灸培训班，至1946年，已累计办班21期。从1962年起，苏天佑曾到日本、韩国、菲律宾、新加坡、马来西亚、文莱、泰国、越南、缅甸、印度尼西亚、美国、加拿大等地施诊、讲学，又培养了一大批针灸新生力量。

在澄江针灸学派传人中，在美国影响力最大的当数苏天佑。有学者认为苏天佑是第一个在美国公开传授针灸的专家，也是第一个在美国开办针灸专科学校的学者。1975年，苏天佑与几位美国学生在波士顿创办了新英格兰针灸学校，并任首席教授。该校是美国中医针灸教育的源头，而苏天佑也被授予“美国针灸教育之父”的称号。2001年8月，苏天佑病逝，由他创办的新英格兰针灸学校作为澄江针灸学派在美国的传承延续，至今仍在培养针灸人才。

二、版本说明

《香港针灸专科学院讲义》出版于1960年2月，作为学院讲课办学之用，存上、中、下3卷，其中卷上介绍经穴学，卷中介绍针治学、灸治学、诊断学，卷下介绍治疗学。

三、内容与特色

该书的《师生之间》篇写道：“我的针灸学术，是从曾天治老师学来的……还把二十年来的心得，或从别家书本得来，或从同业研究得来，或从经验得来，都放在讲义里。”可见该书是对苏天佑针灸学术论述和总结最为详尽的著作。

全书共3卷。卷上为经穴学，共174页，包括经穴之分类，经穴之度量法，各部经穴之名称、位置、主治、疗法、感应、功能和取法等。卷中为针治学、灸治学、诊断学，共108页，其中针治学和灸治学两部分包括针灸之源流、针灸技术难学之原因、针术之定义、灸治之定义、针之研究、艾叶之研究、针之种类、灸治之种类等；诊断学部分则包括切脉法、十二地支诊断法、西医问诊法等。卷下为治疗学，共370页，包括各科疾病的病因、症候、主要穴、次要穴、助治穴、治疗法等，以及针灸治疗经验谈、患者心理面面观等。讲义的首页有苏天佑院长年轻时的肖像，肖像两旁有“用针灸治病适合经济原则最快痊愈，习针灸医术根本解决职业保障健康”的联句，肖像底部列有苏天佑的任职经历，如历任香港针灸专科学院院长、香港中华国医学会附设医师研究所针灸科教授，曾任王道中医学院针灸科教授等。

该书关于针灸之记载，有以下特色。

（一）关注患者心理对治疗效果的影响

将患者心理分为恐惧（初次针灸的恐惧心理）、试辩（不相信针灸，西医治疗又无济于事时的心理）、诈穷（故意装穷的心理）、充阔（故意装作有钱人的心理）、恃财（因钱财宽裕，给医生红包才稳妥的心理）。这折射了当时的社会背景和民众心理，将历史特点和人文信息融入针灸治疗，提醒广大医者治疗技术和患者心理同等重要。

（二）针和灸并重，重视对医生治疗成绩的宣传

在《针灸治疗经验谈》中，苏天佑认为若想要诊所门庭若市，则医者应重视对自身能力的宣传营销。他提出宣传建议，如印制数百张针灸治疗说明书、针灸治疗记事册（即针灸诊疗流程）、优待券及赠医券、成绩报告书（即医者的治愈率）等一并赠予各界。同时，苏天佑强调治疗时应针与灸并重，从选穴经验入手，仔细体察治疗手段和操作，根据实际情况选择合适的治疗方案。

（三）注重脏腑生理解剖，将解剖知识融入针灸治疗

苏天佑高度重视解剖学知识在针灸治疗过程中的作用和地位，对心脏、消化器、泌尿器、脊髓、听觉器、呼吸器等各脏腑组织的生理解剖逐一进行阐述。这些学术思想对后世的影响极为深远，至今仍有极高的学习和借鉴价值。

香港鍼灸專科學院講義

經穴學

卷上

蘇天佑編

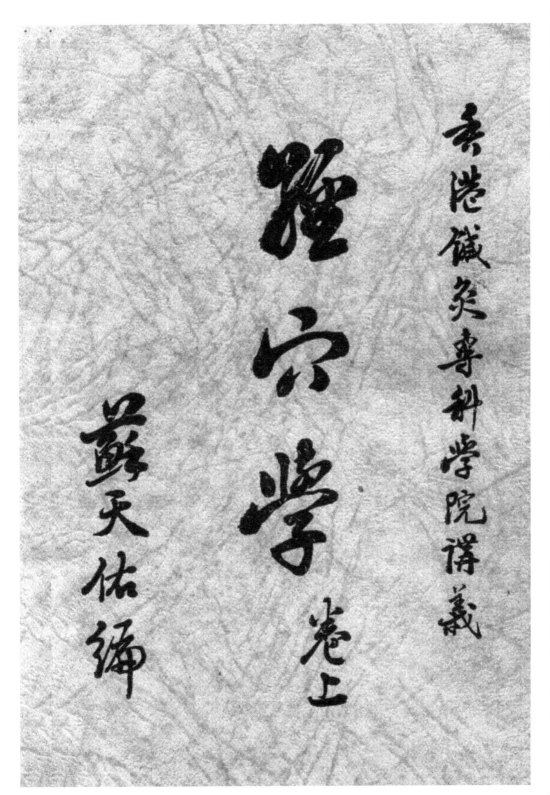

院長蘇天佑像

用鍼灸治病適合經濟原則最快痊癒

習鍼灸醫術根本解決職業保障健康

歷任香港鍼灸專科學院院長

歷任香港中華國醫學會附設醫師研究所鍼灸科教授

曾任王道中醫學院針灸科教授

曾任菁華中醫學院針灸科教授

歷任中國針灸學院教授

歷任香港中醫師公會理事

歷任僑港兩陽工商聯合會醫席

歷任香港基督教神召會值理會主席

曾任廣州地方法院看守所醫席

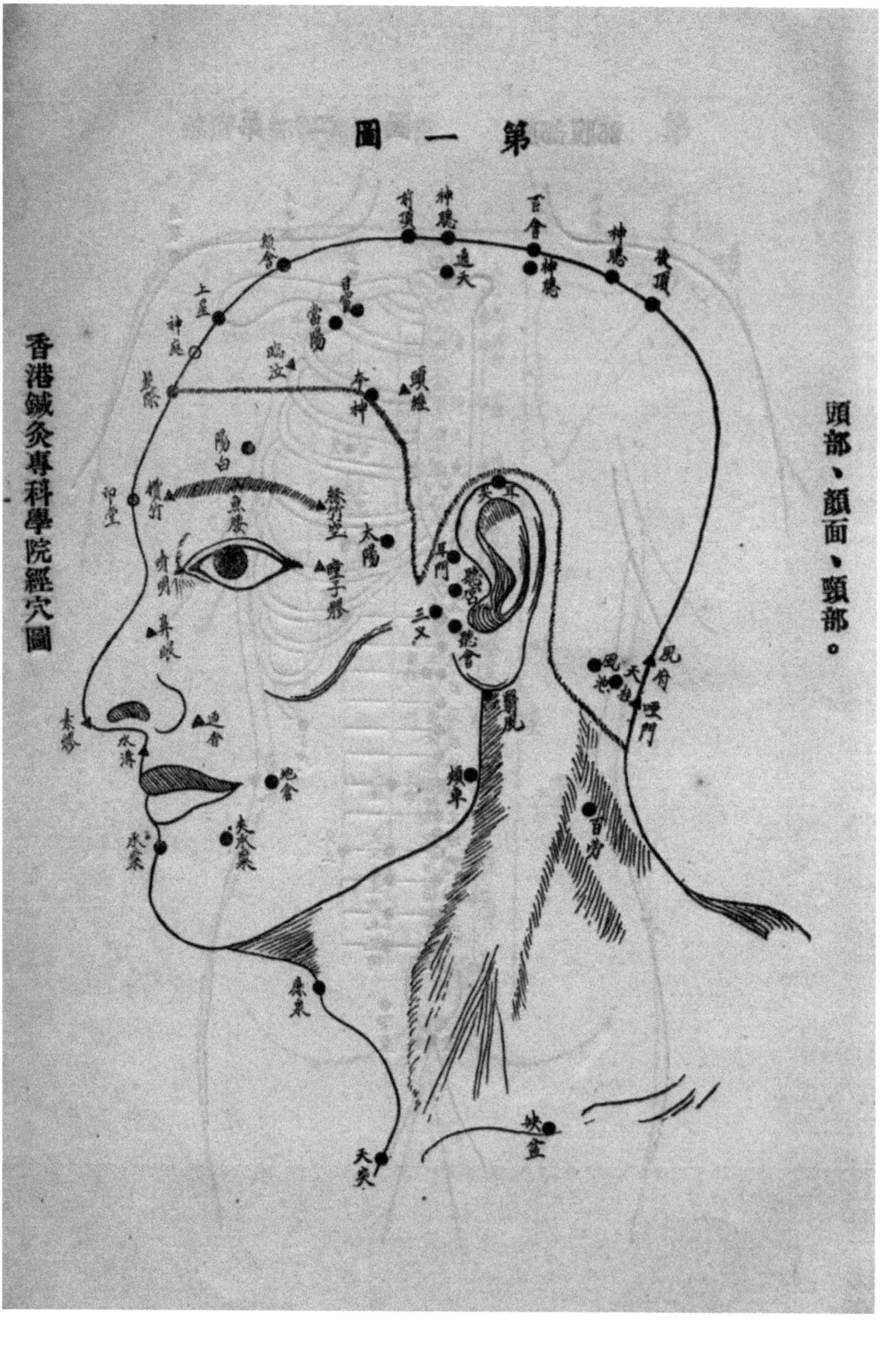
第一圖
香港鍼灸專科學院經穴圖
頭部、顏面、頸部。
前頂
神聰
百會
神聰
後頂
通天
神聰
上星
神庭
目窗
當陽
臨泣
本神
頭維
陽白
印堂
攢竹
魚腰
絲竹空
太陽
睛明
瞳子髎
耳門
聽宮
聽會
三叉
迎香
水溝
素髎
地倉
承漿
翳風
頰車
風池
天柱
風府
啞門
廉泉
天突
缺盆

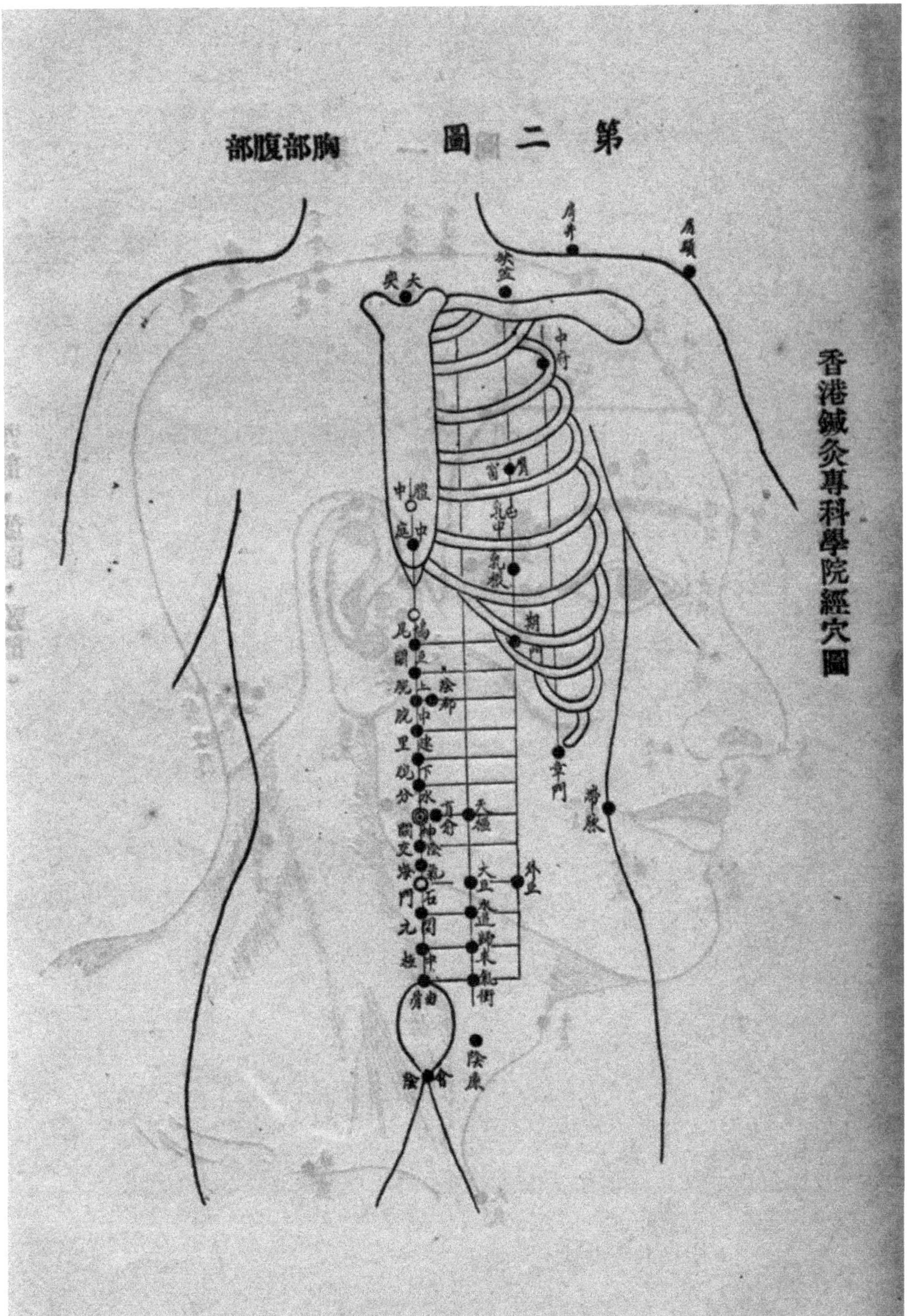
第二圖
胸部腹部
香港鍼灸專科學院經穴圖

第三圖　背部腰部臂部肩胛部

香港鍼灸專科學院經穴圖

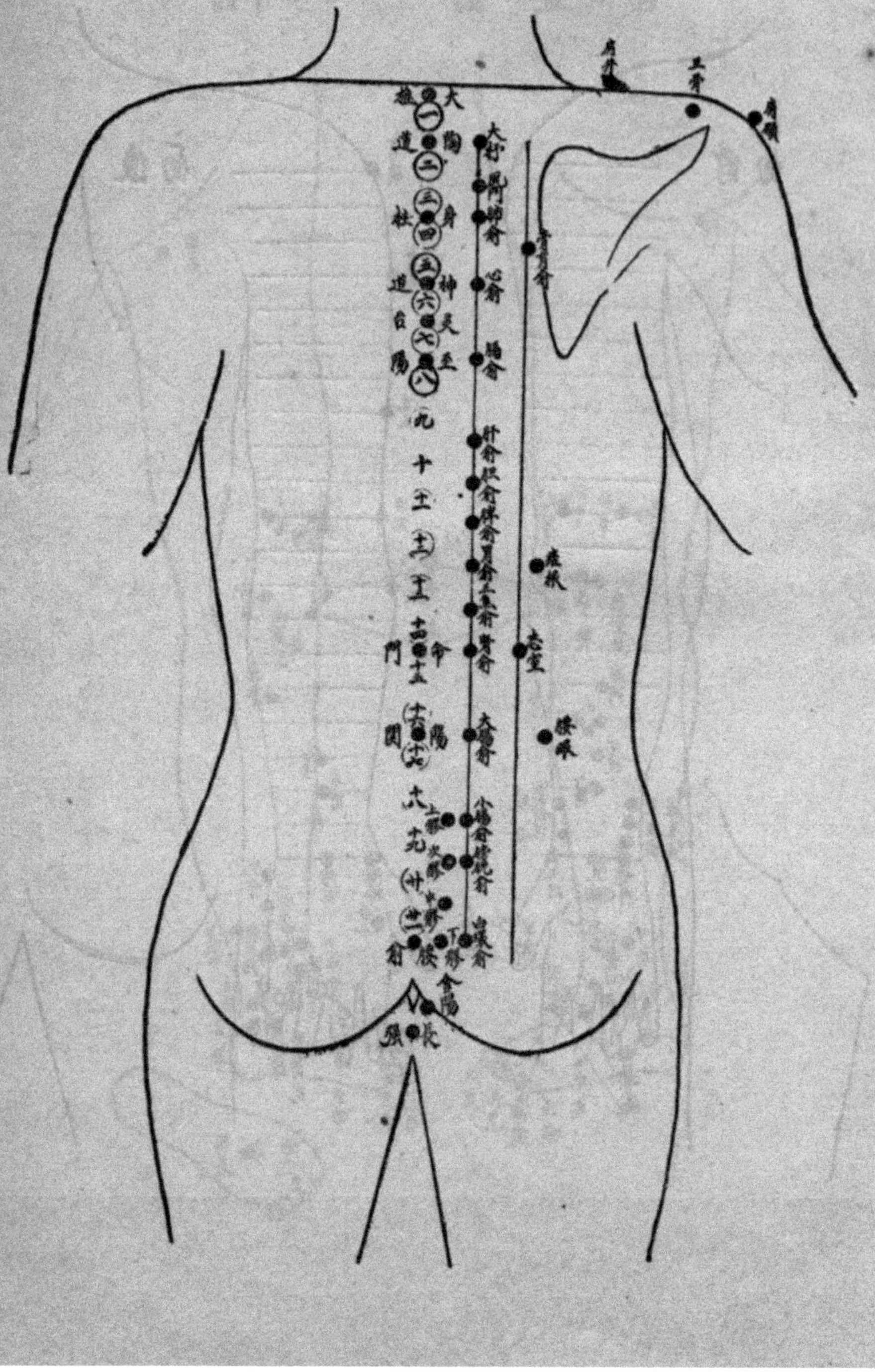

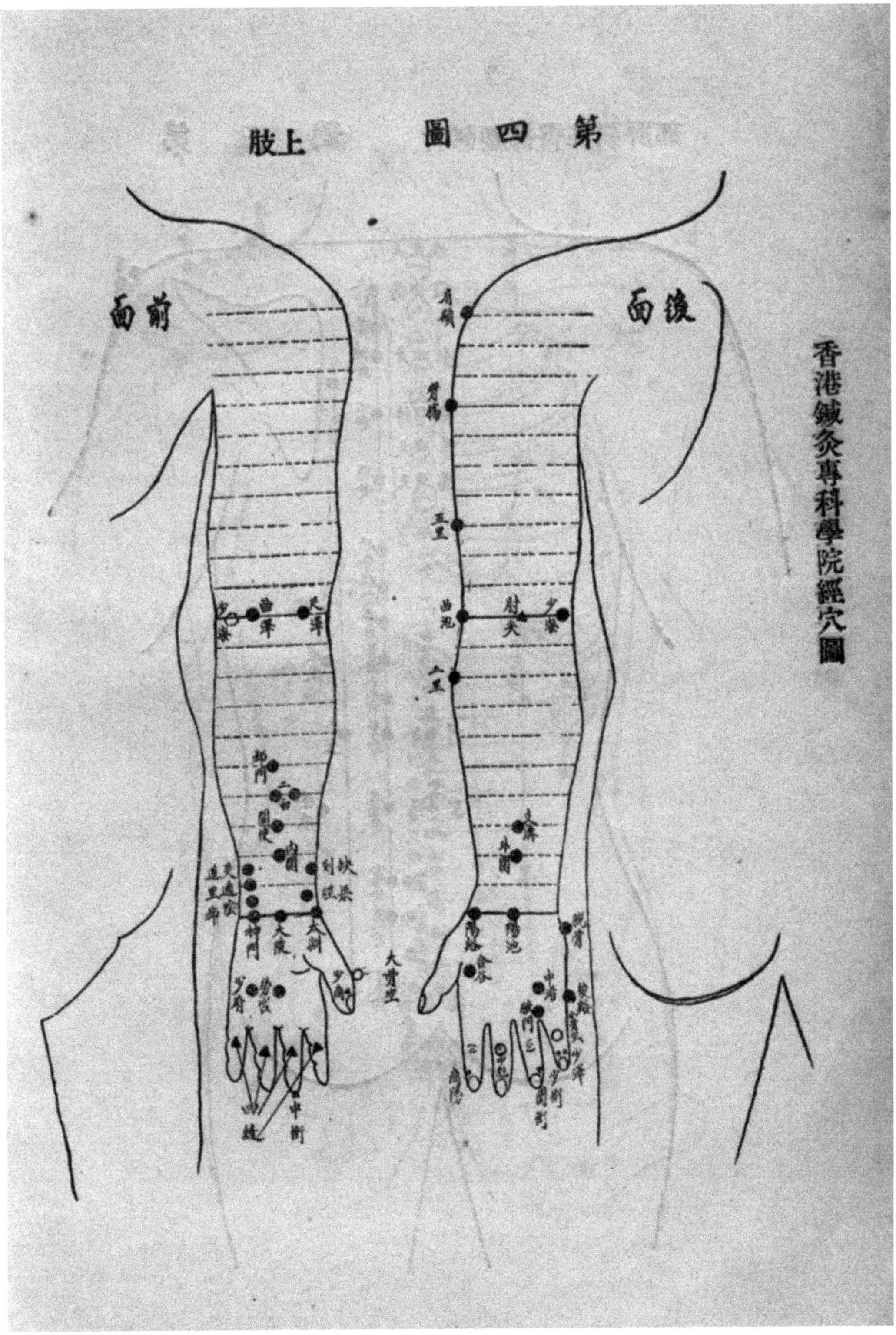
第四圖 上肢
前面
後面
香港鍼灸專科學院經穴圖
曲澤
尺澤
少海
曲池
大陵
太淵
神門
陽池
合谷
外關
少府
勞宮

第五圖 下肢

香港鍼灸專科學院經穴圖

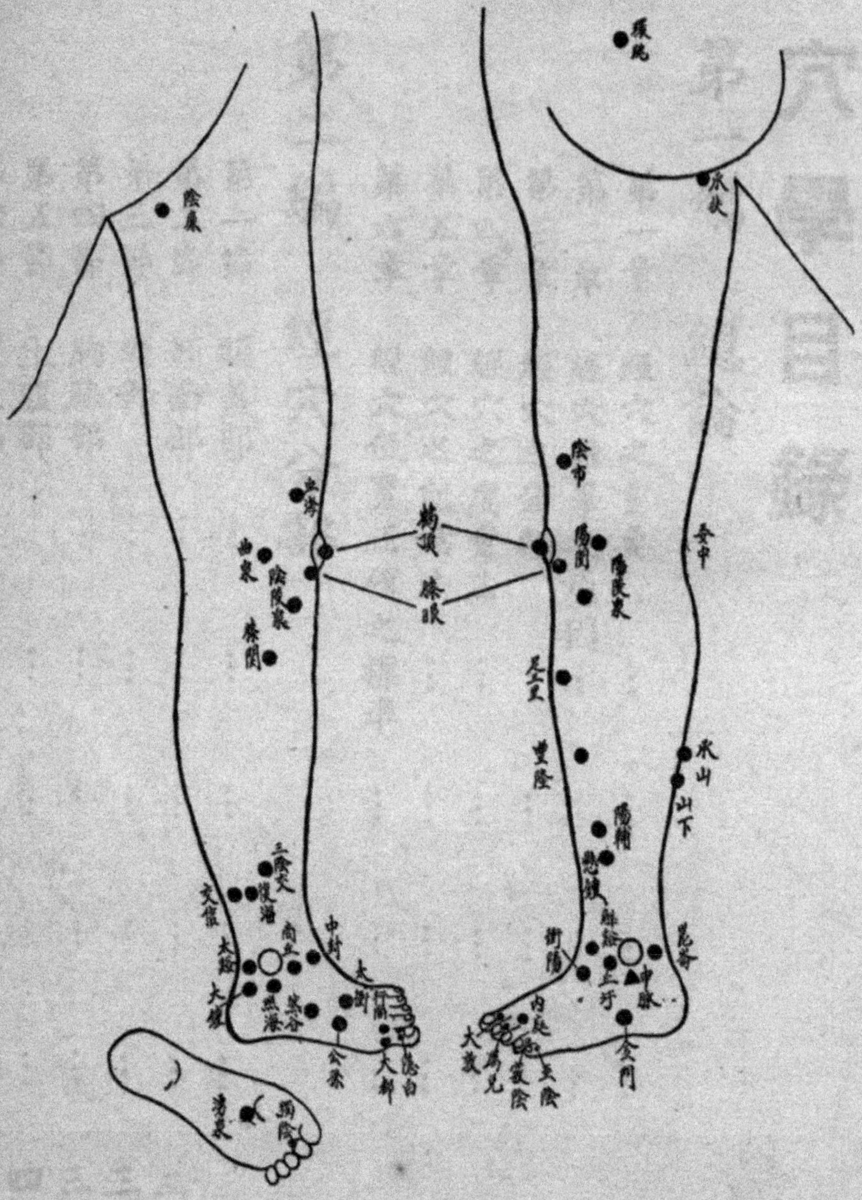

經穴學目錄

第一編 總論

第二編 經穴分部

經穴學終

經穴學

第一編 總論

第一章 經穴之重要

用藥療病者必須研究藥物，藥物之氣味、形狀、功用、製法、相反相使、及用量、學說、處方等，必須研究清楚，然後療病方能有效，而不致有誤。研究針灸者必須研究經穴，經穴者，人身針灸之所在也。每經穴之位置、主治、療法、感應、取法、禁針禁灸等，必須研究清楚，記憶正確，然後與人針灸方能有效。藉曰不然，經穴位置指認不正確，主治記憶不清楚，日後用針灸治療必定失敗，或要害人也。學習針灸者，請用全副精神對付之。

第二章 經穴難學之原因

凡研究中醫者，必曾瀏覽經穴學之書，或曾請人指教過，但大多數學者，對於經穴都指認不正確，認經穴爲難學之極，此其故何耶？

（甲）繪圖之技術拙劣　欲經穴記憶清楚，除名師教授外，正確之經穴圖極其重要。蓋名師教授外，再於暇時對勘正確之經穴圖，便易于記憶，且得正確也。而國人向來繪圖之技術拙劣，畫人形畫出一隻水魚，或於類似人形上加橫直線引上引下（例如醫宗金鑑，針灸大成等）又經穴文字與經穴圖完全兩樣，學者無所適從，無怪我南方醫士，不多人認清楚經穴也。

（乙）古人欠缺身體解剖知識　欲經穴正確，須同時知該經穴部位屬何肌肉何骨骼，內有何神經，血脈，經穴著作者用文字指示清楚，學者又有人體解剖知識，然後方易認得正確經穴。茲古人未嘗解剖人體，人身之細小部位，已難描述，加之以名稱又甚簡畧，經穴位置無法表示清楚，益以繪圖技術拙劣，學者人體解剖知識又復欠缺，一索再索不得，故經穴從而難學也。

（丙）名針灸家不輕易傳授　欲尋穴正確，最好是得名針灸家面授，蓋名針灸家治療病症甚多，經驗豐富，經穴之正確位置，當然十分清楚。惜吾國名針灸家不多，偶一有之，又秘而不傳。中下醫士只於古人遺下之書本及拙劣之繪圖上玩味搜索，又何怪經穴學爲難學耶？

（丁）經穴太多　經穴之常用而有效者不過二百個而已，而古人竟列出正穴三百六十五個，經外奇穴又數十個，其中何者重要，何者完全無用，未見明文指示，學者如在五里霧中，不知所删節，盡地記憶，必至無所記憶！又何怪中下醫士歎經穴之難學耶？

（戊）禁忌太多　經穴多，已難記憶，重加禁忌甚多，更令學者頭昏眼花矣。例如千金方載十二支人神忌「子日目，丑日耳，寅日口，卯日鼻，辰日腰，……」十干日人神忌「甲日頭，乙日項，丙日肩臂，丁日胸脅，……」逐時日神忌「子時踝，丑時頭，寅時目，卯時面耳，……」日辰忌「初一日足大指，初二日外踝，初三日股內，……」等。中下醫士安有此腦力記憶之也。

難學之原因已經探得，茲一一改正之。繪經穴圖六幅，插入經穴學中，又採用重繪經穴掛圖（承淡安著），指示學者經穴之正確位置，每經穴項下又列出位置，主治，療法，眉目清楚，便於記憶，無用之經穴删除之，不合理之禁忌淘汰之，經穴從此不難學矣。

第三章　經穴之分類

依古人所述，人體有手足三陰三陽之十二經。所謂十二經者：——

1 手太陰肺經共十一穴，由中府至少商。

2 手少陰心經，共九穴，由極泉至少衝。

3 手厥陰心包絡經，共九穴，由天池至中衝。

4 手陽明大腸經，共二十穴，由商陽至迎香。

5 手太陽小腸經，共十九穴，由少澤至聽宮。

6 手少陽三焦經，共二十三穴，由關衝至耳門。

7 足太陰脾經，共二十一穴，由隱白至大包。

8 足少陰腎經，共二十七穴，由湧泉至俞府。

9 足厥陰肝經，共十三穴，由大敦至期門。

10 足陽明胃經，共四十五穴，由頭維至厲兌。

11足太陽膀胱經，共六十七穴，由睛明至至陰。

12足少陽胆經，共四十四穴，由瞳子髎至竅陰。

以上十二經，其位置皆在左右者。此外又有走體前之正中者名任脈，走體後之正中者名督脈。

13任脈，共二十四穴，由會陰至承漿。

14督脈，共二十七穴，由長强至齦交。

此二脈合前十二經，又稱爲十四經。乃施行針灸之路徑，經中每一位置稱爲穴，合而稱之曰經穴。古之學者，按經學習，不止麻煩，且難記憶，特改爲以下之編排法，乃爲便利學者之易於學習及記憶起見，分部編排，自頭部起，選取常用而有效之經穴，順次記述之。學者有餘力時，參考黃帝內經，甲乙經，針灸大成，與各家著作可也。

第四章　經穴之度量法

1手足尺寸（男左女右）以患者中指彎曲取其第一節與其第二節之間之橫紋尖，與第二節第三節之間之橫紋尖，兩尖相去爲一寸（或一份）計算之，作量四肢之標準。

2頭部直寸　以前髮際至後髮際作爲十二寸計算之。前髮際不明者，以眉心上行至後髮際作爲十五寸，後髮際不明者，取大椎穴上行至前髮際作爲十五寸，前後不明者，以大椎穴直上至眉心作爲十八寸計算，此量頭部直行尺寸之標準。又法：如後髮際凹凸不齊者，從前髮際量至風府穴作十一寸計。

3頭面部橫寸　以眼之內眥角至外眥角作一寸爲標準。

中指寸法圖

4胸部直寸　由頸窩（即天突穴）至膻中作八寸計算之。即隔一肋骨作爲一寸六分計算。

5胸腹橫寸　以兩乳頭中央相去作八寸計算，爲胸腹部橫寸之標準。

6上腹直寸　由胸劍骨下端至臍中央作八寸計算之，如無胸劍骨，以胸歧骨（即俗稱心窩處），量至臍心作九寸計算之。

7下腹直寸　臍中以下至橫骨邊際作五寸計算之，爲下腹直行寸之標準。

8背部直寸　以數椎骨爲標準。（胸椎十二，腰椎五，荐骨四，合計二十一椎）。

9背部橫寸 用中指寸法，從脊骨中央線量之。

第五章 經穴之記憶法

經穴二百餘個，各列位置，主治，療法 感應，功能取法等，禁針禁灸，其繁難亦如記藥物之費精神，如何記憶方能無誤乎？曰位置，主治，或功能，禁針，禁灸等，必須記憶清楚；至針幾分，灸幾壯，及感應取法等，先可以不用注意。易記憶之法，是備咭片二百餘張，隨講授之次第，按日抄錄，一面書穴名，位置，療法；一面書主治，禁針，禁灸等，經過一番手抄，能助記憶不少，暇時抽出講授過之若干張，自行試驗，有誤，則自行校正。又每穴主治項下之重要者，另用紅鉛筆圈上，先記憶之，日積月累二百餘個常用而有效之經穴，能絲毫無訛，任供使用矣。

第六章 經穴位置正確之標準

經穴之位置，言人人殊，或謂在此，或又謂在彼，究有何標準可供取舍乎？曰有，正確之位置，抓之覺酸軟痺刺，針之必如電流，通上達下，而甚效見；不然，倘所針者非神經衰弱患者，則所取之位置有誤，當另尋正確位置針之灸之也。

第二編 經穴分部

第一節 頭蓋部

鼻上中央入髮際綫

1 神庭（督） 禁針

位置 鼻中央直上，入前髮際五分，在前頭骨部。

主治 精神困倦，眩暈，前額神經痛，癲，狂，角弓反張吐舌，目上視不識人，頭風目眩。流涕不止。鼻淵（卽流臭涕）。目淚，驚悸不得安寢。

療法 灸七壯至二十一壯。禁針，針則發狂，目失明。

附錄 張子和曰：「目腫目翳，針神庭，上星 顖會，前頂；翳者可使立退，腫者可使立消。」按：此段附錄，是使學者明白目翳者可針神庭，不但無傷，反而有功也。若單目腫而無翳者，不可針神庭。

感應　本穴用艾直灸時，有氣分達前額或兩太陽。

功能　本穴治頭，腦，眼，鼻等諸疾患。

取法　本穴祇有灸法；若用溫灸器或隔薑灸時，並無任何特殊手續；若用直接灸時，當將頭髮在正中挑開夾實，再用拇指指甲，側放於穴上橫刮之，覺有一直形陷溝者，入髮際五分是穴，將艾放正穴上灸之。

2 上星（督）

位置　鼻上中央，入前髮際一寸，在前頭骨部。

主治　顏面充血，前額神經痛，頭風頭痛，頭皮腫，面虛惡寒汗不出。鼻衄急性用三稜針刺出血，慢性用灸。）鼻瘜肉，鼻涕，鼻塞不聞香臭，口鼻出血不止。（目眩睛痛，不能遠視，當以三稜針刺之微出血。）

療法　針二分，灸五壯，不宜多灸，多灸令人目不明。

功能　治頭鼻目諸病。

取法　將頭髮從正中挑開，兩邊用髮夾將髮夾實，不使散亂，取入髮際一寸處，以指甲橫刮

感應　直達前額

穴上覺有一坑者是。若用毛針刺穴，針鋒當向患者之前面，以七十五度角刺針，使感應能向前方下行，方能收效，押指當側按。若用三稜針刺穴，可用直針，與穴相對。若用直灸，將艾放正穴上燃燒便可。

3 顖會三（督）

位置 鼻上中央線，入前髮際二寸陷中，在顱頂骨合縫部。

主治 腦貧血性頭痛，頭皮腫，驚癇戴目，眩暈，顏面蒼白，顏面充血，多眠症，頭痛目眩。鼻塞不聞香臭，衄血。「鼻塞當用直接灸，灸至四日漸退，七日可愈。」

療法 針二，三分，灸五壯。

警告 八歲以下，不可針灸；緣顖門骨未生固；刺之恐傷其骨，令人夭。

感應 針灸均可達於前額。

功能 治頭面鼻等部疾患。

取法 將頭髮從正中撥開，取準入髮際二寸位，以指甲掐得中央線之骨溝，以七十五度角斜針向前方下針，押指當側按。

4 前頂（督）

位置 正中入前髮際三寸半，在顱會後一寸半。

主治 腦充血，腦貧血，顏面充血，頭風目腫，頭面腫。小兒驚癇瘈瘲，發即無時，頸項腫痛，鼻多清涕。前頭腫痛。

療法 針二，三分，灸三至七壯。

感應 針灸均達前頭至髮際間。

功能 治頭腦鼻面諸病。

取法 如顱會。

5 百會（督）

位置 正中線入前髮際五寸，窩陷中。（按本穴有各種取法；一說「兩耳尖直上之正中」，此說畧有毛病，因「直上」二字，易招誤會，學者循耳直上，每誤取入前髮際四寸處。若將「直」字改爲「向」字，較切實際。因人之耳多畧斜生，由耳之上方所向之方向沿上，自可得正穴，即頭頂窩之所在。又一說「在旋毛中」爲最誤人，因旋毛多不生於正頂之處，有生雙旋毛者：更不知何去何從矣。）

主治　頭痛，頭暈，頭重。鼻衄，鼻塞。中風不省人事，語言蹇澀，口噤不開，或多悲哭，半身不遂，癲癇卒厥，角弓反張，吐沫。心神恍惚，心煩悶，無心力，驚悸健忘。飲酒面赤，食無味。痎瘧。婦人血崩血漏，胎前產後風疾。小兒驚風，夜啼。脫肛。神經衰弱，腦充血，腦貧血。痢症，久年泄瀉。惡見風寒。暈針不省人事（灸）。百病皆治。

操法　針一二分，灸不得過七壯，因頭頂皮薄，灸不宜多。

感應　不論針灸，均向前後左右散放。

功能　統治頭腦及腸病。

取法　將頭髮在中間撥開，度準五寸，有窩陷處是穴。如因特殊情形，不便量度時，取兩耳向上之正中，頭頂窩上是穴。刺針時，如用直針，取得神經時，四方均有感應，如欲感應偏向某方時，將針鋒偏向某方刺之，便可得心應手矣。抑指側按，針與穴對向。

附註　中風不省症，如屬實症，當用三稜針刺出血數滴；如屬虛症，當在穴上直灸三壯，便能生效。

6 後項（督）

位置　正中入前髮際六寸半，即百會後寸半。

主治　頭項强急。惡風寒。風眩目䀮。正頭痛，後頭痛，偏頭痛，癲疾狂走不臥，癎發瘈瘲。

療法　針二分，灸五壯。

感應　針灸均向後頭部放散。

功能　專治後頭部疾患及腦病。

取法　取百會後寸半，中間骨溝中是穴。針向後方以八十度角下針。押指側按。

7 神聰（奇）

位置　在百會穴之前後左右，各相去百會一寸。

主治　頭風，目眩，風癎，狂亂。頭神經蠕動。偏頭痲痺。

療法　頭風目眩，屬於上虛，宜各灸三至七壯。風癎狂亂，屬於陽盛，宜針二分。

感應　在前者向前散放，在後者向後，在左右者向左右散放。

功能　治頭腦疾患。

取法　以百會爲中心，先取得百會；向前一寸爲前神聰，向後一寸爲後神聰；向左右者爲左右神聰。施針宜按穴所在之方向刺之。押指側按。

8 臨泣　禁灸（胆）

目瞳子直上入髮際緣

位置　目瞳之上，直入前髮際五分，在前頭骨部。

主治　角膜白翳，淚液過多，外眥充血，眼目諸疾。鼻塞，鼻腔蓄膿症。癲癇。腦溢血。瘧疾日西發。驚癇反視。

療法　針二分。禁灸。

感應　透達至前額，强者可至眉。

功能　主治目疾。兼治鼻，腦，及前額疾患。

取法　使患者正視，直瞳子上行，入前髮際五分，將髮撥開，以指甲橫刮，得骨溝是穴。押指側按，針須斜下以七十五度角向患者前方刺之。

9 當陽 （奇）

位置 本穴在目瞳子直上，入前髮際一寸五分。臨泣穴再上一寸是穴。

主治 風眩。目昏。鼻塞。蝦蟆瘟（即頭面忽然腫大症）。

療法 目昏花，風眩，在此穴灸三壯。蝦蟆瘟用三稜針在穴上刺出血。鼻塞輕者用針，重症及久患者用灸。針須向前刺。針二三分。

感應 向前行至髮際及前額。

功能 治頭目病及鼻疾。

取法 照臨泣取法，再上一寸。押指側按，針須以七十五度角向前刺。

10 目窗 （胆）

位置 目瞳直上，入髮際二寸，即臨泣後寸半。

主治 目赤痛，目䀮䀮遠視不明。又云：三度刺，令人目大明。頭面浮腫，頭痛。惡寒，寒熱汗不出。

療法　針二，三分，灸五壯。

感應　達前頭及額部。

功能　治目疾及前頭部疾患。

取法　照臨泣取法，再上一寸半之骨溝中。押指側按，針以七十五度角向前刺。

11 通天（膀）

位置　正中入前髮際四寸，旁開寸半。

主治　頭旋項痛，不能轉側，頭重耳鳴，頭項癭瘤。口喎。衄血。鼻塞，流涕。

療法　針二分，灸三壯至五壯。

感應　向前行達於前頭部之一側。

功能　治頭，鼻，顏面疾患。

取法　左手食指甲，側放穴上骨坑中，針以七十五度角斜向前下針。

12 髮際（奇）

位置　本穴在鼻頭直上之正中髮際邊沿，神庭下五分之處。

主治　前額痛，頭風暈眩疼痛，經久不愈。
療法　灸三壯，炷如綠豆。
感應　透達前額之全部。
功能　專治前頭前額痛症。
取法　取額上正中髮際邊是穴。

額角部份

13 本神（胆）

位置　在額角髮際間，以甲橫刮，第一下垂骨溝中。
主治　驚癇。項强。目眩。癲疾。口眼喎斜。前額痛。
療法　針三分，沿皮下針，灸七壯。
感應　下行經髮際，入太陽。
功能　治頭目病。
取法　用指甲側放，在額角髮際向後刮，在髮際邊沿之間，有一下垂小骨溝中是穴。直針畧斜向下，與皮膚平行下針。

14 頭維（胃）禁灸

位置　在額角橫入髮際約五分，第三條下垂骨溝陷中。

主治　頭痛如破，頭暈，腦充血，前額神經痛，顏面神經痲痺，目痛如脫，膿漏性結膜炎（風火眼），視力缺乏，淚液過多，迎風流淚，視物不明。

療法　針三分，沿皮下針，禁灸。

感應　下行經髮際入太陽。

功能　治頭，目及面部疾患。

取法　同本神，所不同者，本穴取額角入髮際第三下垂骨溝而已。

後髮際及後項部份

15 風府（督）禁灸「次痛」

位置　在後項之上正中，入後髮際一寸，在兩大筋之中。在後頭骨與第一頸椎陷凹中。深部有延髓。正頭，後髮際上最凹處是穴。

主治　中風舌緩，暴瘖不語，震寒汗出身重，半身不遂。傷風頭痛，頭項神經痛，頭部諸病，項急不得回顧。目妄視。鼻衄。咽喉腫痛。傷寒狂走欲自殺，恐懼驚悸，黃疸。牙痛。主瀉胸中之熱。

療法　針三分至五分，留三呼，禁灸，灸之令人瘂。

感應　上達兩太陽至鼻孔，下可通後項，前達喉部。

功能　主治頭，腦，喉，牙等部諸疾患。

取法　正常取法，從後髮際正中入一寸，後頭骨之下，最窩陷處是穴。若遇不正常之後髮際，如中央髮尾下垂，延長一二寸者，或兩旁下垂拖長，中央反不長髮，甚至風府位置亦無髮者，此時前後髮際作十二寸之標準便已失去。取穴之法，當取後頭下正中最陷凹處是風府穴。同時取頭部其他穴時；亦根據前髮際至風府作爲十一寸計算，作取頭部直寸之標準線。又風府穴之取法，用指頭在後頭之正中上，向下滑，滑至不能再下時，該處卽有一最凹陷處，卽是風府穴。使患者正頭，押指側按，針平向直刺，入三分，止五分，不可過深。

16 啞門（督）禁灸

位置　後項之上正中，入後髮際五分，即風府下五分，在第一頸椎與第二頸椎之間；深部有延髓。

主治　頸項强急。暴瘖不語。寒熱風痙。重舌（配合谷，曲池，金津，玉液）。諸陽熱盛，衄血不止。脊强反折。癇疾瘈瘲。頭風疼痛，汗不出。中風尸厥，暴死不省人事。誤食藥物失音。

療法　針三四分，留三呼，禁深刺，禁灸，灸之令人啞。

感應　上達頭部，下達項下，前達喉部。

功能　治頭，腦，喉，項諸病。

取法　照風府取法，在風府下五分。

附註　誤灸啞門治法：於八十日內，灸合谷一壯，間使二壯，翳風三壯，聽會一壯，百會二壯，可復言語。

17 天柱（膀）

位置　在項之後部，入後髮際五分。啞門旁開約五六分，大筋之上，微偏外側。

主治　頭旋腦痛，腦重如脫，頭項如拔，頭後部痙攣，項强不能回顧。肩背痛欲折。足不任身。目瞑不欲視。鼻塞淚出，不聞香臭。

療法　針三分至五分，留三呼，灸三壯至七壯。

感應　上達太陽，下達項下。

功能　治頭，項，眼，鼻疾患。

取法　取得風府兩旁之大筋，在大筋上入髮際五分，微偏外側入針。押指側按，針與穴對向平刺。

18 風池（胆）

位置　本穴並無入髮際幾分之記載，當在後頭骨之下兩旁，大筋之外側，髮際陷中，風府啞門之間，旁開約一寸餘最陷凹之處。

主治　中風氣塞，涎上不語，昏危。發熱惡寒汗不出。偏正頭痛，眩暈、頸項如拔，痛不得回顧，腦神經衰弱，後腦神經痛。目眩，視力缺乏，淚液過多，眼球充血。耳聾，耳鳴。腰背俱痛。傴僂引項，項筋無力。瘧疾。諸疾初起。一切鼻病。

療法　針四分至一寸，留七呼，灸三壯至七壯。

感應　上達太陽，强者可至鼻孔，下達後項下。

功能　統治頭，腦，眼，耳，鼻，項等疾患及外感。

取法　在後項兩大筋之外側，最陷凹處是穴，押指側按，針當與穴對向以七十五度角平刺之。

19 百勞（奇）

位置　本穴在後項，大椎直上二寸，橫開一寸（眼寸計）。

主治　瘰癧。甲狀腺腫。項强不能回顧。

療法　本穴治瘰癧單用直灸法，每灸七壯，過七日再灸七壯，連灸三次，癧消於無形。其他疾病針三至七分。

感應　上行至後頭，下行至項下，深針前行至頸前之甲狀腺。

功能　治瘰癧，甲狀腺及項强。

取法　量得大椎至後髮際作三寸計，若後髮際不正常者，取大椎至風府作四寸計。取大椎上二寸，再橫開一眼寸是穴。押指平按，針作八十度角，與穴對向平刺。

第二節 顏面部

耳之週圍

20 耳門 （三焦）「動脈」

位置 耳前小瓣之上口外三分陷中。

主治 耳鳴，耳聾，耳流膿水，耳生瘡，唇吻强硬。上齒痛。

療法 針三分，留三呼，灸三壯。

感應 一面入耳道，一面上行入髮際。

功能 治耳疾，並治上齒痛及頭痛。

取法 用押指甲平放於耳上口，向外沿出約三分間，有横陷處是穴。本穴有動脈，刺針時宜避開，如動脈適生正穴上，宜看脈在穴之偏上或偏下；如偏上者，用指甲將脈管拉上，在下方刺針；如偏下，則用指甲將脈管拉下，在上方刺針，可保安全。押指平按，針平向直刺。

21 聽會 （胆）

位置 在耳垂珠前上方，耳下口外二三分，頰骨面横凹中。

主治　耳聾，耳鳴，耳流膿水，口眼喎斜。下頷脫臼，牙關緊閉。

療法　針三分，灸三壯至五壯。

感應　一方面入耳孔，一方面出於面部，强者可達上下唇之間。

功能　治耳疾及面部疾患。

取法　用指甲橫放於耳下口，橫出面部二三分，在頰骨之上，有橫型陷凹處是穴。押指平按，針平向直刺。

22 聽宮（小腸）

位置　在耳中央，三角小瓣中央之前三分，耳小瓣與頰間之罅陷中。卽耳門，聽會之中間。

主治　耳聾，耳鳴，耳中有物塡塞不聞聲，耳流膿水。

療法　針三分，灸三壯。

感應　一方面入耳內，一方面走於上唇及鼻旁。

功能　專治耳疾，並治面部神經疾患。

取法　以指甲側按於耳前小瓣中央，與頰骨交界處，針隨甲側入，平向直刺。開口取之。

23 翳風 （三焦）

位置 在耳跟後，距耳約三至五分之腮骨後方罅陷中，穴當與耳珠下方平。

主治 耳聾，耳鳴。脫頷，頰腫痛，牙關緊閉。顏面神經麻痺，口噤不開。口吃。小兒喜欠。瘰癧。

療法 針五分，灸三至七壯。

感應 一方面入耳孔中，一方面下行於頸部。

功能 治耳，頰，喉疾患及瘰癧。

取法 針灸均應畧開口取之。治瘰癧當用直接灸。押指側按，針平向直刺。

24 耳尖 （奇）

位置 在耳殼之上方，捲耳取尖上是穴。

主治 眼生翳膜。便濁。白帶。

療法 單用直灸法；用碎米粒大艾粒，每灸五壯。

感應 上行入髮際，下行在耳殼邊沿之下方。

功能 治眼病及白帶。

取法 將耳捲至貼緊（並非摺耳）耳上方最尖處是穴。

25 頰車（胃）

位置 耳下八分至一寸間，頰曲之上，骨窩凹陷中。

主治 中風牙關不開，失音不語，口眼歪斜，口吐沫。頰腫牙痛。頸部諸筋神經痛或收縮，回顧不能。下頷脫落。

療法 針二，三分，灸三壯。

感應 上行上耳前，下行落下頷。

功能 治牙，耳，面及頸部等疾患。

取法 在頰曲骨之上，按之有橫型之陷凹處是穴，押指橫按針平向直刺。

26 三叉（奇）

位置 在聽宮聽會之間對開約三分至五分之三角骨陷中，卽顴骨與頰骨交界處。

主治 三叉神經痛，面神經痙攣或麻痺。

療法 針三分至五分，灸五壯。

感應　上達絲竹空，中達迎香上鼻樑，下達地倉至下唇。

功能　治面部神經疾患。

取法　以食指甲斜側押穴，針平向直刺。

眼之週圍

27 太陽（奇）「動脈」

位置　本穴在眉尾部及眼尾部之中間，向後約一寸，適當顳顬骨之陷凹窩。

主治　偏頭痛。眼球發炎。

療法　針約一寸，灸三壯。眼球發炎及實性偏頭痛針後在穴上附近之靜脈刺出血。風寒性偏頭痛，針後加灸三壯，其痛立止。

感應　透達太陽全部。

功能　治頭，眼疾患。

取法　以食指平放於眉尾眼尾之中間，平向後移動至一寸之間，將指畧重壓，作上下移動狀，即覺有一橫骨坑之所在，即是太陽穴，針平向直刺。

28 陽白（胆）

位置　在眉中間魚腰穴上行約一寸，再向後行約三分陷中，有筋應手處是。

主治　瞳子癢，目上視，遠視不明，昏夜無見，目痛，前額痛。惡寒重衣不暖。

療法　針二分，灸三壯。

感應　上行至前頂之一側；有電感。

功能　主治目疾，額痛及身體不暖。

取法　以眉中間陷凹處爲據點，斜後向上行約一寸，卽有一陷凹溝，溝中藏一條筋是穴，押指平按，針平刺在筋上便是。

29 印堂（奇）

位置　本穴在鼻樑上方之正中，兩眉頭之中間，俗稱眉心。

主治　小兒急慢驚風，嘔吐背反張，目上視不識人。久年頭風暈眩，產婦血暈。眉間疼痛。

療法　針一二分，灸五壯。

感應　上行上額；下行落鼻樑，左右至眉頭。

功能　專治驚風，嘔吐，頭暈。

取法　取鼻之上方，兩眉頭之中間。押指平放，針平向直刺。急慢驚風，當以三稜針刺出血

30 攢竹（膀）禁灸「小動脉」

位置　在眉頭之端陷中。

主治　眼中赤痛，瞳子癢，角膜白翳，夜盲，視力缺乏；淚液過多，目眩，目䀮䀮視物不明，眼瞼瞤動不得臥。眉間痛，前額神經痛。又治癲邪神狂鬼魅，風眩作嚏。

療法　針一至三分，禁灸。

感應　前至印堂，後至眉尾，微有電感，上行至額，下落鼻樑入眼頭部。

功能　主治眼部諸病及頭腦病。

取法　押指側放，針平向直刺。赤眼用三稜針刺入一分，擠出血。

31 絲竹空　禁灸（三焦）「小動脉」

位置　眉毛尾端陷中。

主治　目赤痛，角膜白翳，睫毛內刺，目䀮䀮視物不明，目上視不識人，頭目諸熱。顏面神經麻痺。偏正頭痛，頭目暈眩，發狂吐涎沫，風癇戴眼。

療法　針一、二分，禁灸。

感應　向太陽部伸展。

功能　治眼病及頭面諸病。

取法　押指側放，針與穴相對平向直刺。

32 魚腰　禁灸　（奇）

位置　在眉毛中間，眉骨陷中。

主治　眼瞼下垂，又名垂簾眼之特效穴；針後擠出血，可治眼球充血。

療法　針入一二分，得感應後，即用水平針術，向左右刺透攢竹，絲竹空。

感應　直針時在眉間及向額上行，平刺時，當在絲竹空及攢竹得感應，其感應只限於穴之本位。

功能　專治眼瞼下垂及眼球充血。

取法　押指側放直針，入針得感應後，針畧提出，左手隨將眼眉之皮提起，將針畧側放，入一二分，再提出少許，針再微放側，再入；再出，再側，直至針與皮平行，入針至攢竹，得感應後，始出針。出至一二分時；又側放，向絲竹空入一二分，再出，又再側，入一二分，又出些，再至與皮膚平行，入至絲竹空時，得感應後即出針。針法即算完成。如需出血者，用雙手拇指食指齊捏起穴上之皮，擠針口，即有血出，不須再用三稜針矣。

33 睛明 禁灸 （膀） 「小動脉」

位置 在目內眥（即眼頭）角外一分小陷中。

主治 目痛，遠視不明，白翳，眼球充血或癢，夜盲，結膜炎，迎風流淚，眼瞼下垂（配魚腰），瞳子生瘴，努肉攀睛。（配肝俞少澤）。小兒疳眼。

療法 針一分半至二分。禁灸。

感應 透達全眼球，有中型電感。

功能 專治眼疾。

取法 以押指側按眼頭，覺有一小銳肉點，在肉點正中線旁入針。同時使患者之頭靠壁，或臥於床上，左手押指（用食指）須輕按，但餘指須散開用强力按其他位置，以妨患者之頭部搖動。針平向直刺。

34 瞳子髎 不宜灸 （胆）

位置 在目外眥角之旁五分。眼眶骨上小骨溝中。

主治　頭痛，目癢，外眥赤痛，翳目青盲，淚出，多眵，遠視不明。顏面神經痲痺。

療法　針一至二分，不宜灸。

感應　向前入眼，向後入太陽部，向下落顴骨。

功能　主治眼病及頭面疾患。

取法　押指平放，向上下移按，取得橫小骨溝，針平向直刺。

鼻及週圍

35 鼻眼　不宜灸　（奇）　小動脈

位置　在鼻樑中部之兩側，在鼻樑軟骨與鼻硬骨交界處，有三角形凹陷，∴上方尖角縫處是穴。

主治　一切鼻病。

療法　針一分至一分半，不宜灸。

感應　上行至一邊鼻樑之上端，下行至全鼻孔及邊沿，微有電感。

功能　主治諸般鼻病。

取法　押指斜側放，針與穴對向，作七十五度角平刺之。

36 素髎 禁灸 （督）

位置 在鼻柱下端 準頭之尖；以指按之，中間有小溝處是穴。

主治 鼻中瘜肉，多涕，鼻塞，鼻生瘡，鼻衄，「鼻頭紅，以三稜針刺入一分出血。」

療法 針二三分禁灸。

感應 透達全鼻。有次等痛感

功能 主治一切鼻病。

取法 押指側放，針與穴對向刺之。

37 迎香 （大） 禁灸

位置 鼻孔外五分笑紋中。

主治 鼻加答兒，鼻孔閉塞，不聞香臭，衄血，鼻唱，瘜肉，骨瘡。口喎，唇腫，面癢，浮腫，面痺如虫行。

療法 針二、三分，禁灸。

感應 上入鼻孔，下行上唇邊並入牙。

功能 治鼻及面疾。

取法 平鼻旁笑紋中是穴。然亦可沿笑紋上二分針之，感應多可上達鼻孔中。

口之週圍

38 水溝　禁灸　（督）　次痛

位置 鼻下溝之正中，卽人中上下左右之正中。

主治 中風口噤，牙關不開，不省人事，口眼喎斜。癇發，癲狂，言語不識尊卑，乍哭乍喜。面唇瞤動，狀如虫行。目不可視。　。消渴飲水無度。水腫，面腫。小兒急慢驚風。上牙痛。口眼諸筋痙攣或收縮。暈針不省人事。

療法 針二、三分，禁灸。

感應 本穴祗有痛感，但針中神經時，眼淚必奪眶而出，口中充滿津液。

功能 本穴主治腦病，並治顏面諸病，消渴及上牙痛。

取法 押手取準人中之正中，押指輕手平按，針平向直刺，但勿穿過唇而達於牙。

39 地倉　（胃）

位置 口角之旁，去赤肉四分，肌肉之中。

主治　口眼喎斜，牙關不開。齒痛。頰腫。目不得閉，昏夜無見，遠視不明，瞳子癢，眼瞤動不止。失音不語。飲水不收。能舒頭面諸筋。

療法　針二至三分，灸五壯。

感應　祇在口角肌肉之間，力量輕微。

功能　治面，眼及牙患。

取法　押指側放，針作七十五度角平向直刺。

40 承漿（任）

位置　下唇之下，凹陷中之中央。

主治　口眼喎斜，口噤不開，暴瘖不能言。口喎。顏面浮腫。齒神經痛，口齒疳蝕，齲齒痛（灸）。

療法　針二至三分，畧開口取之，可灸七壯。

感應　透達於唇內下齒間，針中神經時，口內必出津液。

功能　治顏面，口腔，牙齒疾患。

取法　押指平放，針平向直刺。

41 夾承漿（奇）

位置　本穴在承漿穴之兩側，各開一（眼）寸。

主治　急疫，瘟疫，面頷腫。唇疔。

療法　針二三分，灸二壯；或以三稜針點刺出血。

感應　向下唇及下頷放散。

功能　專治瘟疫及唇疔。

取法　押指側放，針平向直刺。

第三節　頸部

42 廉泉（任）

位置　在頷下，結喉，（俗稱喉欖）之上間陷中；即喉頭部隆起之上方，其陷作V字形處是。女性者，其位置比男性稍高而細小。

主治 氣管加答兒，咳嗽，氣喘。咽頭喉頭加答兒。嘔吐。舌下腫，舌筋收縮，舌縱涎出，重舌。口瘡。

療法 針三分，灸三壯。

感應 透達喉頭及舌下。

功能 治喉，舌及口腔病，

取法 使患者頭畧仰，（但不可太仰，太仰則皮牽緊，反難取穴。）取得頷下頸上之喉頭隆起部之V字形處；用食指押穴，指側放，用五十度角，斜向前下針。〔下針時當使患者不可言語及吞嚥。〕

43 天突（任）

位置 頸下部之窩中，胸骨之上端陷中。

主治 面皮熱。咳嗽，氣逆，哮喘，喉中有聲，扁桃線炎。嘔吐，食不下，吐膿血，聲門筋痙攣，言語不能，（聲嘶）咽喉腫，咽冷，咽中生瘡。頸腫。胸中氣梗。舌下急。心與背相控而痛。五噎，噯酸腐，食管狹窄。甲狀腺腫（大頸泡）。

療法 針三五分至寸半。〔灸三至五壯〕

感應 針三五分，達於咽喉及扁桃之全部。針寸半時，有氣由下而上，直達甲狀腺而達於頰下；更有氣向下行而直達胃之賁門。

功能 治咽，喉，舌，食管及甲狀腺。

取法 用食指押穴，押指平放，取得胸骨之後旁時，將針搭於指甲之上，然後將指甲豎起至七十五度角，針卽以七十五度角斜向前下針。治咽，喉，舌病，針五分，治食管及甲狀腺腫針寸半。

44 缺盆（胃）有動脈

位置 在頸下兩旁各一穴。鎖骨後面之中央，直乳頭線。

主治 胸滿喘急。傷寒胸熱不已。缺盆下方之肋骨神經痛。喉痺。瘰癧。缺盆中痛，汗出寒熱。

療法 針三分至六分，灸三壯。

感應 向下行於胸部至乳之上方。

功能 治胸部疾患及瘰癧。

取法　用食指押穴押指平放；針向下直刺。

第四節　胸脇部

胸部正中綫

45　膻中（任）　禁針　氣之會

位置　横量兩乳頭之中間，當第五六肋骨之間，由兩邊會合至胸骨中央是穴。

主治　一切氣病；上氣，短氣，痰喘，欬逆，喉鳴喘欬不下食，噎氣。食道狹窄，食道癌，反胃，胸中如塞。心胸痛。肺癰嘔吐涎沫膿血。婦人乳汁少。

療法　禁針，灸七壯。仰臥取之。

感應　直接灸時，覺全胸部均有散開之感，但主力爲横貫兩乳，內入心胸深處。

功能　主治氣病，胸部諸病及食道疾患。

取法　人之肋骨生長，各有不同，有平型者，有灣型者；平型肋骨，可以依法横量兩乳之中間便是穴。但灣型肋骨時，如此取法，便不能標準，必須循乳頭所在之兩骨之間骨坑中，由兩面向中間摸去，兩骨坑會合於胸骨之處，便是膻中穴。

又如此取法，在男性，或處女型之乳房者，可算準確；若在於哺乳婦人，乳房下垂者，或作八字形向兩旁伸開者，或一高一低者，均不能作量度之標準。此種情形，須變通辦法，可從乳根穴沿向中央摸去，在摸到胸骨之旁時，跳上一條肋骨坑，再向中央摸去，便可得着。（參考乳根穴）

46 中庭（任）

位置　膻中下一寸六分（每隔一條肋骨，按古法規定，作一寸六分計算。）即膻中穴對下一條肋骨坑之兩端會合處。

主治　肺充血。喘息。扁桃腺炎。食道狹窄。嘔吐，小兒吐乳。胸膈支滿，飲食不下。

療法　針三分，灸三壯。

感應　入胸及下行入胃。

功能　治胸部及食道疾患。

取法　從乳根穴之肋骨坑，向中央摸去，兩骨坑相會處之中央是穴。仰臥取之，押指平按，針向下直刺。

胸部旁開四寸線，胸部第三線。

47 膺窗 （胃）

位置 在乳頭上寸六分，即乳頭對上一肋骨坑中。

主治 胸滿，短氣，唇腫，乳癰，乳癌，寒熱臥不安。

療法 針三分，灸五壯。

感應 向下行直入全乳房。

功能 治胸部及乳房疾患。

取法 從乳頭所在之肋骨坑，再上一條肋骨坑，對正乳頭直線是穴。仰臥取之，押指平按，針向下直刺。參72天樞穴之取穴法。

48 乳根 （胃）

位置 乳頭直下一寸六分，與乳頭位置相隔一條肋骨坑。

主治 乳腺炎，乳癰，乳癌。咳嗽。肋膜炎，肋間神經痛及痳痺。手臂腫痛。霍亂轉筋。胸中滿悶，胸痛。

療法 針三分，灸五壯。

感應 直透乳房全部。

功能 主治乳病，胸部及手部疾患。

取法 正常乳房，自然易取，若鬆弛乳房，祇將乳房擡起，乳房輪之下部之肋骨坑，自然顯露；按女性乳房，無論如何鬆弛及膨大，其鬆弛部只限於上方，乳根部絕不鬆弛也，偶有之，亦不過幾分而巳。仰臥取之。押指平按，針向下直刺。

49 期門（肝）

位置 臍上六寸，橫開四寸，在第八九肋之間。

主治 傷寒胸中煩熱，心中切痛，胸中痛不可忍，熱入血室，大喘不得坐臥。喜嘔酸，飲食不下，食後吐水，口乾消渴。胸脇支滿，脇下積氣，賁豚上下，肋骨神經痛，肋膜炎，泄瀉，霍亂，腹膜炎。難產，產後疾患。婦女陰痛不欲近丈夫，配腎俞。又產後噫，噎，呃，諸藥無效，灸期門必愈。

療法 針四分，灸五壯。

感應 透達胸脇全部。

功能　主治胸脇諸病。

取法　本穴取法，有需斟酌之處。因爲人肋骨之生長，不止有平型灣型之別（參膻中穴），按整排肋骨計算，亦有A字型與八字型之別。上文位置所記爲臍上六寸橫開四寸。若爲A型肋骨，此穴剛在肋骨坑內；若是八字型肋骨，此穴卽在整排肋骨之旁，卽未能到達肋骨範圍，祇在肋骨之內側旁，卽在肚肌之中。若在此處下針，雖不致全無功效，但與針在肋骨坑中之感應與功效相差甚遠。歷代各家，對此穴無甚主見，多因循了事，不求甚解，但本人主張，若遇八字型肋骨之患者，當不計橫開之寸數，針在肋骨坑中，當能達到理想中之功效。

旁開六寸線

50 中府（肺）

位置　天突下三寸，旁開六寸，第三肋骨之上。平開六寸之大筋上。

主治　傷寒胸中熱，喘氣胸滿，咳嗽上氣不得臥，喉痛。面腫，四肢腫。肩背痛。瘿瘤。泄胸膈諸熱。

療法　針三四分灸五壯。

感應 入胸行於乳之上方。

功能 專治胸部肺部一切疾患。

取法 摸準第二肋骨之下，向外橫開六寸，有大筋應手酸軟者是。卧而取之，押指側按，針向下直刺。

附錄 本穴能測驗肺病之輕重；用指在穴上一壓，痛爲肺傷，發驚爲肺破。痛尙可治，驚則不治。

51 章門（肝）臟之會

位置 臍上二寸橫開六寸，當第十一肋骨端之前。

主治 兩肋積氣如卵石，膨脹腸鳴，消化不良。腰痛不得轉側，胸脇痛不得卧，腹膜炎。喘息，心痛。嘔吐，洩瀉。賁豚積聚，腹腫如鼓，脾腫大。四肢懈怠，肩臂不舉。久瘧（灸）。便秘。能治五臟諸疾。

療法 針三分至五分，灸五至十壯。

感應 上行至脇，下行入腹。

功能　治胸，脇，腹，及脾臟諸疾。

取法　諸家著作，對章門穴之記載，常加『臍旁肘尖盡處』一句，殊不知此句記載，實在誤人不淺，因人體之生長，有長手短腰，與短手長腰之别；短手長腰之人，肘尖未到章門，長手短腰之人，肘尖已低過帶脈，兩者均不能準確。且肘尖盡處，範圍甚廣濶，前後可移動至三四寸之廣泛，更不能取得準確位置。臍上二寸橫開六寸位，在第十一肋骨端之前爲絕對準確。如遇特殊型之身材，可逕取第十一肋骨端前二三分便合。（參下文帶脈穴。）古籍載側臥取之，但仰臥取之亦無不可，其實仰臥時，四體平直，位置更能正常也。押指平或側按，針與穴對向刺之。

52 帶脉（胆）

位置　臍旁八寸。

主治　婦人赤白帶下，小腹痛，裏急後重，月經不調，子宮痛。兩脇氣引背痛。子宮下垂。

療法　針五分至八分，灸五壯。

感應　通達小腹部之中央。

功能　主治婦人白帶及小腹部疾患。

取法　正比例之身材，取橫量兩乳頭之長度，由臍中央橫量至盡處是穴。適當盤骨尖之上處。但本穴取法有幾種變化。因爲人身之長成，各有不同；女子多數先天生成濶胸窄腰，肥胖之人，是後天長成胖肚皮，與胸相較，便形成窄胸濶腰；若依兩乳頭八寸之計算法而取帶脉，在女子方面，其長度可能去到腰後之志室穴；若在胖人方面，仍未到達章門穴。若按此板法取穴施用針灸，當然無效。若遇此等人，帶脉尺寸可不需量度，取兩脇下盤骨尖對上，再取與臍平線，以手指在穴上向前後按，覺有筋應手處，便是正穴。平臥取之，押指側按，針平向直刺。

第五節　上腹部

上腹部正中線

說明：腹部直線取穴，當注意兩要點：一、人身由胸下之鳩尾穴至臍下曲骨穴，皮膚上有毛紋或暗影紋一條，紋下又有軟筋一條，此軟筋乃當刺之脈經，用指在紋上向左右推按，便可覺得。有時暗紋作灣曲形，當按知皮下軟筋是否灣曲。不論曲直，當以刺中皮下軟筋爲標準。如遇胖子，皮下軟筋無從摸得時，祇可按腹部正中線刺針，能否針中神經，端賴平術者之智慧與變通。又肥胖人之肚皮，脂肪甚厚，凡針胖人之肚腹，針須透過脂肪層，達到實肉，方能到達神經。當針未達實肉之時，針在脂肪層中，針下覺甚空洞之情形，全無抗力者。但當針抵達實肉時，便覺針下有抵抗力，此時再針入二三分，便到達神經，患者卽有感覺矣。

53 鳩尾（任）禁針

位置 在胸劍狀骨下一寸，卽臍上七寸，腹部之正中線。

主治 心驚悸，心囊炎，癲癇，狂，呆，腦神經衰弱。心痛、氣痛，胸滿欬嘔。喉痺，咽腫。心中氣悶，不喜聞人語。吐血。

療法 禁針，針則令人夭，灸三壯。

感應 向上行及向內行。

功能 治心，胃，腦諸病。

取法 使病人臥於床上，取胸劍骨至臍之中央，折作八份，胸劍骨對下一份，臍上對上七份是穴，上腹部之正中線。

54 巨闕（任）

位置　臍上六寸正中線。

主治　上氣欬逆，胸滿短氣。諸種心痛，心痛尸厥，心胸煩滿。嘔吐不能食，腹脹，黃疸，橫膈膜痙攣。直腹筋痙攣（古稱伏樑），腹部膨脹。發狂。狐疝（卽小腸下垂於腎囊）

療法　針四分至六分，不可深針，灸七壯。

感應　向上行至心窩部。

功能　統治心，胸，胃諸病。

取法　在臍上正中線，取準六寸位。當臥而取之，押指甲宜側放，針向下直刺，如想感應多向上行，針鋒宜畧向前，針柄向後作八十度角。

55 上脘（任）

位置　臍上五寸正中線，內當胃之賁門部。

主治　心悸亢進，心中煩熱，痛不可忍。腹膜炎，腸中疝痛，飲食不化，霍亂嘔吐，奔豚伏梁，氣脹積聚，堅大如盆。黃疸。痰多吐涎。風癇。吐血。

療法　針五至八分；灸五壯

感應　向上行至心窩部。

功能　統治心病，胃病。

取法　與巨闕同。

56　中脘（任）　腑之會

位置　臍上四寸，正中線。

主治　一切胃病，胃擴張，胃痙攣，胃出血，胃癌，胃炎，食慾不進，消化不良。腸神經痛，泄瀉，霍亂吐瀉。伏梁，心胃氣痛，心下脹滿。黃疸。癲疾。赤白痢。溫瘧。水腫。

療法　針五分至八分；灸七壯。

感應　向四週散放。

功能　主治胃病，兼治腸病及癇症。

取法　依巨闕取法，針向下直刺。

57 建里（任）孕婦忌灸

位置　臍上三寸，內爲胃之所在。
主治　水腫病。胃痛　嘔吐，消化不良。上氣嘔逆不食。下腹部痙攣。
療法　針五至七分；灸五壯。孕婦忌灸。
感應　在穴之週圍，但範圍不廣。
功能　治胃病，兼治下腹部疾患。
取法　依巨闕穴取法；針向下直刺。

58 下脘（任）

位置　臍上二寸，內爲胃之所在。
主治　胃擴張，胃痛，消化不良，慢性胃加答兒，嘔吐。日漸羸瘦。痞塊連臍。
療法　針五分至八分，留三呼。灸五壯。古法灸二七壯止百壯。
感應　在本穴之週圍。
功能　專治胃病及痞塊。
取法　如上穴。針向下直刺。

59 水分 （任）

位置 臍上一寸；內爲橫行結腸。

主治 水腫腹脹，繞臍腹痛。腸雷鳴。胃弱不嗜食，虛性胃擴張。腰脊痙攣。小兒顖骨久不生合（灸之，配陰交穴。）

療法 針五分至八分，留五呼。水腫病，加沉香末於艾中灸之，能收大效，多灸更佳。古云灸七七壯，止四百壯。

感應 向下行，直至尿道。

功能 主治水腫病，並治腸胃病。

取法 同上穴。

附註 古云此穴禁針，針之出水盡卽死。但今人針之者屢，未見有此現象，此說想爲不眞確之事。或爲古人之針粗大，或可能曾發生此現象，亦未可料。

60 陰都 （腎）

位置 臍上四寸；中脘之旁五分。

主治 胃不消化，五噎隔氣，胸悶喘息。心下煩滿。肺脹。目赤痛從內眥起。

療法　針五分至八分；灸三壯。

感應　在中脘一帶。

功能　治肺胃氣病。

取法　先取得中脘，再旁開五分是穴，臥而取之。押指側按，針向下直刺。

第六節　下腹部

下腹部正中線

61 神闕（任）禁針

位置　當臍之中央。深部爲小腸之所在。

主治　中風不省人事。水腫病，腹部鼓脹，腸雷鳴如流水聲。霍亂。腹中虛冷，泄利不止。小兒乳痢不停；風癎，角弓反張。婦人血冷不孕，婦人脫胎。（常患脫胎者，有孕後，常灸此穴，可保胎之安全。）小便不通。脫肛。脫陽（卽性交時出精不止者，灸之卽愈。）急性諸病，腸胃一切疾患均效。又治胃下垂有大效。

療法　灸三壯至百壯。禁針。

感應　上達胃，下經小腹而達於尿管。

功能　統治腸胃一切疾患及諸般急症。

取法　臍孔深者，當塡鹽於臍中，於鹽上放艾灸之。灸後臍中必有水泡，故灸本穴時當一次灸足艾壯。若一次仍未足可再灸，但不可將泡刺破，聽其自乾爲佳。若臍孔不深者，以灸在臍中之皮上爲佳。

附註　古書云，針神闕穴能生惡潰瘍，屎出者死。

62 肓俞（腎）

位置　臍旁五分，臍中央線起計。

主治　胃痙攣。習常性便秘，下痢。胃部冷却。腹切痛。腸加答兒。黃疸。目赤痛從內眥起。

療法　針五分至一寸，灸五壯至七壯。

感應　在穴之週圍。

功能　主治腸胃病。

取法　從臍中央量起，旁開五分。其他如陰都。

63 陰交（任）

位置　臍下一寸，正中線。

主治　氣痛如刀攪。腹塡堅痛，下引陰中，不得小便。兩丸疝痛，陰囊濕癢。腰膝拘攣。臍下熱。婦人尿道加答兒。帶下不止，繞臍冷痛。月經不順，月經過多。產後血暈，惡露不止。陰癢。賁豚上腹。水腫。「小兒顖骨，久不縫合（配水分穴灸之）。」

療法　針五分至八分。灸五壯至百壯。

感應　直透下腹至尿道。

功能　治下腹部疾患，及男女前陰病。

取法　從臍中心量至恥骨邊際，作爲五寸計。取臍下一寸之臍下正中線是穴。臥而取之。押指側放，針向下直刺。如欲感應上達於臍者，針鋒微向上。如向下直針者，感應必下行，不須針鋒向下也。

64 氣海（任）　氣病主要穴

位置　臍下一寸半正中，深部爲小腸之所在。

主治　下焦虛冷，上衝心腹；或爲嘔吐不止。或陽虛不足，驚恐不臥。腹腫脹氣喘。心下痛冷。面赤。臟虛氣憊，眞氣不足，一切氣疾久不瘥。肌體羸瘦，四肢力弱。奔豚七疝。小腸膀胱癖瘕結塊，狀如覆杯。腹暴脹按之不下。臍下冷氣；陽脫欲死，陰症傷寒卵縮。四肢厥冷。大便不通，小便赤。卒心痛。婦人臨經行房後羸瘦。崩中。小兒遺尿。五淋白濁。婦人赤白帶下，經事不調；產後惡露不止，繞臍腹痛。子宮出血。膀胱括約筋麻痺。遺精。氣喘，一切氣疾。小腹部諸疾。

療法 針六分至一寸，灸七壯至百壯。

感應 上至臍中，下至尿道。

功能 治一切氣病，男女生殖器病，一切虛弱病。

取法 如陰交。

65 石門（任） 婦女不宜針灸 犯之絕子

位置 臍下二寸；內爲小腸之所在。

主治 腹脹堅硬，水腫支滿。小腹痛，洩瀉不止。盲腸炎。嘔血，小兒脾疳，小便黃赤不利，諸般淋症；卒疝疼痛，陰囊入小腹。子宮神經痛；婦人因產患惡露不止，遂結成塊。崩中，漏下。

療法　針六分至一寸，灸七壯至二七壯。婦女禁針灸。

感應　透達下腹至尿道。

功能　治小腹及男女前陰疾患。

取法　如陰交，但上行之氣未必達臍。

按語　本穴婦女不宜針灸，而偏能治婦科病，表面看來，似屬矛盾。但根據醫家理論之「有病病當，無病身當」一語，婦女有病，用之亦不妨事。此穴雖主婦女不宜針灸，但並非絕對有效。曾試爲數名多子婦人針灸石門穴多次，不但無效，反速致其再孕。是卽所謂盡信書，不如無書也。但亦不可全部不信，因古人必有經驗，然後筆之於書，是又不可不信也。不過在事實上，人各不同而已。正如合谷孕婦禁針，亦有驗有不驗也。有人受孕後，屢針合谷、三陰交及其他孕婦禁針穴，其胎絕不動搖；間有人爲孕婦人治其他病，而誤針合谷一二次，下體卽告出血；此卽人各不同之一例也。然而石門一穴，其所治病之效能，不出乎氣海與𨿽元之範圍中，實可不必用石門也，但使學者知石門爲婦女禁穴之意而已。

66. 關元 （任） 孕婦禁針灸

位置 臍下三寸，深部爲小腸，在女子則爲子宮底。

主治 積冷諸虛百損。臍下絞痛，漸入陰中。氣喘。冷氣入腹，小腹奔豚。夜夢遺精（不可直灸，灸則反更遺）五淋。七疝。洩血，小便赤澀，遺溺。轉胞不得溺。婦人帶下瘕聚，經水不通。不妊，或妊娠下血，或產後惡露不止，或月經斷絕。腸出血。夜尿，多尿。

療法 針六分至一寸二分，灸七壯至百壯。孕婦禁針灸。

感應 下行直達尿道。

功能 治下腹一切疾患，包括男女生殖器病，並治氣病。

取法 取臍下三寸正中線，押指側放，針向下直刺。當平臥而取之。

67 中極 （任）

位置 臍下四寸，內爲小腸及子宮位置。

主治 陽氣虛憊。小腹寒冷，冷氣時上衝心。失精無子。水腫。尸厥恍惚。腹中臍下結塊，奔豚。疝瘕。五淋。小便頻數、不得小便。飢不能食。婦人產後惡露不行，胎衣不下；經閉不通，血積成塊、子門腫痛不得小便，赤白帶下，崩，漏，陰戶搔痛。臨經行房後羸瘦。子嗣艱難。

療法　針六分至八分，灸五壯至百壯。

感應　下達生殖器及尿道。

功能　治男女生殖器病。

取法　如關元。

68 曲骨（任）

位置　臍下五寸，橫骨之上方，毛際陷中。

主治　五臟虛弱。失精，下腹痙攣，小腹滿，小便淋澁不通，淋疾，尿閉。失精。子宮內膜炎，子宮潰瘍，子宮出血，產後惡露不止。

療法　針五分，灸七壯至百壯。

感應　透達生殖器及會陰部。

功能　治男女前陰病。

取法　取橫骨上方邊際是穴。

69 會陰 （任）

位置 在兩陰之間，卽大小便之中間。

主治 陰臚頭痛，陰中諸病；前後陰相引痛，不得大小便。男子陰端寒痛。直腸搔癢，久痔。閉經。陰門腫痛。心竅中熱。皮疼痛。卒死。溺死針一寸。（針後屎尿出則生）。

療法 針五至七分，灸三壯。禁針乃古之說法，其實此穴並不禁針，余曾針過多次，不但無不良後果，且收效極佳。

感應 透達生殖器之全部。

功能 治前後陰病及卒死溺死。

取法 本穴取法，極有研究之價值；按經穴學載，會陰穴在兩陰之間，卽大小便之中間。驟觀之，似乎清楚而容易；但在有經驗者視之，亦有困難之處。以女性而言之，前後陰之相距，有近有遠，有相距約五分之間者，有相距寸餘者；但無論遠近，兩陰之間，界線顯然，取之不難也。在男性言之，後陰與前陰之距離，並無界線可尋。若當男性生殖器勃起時，以指觸之，可以顯然分清，摸出界線，但在未勃起時，界線無從觸摸。以余之經驗，常針在肛門前約五分之處，有感應達於前陰之全部者爲的穴側臥曲足取之，與穴對向下針。

70 囊底（奇）

位置　在男性陰囊底之正中，縱紋上。

主治　諸疝，陽萎，囊冷，腎囊鬆弛，射尿無勢，射精無力，性冷感，及腎家一切疾病。

療法　本穴單有灸法，每灸七壯，炷如碎米粒。

感應　向後行至會陰部。

功能　統治男性生殖器病。

取法　使患者直立，取囊底之正中，卽兩睪丸之中間，在縱紋之上。如有睪丸大小，或偏墜高低者，縱紋必不在正中者，仍當灸在縱紋之上爲宜。

71 龜頭（奇）

位置　在男性生殖器頭部之後，卽頸部溝中，上面之正中。

主治　陽萎。

療法　針一分。禁灸。

感應　有中等痛感。

功能　單治陽萎。

取法　左手執患者之生殖器，取準頸部上面之正中，用單刺法，一刺即出。

下腹部旁開二寸線

72 天樞（胃）孕婦禁針

位置　臍旁二寸。

主治　一切腸病主要穴：急慢性胃腸病，赤白痢，霍亂，煩滿嘔吐，腹痛，泄瀉腹脹氣喘，水腫。寄生虫。「久積冷氣，繞臍切痛，時上衝心。」婦人女子癥瘕，月經不順，子宮冷却，赤白帶下。

療法　針五分至八分，灸五壯至百壯。孕婦不可針。

感應　直走穴下二三寸之間。

功能　主治腸病及婦科病。

取法　量取兩乳頭八寸，一半爲四寸。取臍旁二寸位是穴，（須從臍中心量起）押指須側按，針向下直刺，臥而取之。

附註　兩乳頭八寸之取法，男性當然易取，女性乳房，頗有不同。女性乳房，大概分爲三種型：一爲定型乳房，卽處女乳房，未變形者；二爲長型乳房，三爲八字型乳房。定型乳房，卽處女乳房，當然標準，易於量度。長型乳房，亦有易於量度者，但普通多數向兩旁畧爲横開。八字型乳房，便失去量度之標準。又哺乳期之女性，乳房常顯不定型狀態，或大小不同，或高低不齊，甚難量度。根據以上之不定型乳房．取兩乳頭八寸，甚爲困難，可變通而行之。凡大乳房，必向下低垂、乳部最高處兩旁，爲乳房聳起與胸肌相離之開始部份，取其兩旁線之中央線爲標準，此卽乳頭未發育時之中央點。如此則不論任何畸形，均可取得標準之中央點矣。

73 大巨（胃）

位置　臍下二寸，旁開二寸。卽石門旁開二寸。

主治　小腹脹滿。煩渴小便難。四肢不收。驚悸不眠。睪丸痛，卵巢炎。

療法　針五至八分，灸五壯。

感應　向下直行，經小腹至睪丸，

功能　主治生殖器及小腹病。

取法　取臍下二寸，再旁開二寸，臥而取之。押指側按針向下直刺。

74　水道（胃）

位置　臍下三寸，旁開二寸，卽關元旁開二寸。

主治　腰背强急。膀胱加答兒，大小便不通。睪丸炎，脫陽。子宮及陰道冷却。月經困難，閉經。婦人小腹脹滿。水腫。

療法　針五分至八分，灸五壯。

感應　向下行，直達生殖器及尿道。

功能　專治水病，如水腫、尿閉，經閉及生殖器病。

取法　取臍下三寸，旁開二寸，臥而取之，押指側按，針向下直刺。

75　歸來（胃）

位置　臍下四寸，旁開二寸，卽中極旁二寸。

主治　一切疝病，睪丸炎，陰莖神經痛，睪丸上縮入腹。卵巢炎，月經閉止，膣神經痛，不妊症，一切生殖器病。小腹奔豚。

療法　針五分，灸五壯。

感應　向下行；男性直達睪丸，女性直達生殖器及尿道。

功能　專治男女生殖器病。

取法　取臍下四寸，旁開二寸，臥而取之。押指側按，針向下直刺。

76 氣衝（胃）旁有大動脈

位置　臍下五寸，旁開二寸，卽曲骨旁二寸。

主治　逆氣上攻，腹滿不得正臥，小腹奔豚。睪丸炎；睪丸上縮入腹，引陰中痛。陰莖痛。婦人無子，卵巢炎，月經不順，難產，胎衣不下。淫濼。小腸痛。「吐血多不愈，以三稜針刺本穴出血立愈。」

療法　針三分至五分，灸三至七壯。

感應　上至期門，下達陰廉穴。

功能　治氣逆及生殖器病。

取法　此穴本禁針，其原因是避穴旁之大動脉，有時大動脉生正穴之正中，刺中有大害，所以古人列爲禁針而已。取臍下五寸，恥骨邊際，旁開二寸，卧而取之。下針之先，須先摸着大動脉在何處，若脉在穴之左，押指須在左邊放下；若脉在穴之右，押指須在右邊放下，務須先保護動脉之意，動脉既在指甲下，斷不會有刺中之險。若脉在穴之正中，當用押指之甲將動脉拉開，然後下針。押指側放，針向下直刺。

77 陰廉（肝）

位置　在氣衝直下二寸，鼠蹊溝之中央，大腿內廉之上端盡處，筋上方之窩陷中。

主治　不妊症，子宮後屈症。未經生產者，灸三壯卽有子。又治上腿內廉神經痛。

療法　針五分至八分，灸三壯。

感應　下行於腿之內側，上入腎囊或陰門。

功能　專治不孕及上腿內廉痛。

取法　使患者腿張開，在鼠蹊溝間，氣衝下二寸間，摸得大筋一條，在大筋上方之最窩處是穴，坐或卧取均可。押指側放，針向下直刺。唯須愼防氣衝動脉之下端，有時由陰廉穴而下，倘未下針之前，當先摸清楚。

78 外巨（奇）

位置　臍下二寸，旁開四寸；即大巨穴旁二寸，

主治　腸神經痛，腎囊睾丸疾患，卵巢疾患。

療法　針五分至八分，灸三至七壯。

感應　向下行直達腎囊之一側。

功能　專治腸及腎囊疾患。

取法　取臍下二寸，橫開四寸，臥而取之。押指側按，針向下直刺。

第七節　背部

肩髆範圍

79 肩井（膽）孕婦禁針

位置　在肩上之大筋中部之中央，按之有陷是穴。

主治　頭項痛，頸項部痙攣。肩臂疼痛，兩手不能向頭。中風，氣塞，涎上不語。婦人難產，早產後下肢厥冷，乳癰，乳癌，乳腺炎。實熱性胸痛。

療法　針五分，深針一寸二至寸半。灸五壯，孕婦禁針。有心病者，勿深針。

感應　淺針時，上達太陽，下達肩膊。深針向前，由胸直下，達第十肋間；深針向後，可達背後八九肋間。

功能　治頭胸膊背臂諸部病。

取法　以拇指及中指，揑肩上大筋中部之中央，以食指在筋中央按下，即覺有陷，即在陷處下針。頭，項，肩，背病用淺針，胸部病用深針；有心病者如心弱，心跳，心驚，心翳，心痛等病之現狀及歷史者，均不可深針。如誤犯而致發生危急之心臟病變時，即雙灸間使七至十四壯，雙灸獨陰七壯，即可無事。

80 肩髃（大）

位置　肩尖之中央，臂外廉之上端，與鎖骨端相接處，舉臂有窩陷之處是穴。

主治　中風半身不遂，肩臂筋骨疼痛或無力，頭項不能回顧，手不能上頭，四肢熱。勞氣泄精，憔悴。瘰癧，諸癭氣。

療法　針五分至八分，灸七壯，不可過多，多則使臂肌收縮。

感應　下行至臂之中部。

功能　治肩臂病，並治瘰癧。

取法　臂平擧，肩尖部有窩陷處是穴，如臂不能擧起者，取正肩尖之中央，以指輕按之，有小窩陷處是穴，押指側放，針作七十五度角向下刺。

81 巨骨（大）

位置　肩尖端上行，兩叉骨罅間，卽鎖骨與肩胛骨之相接處陷中。

主治　小兒驚癇。吐血，下齒痛，肩臂不得屈伸。氣喘。

療法　針三分至五分，灸七壯。

感應　一方面下行於臂，一方面入於胸廓內部。

功能　治氣喘及肩臂病。

取法　從肩顒直上寸餘，後些，卽覺有叉骨狀之處，叉骨近肩端之盡處罅中是穴。押指平按，針向下作八十度角微向前下針。有人取於鎖骨端之前方，殊屬謬誤。

背部正中線

82 大椎（督）

位置 第一胸椎之上，正中陷中。

主治 主瀉胸中之熱及諸熱氣，各種瘧疾。肺氣腫，五癆七傷。歇斯的里。外感寒熱，胸中如壓，氣短不語；頸項部痙攣，不能回顧。嘔吐。衄血。

療法 針五分至一寸又橫針與肌肉平，可針寸半，灸五壯，又以年爲壯。

感應 入五分則上達於項，下達於脊；入一寸則前達於胸前。橫針向左則上左項，向右則上右項。

功能 主治外感發熱，肺病，瘧疾。

取法 將頭下垂，項下背上，自然顯出三節明顯之椎骨，中節最濶大最高者爲頸椎第七節，再下一椎爲胸椎第一節。兩椎骨之間骨縫中便是大椎穴。刺此穴時，使患者俯首，押指平放，針以約八十五度角向下直刺。普通病針五分至七八分，若胸中不舒，可針一寸，使感應達於胸前，若項强不能回顧，當用橫刺法，使感應上行上項。

說明 人身脊椎骨，頸部七椎，胸椎十二，腰椎五，薦骨四，另有尾閭骨。頸椎第七，常大於頸椎第六及胸椎第一。當人俯首時，背上項下，自然顯出三節明顯之椎骨。在普通情形之下，大椎穴顯而易見。但亦有特別情形者，卽三椎均一樣大小者，有只顯二椎者，亦有只顯一椎者；更有胸椎第一大於頸椎第七者。更有大胖子肉厚至全不見椎骨者。第一椎骨若取之不當，以下椎骨及俞穴，便一概推翻 全無功效。所以對於椎骨，平時當多研究與體驗，到時自然一目了然。至於經穴學所載「與肩平」一語，實誤人不淺，在平肩者，多與肩平，但卸肩者，大椎穴永不與肩平者也。

83 陶道（督）

位置 第一胸椎之下正中陷中。

主治 瘧疾。肺癆。發熱惡寒，瘈瘲。項部及肩胛部諸筋痙攣。

療法 針五分至八分。灸五壯。

感應 直刺則向下行，橫刺平針則上項，橫刺針鋒畧低，則感應向下斜行於兩旁。

功能 與大椎畧同，功能畧遜。

取法 根據大椎取法。並使患者府首取之。押指平按，針與骨縫中央相對向下針。

84 身柱（督）

位置 第三胸椎之下正中。

主治 疔瘡。腰脊痛。肺癆，咳嗽。神經衰弱。發熱瘈瘲，妄言妄見，癲病狂走，怒欲殺人。小兒驚癇。「風癇發狂惡，灸三椎下及九椎下可愈」。

療法 針三分至五分，灸五壯。

感應 通於脊椎之上下。

功能 主治疔瘡，腦亂及肺病。

取法 使患者俯首，取三椎下正中，押指橫按，針與骨縫對向平刺針。

85 神道（督） 不宜針

位置 第五胸椎之下正中。

主治 心臟諸病。頭痛，腦神經衰弱，健忘，驚悸，頰車脫臼。小兒風癇瘈瘲可灸七壯。

療法 灸五壯，不宜針。

感應 直接灸時，有氣透達至前心。

功能 專治心病腦病。

取法 使患者俯首，取第五椎與第六椎之中間罅陷中。

86 靈台 （督）

位置 第六胸椎之下正中。

主治 氣喘不能臥，風冷久咳，疔瘡。

療法 針五分，灸三壯。

感應 透達上下二三椎之間。

功能 治氣喘，咳及疔瘡。

取法 取第六七胸椎之間，押指平按，針平向直刺。使患者俯首取之。

87 至陽 （督）

位置 第七胸椎之下正中。

主治 氣喘。腰背神經痛。黃疸。胃部寒氣不能食。四肢腫。少氣難言。腹中鳴。瘰癧。

療法　針五分，灸三至七壯。

感應　透達於上下二三椎之間。

功能　治喘，黃疸，癰及腸胃病。

取法　取七八胸椎之中間，押指平放，針平向直刺，使患者俯首取之。

88　命門　（督）

位置　第十四椎（卽第二腰椎）之下正中。

主治　腎虛腰痛，男子洩精，目眩，耳鳴，陽萎，手足冷痺攣曲。頭痛如破，身熱如火，頭暈，骨蒸汗不得出。小兒發癇，腦膜炎，角弓反張。婦人赤白帶下。血崩。痎瘧。腸疝痛，痔漏下血，脫肛不食，洩利。瞳子忽然不能見物（灸）配肝俞（針）。流尿。

療法　針五分至一寸，灸三壯至數十壯。少壯者（年未過三十）不宜灸，灸之有絕子之恐。女性不禁

感應　淺針下達尾閭，深針一寸，前達臍中。

功能　治頭，腎，足及腸病。

取法　取準十四椎下之正中，押指平按，針平向直刺，坐而俯首取之。

說明　經穴學中，常教人取命門穴當與臍平，其實絕不可靠；普通瘦人之身材，偶有與臍平者，惟大多數不然，而體胖之人，肚皮大而鬆弛，臍孔多向下垂，更無標準。本穴取法有三種，一爲數椎骨，此法爲最可靠。其次爲對肚臍。第三法爲取脇下兩旁之盤骨尖線，兩端齊向中間拉平，此位置多爲第十六椎之下，若非正在十六椎之下，亦爲第十六椎之位置，對上兩椎，卽爲第十四。學者根據此三法取穴，其中兩者符合，可爲正穴。又有一證據，深刺能前達臍中者亦爲的穴。

89 陽關（督）

位置　第十六椎（卽第四腰椎）下正中。

主治　膝關節炎或神經痛，不可屈伸，風痺不仁，筋攣不能行。腰椎神經痛。腸加答兒。易洩。

療法　針五分至一寸，灸五壯。

感應　向下行至尾閭。

功能　治足膝及腰疾患。

取法　取得十六椎下之正中，押指平按，針平向直刺，坐而取之。

90 腰俞（督）

位置 尾閭骨之上部，廿一椎之下

主治 腰背神經痛，不得俯仰，腰以下冷痺不仁，强急不得坐臥。小兒夜尿症。婦人月經閉止。溫瘧汗不出。傷寒四肢熱不已。

療法 針五分至八分，灸五壯。

感應 上達腰部，下至肛門。

功能 治腰，足，夜尿，閉經及熱病。

取法 取本穴時，最好使患者側臥踡足取之。取法當由尾閭骨向上摸至與荐骨交界處，有横型小骨縫是穴。押指側按此骨縫之中央，針平向直刺。

91 長强（督）

位置 尾閭骨下約五分之處，肛門之上。又肛門之上五分，筋中央爲最確。

主治 腰脊强急不可俯仰。狂病。大小便難，腸風下血．脱肛，痔疾，瀉血，裏急後重，洞洩不止，小腸氣痛。淋疾，驚恐失精，脱陽，縮陽。嘔血。小兒顖陷，驚癇瘈瘲，瞻視不正。

療法　針五分至七分，灸五壯至二三十壯。

感應　透達全肛門。下針時有痛感，亦有不痛者。

功能　治前後陰一切疾患，並治腰病腦病。

取法　古法伏地取之　令患者受苦，今當使患者側臥，押指平按或側按均可，針須與穴對向平刺。所謂對向者，即穴向東，針即向西，穴向南，針向北，穴向左，針向右，穴向上，針向下是也。其實針刺穴中，百份之九十爲對向施針。學者明此，則施針治病，幾無難處矣。又尾閭骨有灣左灣右灣入裏及長短之別，仍以肛門後五分筋中央爲標準。

旁開寸半線及三寸線

說明　背部旁開線共兩條，其一從脊中旁開寸半，其一旁開三寸。關於脊部旁開線，自古已分兩派，一派如上述，另一派乃旁開二寸及四寸者。又有人主張第一線旁開二寸，第二線再開寸半，即三寸半。又有人主張脊部橫開線，仍爲寸半三寸，但須除脊骨量度，即在脊骨邊沿量起。如此這般，令學者摸不着頭腦，不知何去何從。以上各種量度法，在一卷針灸大成中，已諸式具備，眞是盡信書不如無書也。究竟何者爲最準確，非老於此道而富有經驗者不能瞭然也。根據余二十年之經驗中，均以第一說爲的，最爲眞確，最有效，即從脊中間之正中線，以同身寸中指寸法量取寸半作第一線，三寸作第二線。余每見同業中取二寸者，均失去治療之效能，換言之，即毫無功效。而除脊量寸半者，等于上述者一樣失效。況脊骨之胸椎小，腰椎大，量胸椎時距離較近，量腰椎時，距離較遠，如此其旁開線便成斜形，如何得標準，此說實不攻自破。

標準身材之同身寸法，從脊中央線，量取寸半三寸爲準確之量法，可有幾種證明，最顯明之證據爲刺入時，即有感應，而其感應，能上通下達，立見功效。針二寸時，而反毫無感應。第二個證據爲膏肓俞穴。此穴適在脊中央線旁開三寸，膏肓俞穴適在背之大筋上，此大筋爲膏肓俞穴之神經，針中此穴之筋、肩膊及臂膀均受震動，此可證明三寸位之準確性。針四寸位時，並無此感覺。第三個證據，試以甲側放 從脊骨向外橫刮，到寸半位時，自然覺得有陷下之感，此爲肌肉之縫隙，俞穴神經，即在此隙中。試以同身寸量之，剛爲從脊中線旁開寸半之位置，絲毫不差也。若再向外刮時，剛在三寸位之間，指甲亦有陷下之感，亦適爲三寸線之位置。若患者之身體爲非正比例者，卽手指特別短者，量度不準確時，可用上法取得準確之俞穴也。

再者：體前之旁開穴、乃根據任脉線而旁開取穴，因此，背部之旁開線，亦應根據督脉之正線而旁開取穴也。

92 大杼（膀）

位置 第一胸椎之下，旁開一寸五分，陶道之旁一寸五分。

主治 傷寒汗不出，惡寒，項强不可俯仰，咳嗽。頭痛，頭暈，目眩，胸膜炎，胸中煩熱，聲音沙啞。瘧疾。癲疾。膝痛不可屈伸。

療法 針三分至五分，灸三壯。

感應 上項走膊及斜向外側下散放。

功能 治肺，胸，背，頭及瘧疾。

取法 使患者正坐，頭畧俯，取第一胸椎下之正中旁開寸半，用中指同身寸法，男左女右量取之，以下相同。押指平按或側按均可。針平向直刺。

93 風門（膀）

位置 第二胸椎下，旁開一寸五分。

主治 主瀉一身熱氣及肺部諸熱氣。傷寒頭項强，氣喘，多嚏，鼻流清涕，鼻衄，及一切鼻病；胸膜炎或胸中煩熱，氣管枝炎或咳嗽，小兒百日咳，肺癆，嘔吐，黃疸，胸背痛。癰疽發背。常刺此穴，能泄諸陽熱氣，背部永不發癰疽。

療法 針三分至五分，灸五壯。

感應 上行上肩膊及後項。

功能 治肺病鼻病及背部疾患。

取法 取第二胸椎下之正中，旁開一寸半。押指平按或側按，針平向直刺。正坐畧俯首取之。

94 肺俞（膀）

位置 第三胸椎下，旁開一寸五分。身柱之旁一寸五分。

主治 主瀉五臟之熱。肺癆，肺萎，氣喘，肺出血，咳嗽。偃臥胸滿短氣，心內外膜炎，心臟麻痺。肉痛皮癢，贅瘤。腰背頭項强直。小兒龜背龜胸。口內炎，口舌乾，食後吐水，嘔吐。失眠。

療法 針三分至五分，灸三壯至百壯。

感應 上行至肩膊，下行斜向外側，身强者可繞達胸前。

功能 主治肺病，並治心病，皮膚及失眠。

取法 取三椎下正中線，旁開一寸五分。押指平按或側按，正坐畧俯首取之。

95 心俞（膀）

位置 第五胸椎下，旁開一寸五分。神道之旁一寸五分。

主治 主瀉五臟之熱。心內膜炎，恍惚心驚，心胸悶亂。健忘。肺癆。瘖啞。發狂、發癇。偏風半身不遂，中風偃臥不得傾側。遺精，白濁，陽萎、眼昏花。咳血，吐血，衄血。黃疸。食道狹窄。健忘。心胸悶亂。小兒氣不足，數歲不能語。（灸）

療法 針三分至五分，灸三至五壯。

感應 斜下向外行。

功能 主治心，肺，腦，生殖器，血病等。

取法 取第五椎下，旁開寸半，押指平或側按，針平向直刺。

說明 心俞穴，一說禁灸，但古書中並未說明理由。資生經又云：「刺中心一日死，豈可妄針」云云。據此而論，則針灸均不可；但本穴又能治多種病。既不便針，又不能灸，如何能治病乎。其實本穴針灸均無妨事。余曾灸過患者不下千數百次，不但無害，且功效非常。至於刺針，更不成問題。資生經所云刺中心一日死，此爲刺針者之誤而已；刺針治病，乃刺中肌肉之神經，並非刺入軀内之臟俯器官也。禁針歌云：「刺中五臟胆皆死。」此誠眞理。豈可學江湖之輩，亂刺深入，以誤人性命哉？

96 膈俞（膀） 血之會

位置 第七胸椎之下，旁開一寸五分。至陽之旁一寸五分。

主治 心臟内外膜炎，心臟肥大，心臟痲痺。胸膜炎，横膈膜痙攣。氣喘，氣管枝炎，骨膜炎。胃加答兒，胃癌，嘔吐，食道狹窄，食慾減退。腸加答兒。腸出血。四肢倦怠（配大陵）。自汗，盗汗，癬，疽，瘡，疥及一切血毒皮膚諸症。

療法 針三分至六分。灸三壯至十壯。

感應 斜下向外行。

功能 主治一切外科血症及心，肺，胃，腸，等症。

取法 取第七椎下旁開一寸五分，押指平按，針平向直刺。坐而取之。

97 肝俞（膀）

位置 第九胸椎之下，旁開一寸五分。

主治 主瀉五臟之熱。肋間神經痛，胸骨部痙攣。熱病後因食五辛目暗，淚出目眩，淚液過多，熱痛生翳，努肉扳睛（配少澤），眼目一切疾患。多怒。黃疸。咳血，吐血。

療法 針五分，灸三至七壯。

感應 斜下向外行，强者能至脇下。

功能 治吐血，咳血，眼疾及胸脇痛。

取法 取第九胸椎下，旁開寸半，押指平或側按均可，針平向直刺，坐而取之。

98 胆俞（膀）

位置 第十胸椎之下，旁開一寸五分。

主治 寒熱往來，頭痛，口苦舌乾，咽痛，乾嘔。食道狹窄，黃疸，胆囊諸疾病。肋膜炎。腋下腫脹。骨蒸癆熱。

療法 針三分至五分，灸三至五壯。

感應 斜下向外行。

功能　治胆病及由胆經所發之一切疾患。

取法　取第十胸椎下，旁開一寸五分，押指平或側按，針平向直刺，坐而取之。

99 脾俞 （膀）

位置　第十一胸椎之下，旁開一寸五分。

主治　主瀉五臟之熱，胃痙攣，胃弱，食不下，多食身瘦，嘔吐，腹脹引胸背痛。腸加答兒。黃疸。水腫。氣喘。瘧疾，久瘧用直灸法。脾腫大。

療法　針五至七分，灸三至七壯。

感應　斜下向外行。

功能　主治脾胃病及瘧疾，喘，黃疸。

取法　取十一胸椎下，旁開一寸五分，押指平或側按　針平向直刺，坐而取之。

100 胃俞 （膀）

位置　第十二胸椎之下，旁開一寸五分。

主治　霍亂。胃癌，胃加答兒，胃痙攣，胃擴張，消化不良，多食羸瘦，嘔吐，腹痛胸脇膨脹，腸雷鳴，十二指腸虫。脊痛筋攣。肝臟肥大，惡疸。視力缺乏。小兒夜盲，吐乳，青便，羸瘦。中濕腹痛。腸加答兒。

療法　針三分至五分，灸三壯至十壯，又灸隨年壯。

感應　斜下向外行。

功能　專治胃腸病兼治肝胆病。

取法　取十二椎下、旁開一寸五分。押指平或側放，針平向直刺，坐而取之。

101　三焦俞（膀）

位置　第一腰椎（第十三椎）下，旁開一寸五分。

主治　臟腑積聚，脹滿羸瘦，不能飲食，或飲食吐逆。胃痙攣，消化不良，嘔吐，下痢，腹脹腸鳴。肩背急，腰脊强，不得俯仰。傷寒頭痛，目眩。腎臟炎。

療法　針五至七分，灸三至五壯。

感應　斜下向外行。

功能 治胃，腸及腎病。

取法 取十三椎下，旁開寸半，押指平或側按，針平向直刺。坐而取之。

102 腎俞（膀）

位置 第二腰椎（第十四椎）之下，旁開一寸五分。命門旁開寸半。

主治 主瀉五臟之熱。腎虛腰痛，耳聾，眼不明，水臟虛冷，夢遺，滑精，精冷，陽萎。腎臟炎，身腫如水，夜尿，糖尿，淋，濁，溺血。腰寒如冰，膝冷足冷如冰。脚膝拘急，月經不調，赤白帶下，淫濼，陰中痛，乘經交接羸瘦，婦人久積冷氣，變成癆疾。肺癆，衰弱無力。身熱頭痛。肝臟肥大。心腹塡滿脹急，兩脇脹引小腹痛。洞泄食不消化。消渴。

療法 針五分至八分，灸五至十壯，又以年爲壯。

感應 斜下向外行。

功能 治腎及與腎有關連之一切疾患，並治生殖器，足，腹諸病。

取法 取十四椎下，旁開寸半，押指平或側按，針平向直刺，坐而取之。

103 大腸俞 （膀）

位置 第四腰椎（第十六椎）之下 旁開一寸五分。陽關之旁一寸五分。

主治 脊强不得俯仰，腰痛。腹中氣脹，繞臍切痛。小腹痛，多食身瘦，腸鳴，腸加答兒，大小便不利，洞泄食不消化，腸出血，盲腸炎，遺尿。腎臟炎。

療法 針五分至八分。灸三壯至五壯。

感應 斜下向外行，强者可至臀部。

功能 治腹部及大腸一切疾患。

取法 取十六椎下，旁開一寸五分。押手平或側按，針平向直刺，坐而取之。

104 小腸俞 （膀）

位置 第一荐骨（第十八椎）之下，旁開一寸五分。

主治 腸加答兒，泄利膿血，腸疝痛，便秘。淋疾。痔疾。婦人帶下。背椎及腰椎荐骨之神經痛。遺尿。脚腫。消渴口乾不可忍。

療法 針五至八分，灸三壯至七壯。

感應 斜下向外行至臀部。

功能 治小腸疾患及腰痛。

取法 本穴取法，畧有困難。因薦骨乃由十八至二十一之四椎骨聯合生長成塊者。當先取得十六椎爲據，十七椎下尙清楚可以觸得，以下便爲十八椎，有時十八、九，廿椎之間，尙有橫痕可觸，但亦有不可觸得者。可參看十六十七椎之長度，作爲十八十九椎之參考，其長度相差不遠也。取得後，旁開一寸五分。押指橫或側按，針平向直刺，坐而取之。

105 膀胱俞（膀）

位置 第二薦骨（第十九椎）下旁開一寸五分。

主治 膀胱加答兒，遺尿，小便黃赤。腰椎及薦骨部神經痛。便秘，下痢，下腹神經痛。子宮內膜炎，瘕聚。脚膝寒冷拘急，無力。陰部生瘡。

療法 針五分至一寸，灸三至七壯。

感應 斜向下行至臀部，强者可至大腿部。

功能 治前後陰病及腰足病。

取法 參小腸俞。旁開一寸五分。押指平或側按，坐而取之或側臥取之。

106 白環俞 （膀）

位置 第四薦骨（二十一椎）下，旁開一寸五分。腰俞之旁一寸五分。

主治 薦骨神經痛及痙攣，肛門諸筋痙攣，坐骨神經痛，四肢麻痺。便秘，尿閉。子宮內膜炎。

療法 針五分至一寸，灸三壯至五壯。

感應 經肛門附近，達於前陰；又下行至腿部。

功能 治前後陰病及腰痛。

取法 從尾閭骨之下部向上摸，薦骨與尾骨交界處有一橫紋，此即腰俞穴，（可參腰俞）旁開一寸五分，即白環俞。古時伏地取之，今乃可側臥取之，押指平側按均可，針平向直刺。

107 上髎（膀）

位置　第一荐骨（第十八椎）下，旁開一寸二分，與小腸俞平行。

主治　便秘，尿閉。腰痛，坐骨神經痛，膝部厥冷痛，下肢癱。子宮内膜炎，子宮下垂，不妊症，月經不順，卵巢炎或膿腫。睪丸炎。

療法　針一寸，灸三壯至七壯。

感應　透達荐骨部及臀部腿部。

功能　治前後陰病及腰，足病。

取法　在十八椎之下，旁開一寸二分，（參小腸俞。）押指平或側按，針平向直刺。坐而取之。

108 次髎（膀）

位置　第二荐骨（第十九椎）下，旁開一寸。與膀胱俞平行。

主治　便秘，尿閉，腸鳴泄瀉，小便赤，淋疾。腰痛，坐骨神經痛，腰以下至足不仁，膝部厥冷。子宮內膜炎，子宮下垂，不妊症，月經不順。睪丸炎。心下堅脹。

療法 針一寸，灸五至七壯。

感應 透達荐骨部及腿膝部。

功能 治前後陰及腰，膝，足病。

取法 參膀胱俞，在十九椎下，旁開一寸，押指平或側按，針平向直刺，坐而取之。

109 中髎（膀）

位置 在二十椎之下，旁開一寸。

主治 便秘，尿閉或淋瀝，泄瀉。腰痛，坐骨神經痛。子宮內膜炎，月經不順，婦人絕子。睪丸炎。肺癆。

療法 針一寸，灸三至五壯。

感應 由後陰至前陰，再達於腿膝之間。

功能 治前後陰病及腰，腿，足病。

取法 參上二穴，旁開一寸。押指平或側按，坐或側臥取之，針平向直刺。

110 下髎（膀）

位置 在第四荐骨（二十一椎）之下，旁開七八分，與腰俞白環俞平行。

主治 便秘，尿閉，腰引睪丸痛。腸鳴，泄瀉，腸出血。子宮內膜炎，月經不順。

療法 針一寸至寸二分，灸三至五壯。

感應 透達前後陰及股間，强者可至膝下。

功能 治前後陰及腰足病。

取法 先取得腰俞穴，（參腰俞）旁開約七八分之間，側臥取穴，押指平或側按，針平向直刺。

說明 以上四穴，即上、次、中、下髎，又總稱爲八髎穴，常有同時取用之必要。當先取得腰俞穴，旁開即是下髎，又參考小腸俞穴之取法，在小腸俞之旁一寸二分，便是上髎；其餘次髎中髎，便可在兩穴之間，折衷分爲二據點，去脊中央一寸。次髎中髎，便可垂手而得。又此八髎穴，按之均覺穴位處之肌肉均有下陷之觸覺。又針入時，能針入一寸者，即是正穴，因此八髎穴，正是荐骨部之八個骨孔也。若不中骨孔，即不是正穴。

111 會陽（膀）

位置 尾閭骨下端之旁側，相去半寸。

主治 腸鳴泄瀉，腸出血。久痔。臀尖痛。脫肛。陰部汗濕。

療法 針四分至六分，灸五壯。

感應 達於後陰及臀尖部。

功能 治直腸及臀部疾患。

取法 先取得尾閭骨尖作根據。由骨尖處旁開半寸。側臥取之，押指平或側按，針與穴對向平刺。

旁開三寸線

112 膏肓俞（膀）

位置 第四胸椎之下，旁開三寸。

主治　百病皆治，無所不療。肺癆，羸瘦，咯血，虛弱，骨蒸，盜汗。神經衰弱，夢遺，失精，健忘，諸虛百損。嘔血。咳血。上氣咳逆。瘧發時針此穴可立止寒熱。

療法　針三分至五分，灸七壯至百壯。

感應　上行達項，肩，膊及手臂，强者可能全臂膊震動。針鋒稍向下，則下行至肋間。

功能　治一切虛弱病，及瘧疾。

取法　使患者正坐，畧俯首，雙手扶膝頭，雙肩下垂。取第四胸椎下旁開三寸，正在大筋之面上是穴。押指平按爲佳，因此大筋隨時可能向左右滑動，故側押手爲不適宜。針平向直刺。有人主張以手左右交搭雙肩，此法不佳，因患者仍有雙肩高聳之弊，而搭手太久，患者將感困倦。

說明　據古書所載，二十歲以下之青年，不能用灸膏肓俞法以療虛弱，因少年火盛，恐火上亢致引起不良後果。又灸後須灸足三里，以引火下行，調節體溫，方不致亢燥，又可在氣海，關元，中極三穴中，採一穴灸之亦可。虛弱而腸胃不佳者，以灸足三里爲佳，若元氣虛弱，虛損太甚或腎虧者，或病後失調而虛弱者，以關元或中極爲佳。

113 痞根（奇）

位置　本穴在背第十二椎下旁開三寸五分。

主治　腹中痞塊之特效穴。亦能治常習性便秘症。

療法　本穴單用灸法，痞塊在左，灸左穴十四壯，痞塊在右，灸右穴十四壯。左右均有，或在腹之中央者，或便秘者，左右均灸之。

感應　灸至艾力足時，感應達於前腹。

功能　專治腹中痞塊及便秘。

取法　取十二胸椎下，旁開三寸五分，用直接灸法，炷如紅豆，嚴重者炷如黃豆。如一次未愈者，十四日後可再灸一次。

114 志室（膀）（又名精宮）

位置　第十四椎（第二腰椎）下旁開三寸，卽腎俞之旁一寸五分。

主治　夢遺，失精，小便淋瀝，男女陰痛，陰腫，陰部諸瘡，腎臟炎。腰背强直不得俯仰。

飲食不消，腹肌强直，兩脇痛。吐逆。霍亂吐瀉。

療法 針五分至八分，灸三壯至七壯。

感應 斜向外行，抵脇至前腹。

功能 主治生殖器及腰腹病。

取法 如腎俞。

115 腰眼（奇）一名遇仙穴

位置 本穴在十六椎（第四腰椎）之下，旁開三寸八分。

主治 本穴專治肺癆，虛癆，羸瘦，衰弱。腎虧腰痛，赤白帶下，痔瘡，痔瘺之特效穴。

療法 針五分至八分，灸十一壯。

感應 斜向下行至臀部及大腿。

功能 治肺癆衰弱及痔瘺。

取法 取得十六椎下旁開三寸八分後，加上記號。再使患者伏臥於床上，兩足直伸，兩手掌相疊，上承額頭，使腰背平直，腰部記號處，自然畧覺有凹陷處是穴。灸法取直接灸，炷如紅豆或黃豆。

第八節　上肢部

甲　手太陰肺經

116　尺澤（肺）　禁灸

位置　肘中約紋之上，微偏外側，屈肘筋外與肌肉罅陷中。

主治　肺結核，潮熱，咳嗽，乾咳，氣喘，肺膨脹，心煩悶，氣短、氣少，唾濁痰，善嚏，喉痺。肩臂痛，手臂不舉，肘攣。咯血，嘔吐，小兒慢驚。汗出中風。腰脊强痛。肋膜炎。痎瘧。悲哭。

療法　針三分至五分，禁灸。

感應　直下至五指之背，有電感。

功能　主治肺病，喉，及臂肘疾患。

取法　先曲肘，取大筋外側之最凹處，再將肘平放，畧曲，穴即在中央微偏外側處，筋外與肌肉之罅縫中，押指側按，針鋒畧向前作八十度角下針。

附註　本穴在古藉中爲不禁灸之穴，曾師列爲禁灸，想必有其經驗與理由也，也曾有人灸此穴後而覺筋緊。

117 列缺（肺）動脉

位置　掌後外側線上一寸五分，橈骨內側骨旁陷中。

主治　偏風口眼喎斜，半身不遂，口噤不開，善笑。肺結核，咳嗽，氣喘。痰涌，妄言妄見，健忘，偏正頭痛　項痛。痰癧，驚癇，煩燥。喉痺。嘔沫。尿血精出，小便熱，男子陰中疼痛。手腕肘痛無力，四肢暴腫。肩臂胸背寒慄，尸厥。行氣。

療法　針二三分，灸三壯至七壯。

感應　下行至拇指食指。

功能　頭，項，面，腦，肺，小便及手肘諸病。

取法　從掌骨與橈骨之交界處量起，取一寸半，在橈骨內緣之旁。腕側放，即虎口向上；須與患者相對坐，取患者左手，則用拇指作押手，餘指夾實患者之手腕，拇指從列缺穴貼骨掐下，使動脉被壓在指甲之下，在甲上骨旁下針。取右手時可順持或倒持，（即對向持之），順持卽與患者之手同向，仍用拇指押穴，使動脉壓在指甲下，在甲上貼骨下針，餘指緊握患者之腕。倒持法卽己手與患者之手對向，則用食指押穴，甲側與穴相貼近，亦使動脉押於甲下，在甲上骨旁下針，餘指緊握腕部。

說明　本穴分兩家不同說法：一說如上，在橈骨之內側旁，另一說則云在橈骨之外側邊沿，卽陽谿穴之上。諸家用此，功效不顯著，與上文所說之功效，大不相同，學者一試，便知不謬。且列缺屬肺經，太淵，經渠均在橈骨之內側，且達尺澤穴時，幾及於肘之中央，不過微偏外側而已。豈有列缺穴，反在橈骨之外側乎，肺經屬陰經，穴當在陰分（臂之內側），不應在陽分　臂之外側）也。

118　經渠（肺）　禁灸　動脈

位置　掌後外側上五分，高骨之內側，關脉之位置。

主治　傷寒熱病汗不出，痎瘧寒熱，咳逆上氣。胸背俱急，胸滿膨脹痺，心痛，嘔吐，食道痙攣，扁桃腺炎。衄血。掌中熱。

鍼法　針二三分，禁灸，灸則傷血。

感應　下行至拇指。

功能　治心，肺，胃等部病。

取法　同列缺。

119 太淵 （肺） 脈之會 動脈

位置　掌後外側横紋上，橈骨與第一掌骨相接部凹陷中。

主治　咳嗽，胸痺，肺臟肥大，肺出血。咽乾，吐血，逆氣善噦，食道狹窄。胸痛引缺盆，腕關節痛，掌中熱，臂肘內廉痛。肩背痛，失眠，狂言。寒喘不得息。心痛。溺赤，遺矢。

療法　針二三分，灸三壯。

感應　深入腕關節及達於拇指。

功能　治心，肺，胸，臂諸病。

取法　取橈骨與第一掌骨相接之陷凹中，押指宜避開動脈，針向下直刺。

120 少商 （肺） 禁灸

位置　大指之內側，甲角之後，去甲角約分半。

主治　頷腫喉閉，喉中鳴，小兒乳蛾，喉痺，喉炎，口內出血，舌下軟瘤，舌腫大，重舌，舌爛唇焦，鼻衄（灸）。煩心，心下滿，咳逆，善噦，腹滿。掌中熱，五指皆痛，五指痙攣。引飲食不下。痎瘧。刺此穴出血，能泄諸臟之熱。凡初中風卒仆昏沉，痰涎壅盛，不省人事，牙關緊閉，藥水不下，急以三稜針刺此穴出血，乃起死回生救急之妙法。

療法　針一分，禁灸。

感應　強痛感，強者有上行之感應。

功能　主治喉，舌，大熱及昏迷。

取法　本穴取法有三種，即分爲三家，一爲上文所說之位置。二爲取內側甲角之內側螺紋處。三爲指甲之前端甲角，幾與指端齊之處。二，三兩說，均屬謬誤，非但誤人，而且害人也。本穴取法，當將大指（其他指及足趾皆相同）向前，指甲面朝天，取近身之內側甲角，先取甲根之平線，再取甲內側之直線，成一十字，再取十字之後一至二分爲正穴。（其他手指足趾取法均相同大型指或大趾取二分中型指取分小型小指約一分爲最適當）。此穴不用押指，當以五指緊握拇指之下部近掌處，勿使動搖，針當與穴對向。用三稜針刺出血，再擠清黑血，以見鮮血爲度。

說明 內側與外側之別；近身者爲內側，向身外者爲外側。覆掌觀手背，則拇指方面爲內側，小指方面爲外側，指甲則以向身之甲角爲內側，向外之甲角爲外側。反掌時，則小指方面近身，小指又爲內側，拇指則爲外側，手臂看法亦相同。

乙 手厥陰心包絡經

121 曲澤 （包） 動脈

位置 肘內廉，橫紋之內側，曲肘內側最凹處，大筋之內側凹陷中。

主治 心痛，善驚，身熱煩渴，口乾氣逆。吐血，霍亂，嘔吐。臂肘神經痛，不可屈伸；臂肘震搖，臂內廉至手指麻痺。

療法 針三分至五分，灸三壯至五壯。

感應 下行直達五指，有電感。

功能　治心，胃，肘諸病。

取法　先曲肘，取肘內廉大筋內側之最陷處是穴，再伸開，略曲取之。押指側按，針鋒向前作八十度下針。此穴有大動脉，亦有大靜脉，下針時當先淸楚動脉之所在然後下針。

122 郄門（包）

位置　在掌後五寸兩筋間。

主治　心痛。吐血，嘔噦。衄血。久痔。驚恐畏人，神氣不足。

療法　針三分至五分，灸五壯。

感應　上行至肘，下行至掌。

功能　治心，胃，及久痔。

取法　取掌後五寸兩筋間，手平放，押指側放，針鋒向前作八十五度角下針。

123 二白（奇）

位置　在掌後四寸，一手共二穴，一穴在筋內兩筋間，一穴在筋之外側旁。

主治 內外痔，脫肛，盲腸炎。

療法 針三分至五分，灸五壯。

感應 上行上臂，下行至指。

功能 專治大腸病。

取法 參郄門。

124 間使（包）

位置 掌後，正中線三寸兩筋間。

主治 傷寒結胸。心臟炎，卒心痛，心痛脈絕，四肢冰冷脈伏，心弱，心跳，「中風氣塞，涎上昏危，瘖不得語。」癲癇，神昏譫語，卒狂，鬼邪，多驚。霍亂乾嘔，乾嘔不止，妊娠惡阻，所食即吐，嘔沫，咽中如梗。腋腫，肘腫，肘攣，掌中熱。月經不調，血結成塊，子宮充血。小兒抽搐或夜啼。瘧疾。暈車暈船（直灸七壯，炷如紅豆，連灸七日愈。）

療法 針三分至五分，灸三，七，十四壯。

感應　上行至肘，下行至五指。

功能　治心，腦，嘔，暈及瘧疾。

取法　取掌後三寸兩筋間，手平放，押指側按，針鋒向前作八十五度角下針，若欲感應下行，當將針鋒向下刺針。

125 內關（包）

位置　掌後正中線二寸，兩筋間，與外關相對。

主治　一切胃病。心痛，心內外膜炎。胸腹諸病，食道狹窄。黃疸。眼球充血。肘臂攣，或內廉神經痛。胎衣不下，產後血暈（配百會直灸之）。

療法　針三分至五分，灸三壯至五壯。

感應　下行至五指，上行上臂入腋，強者可至胸。

功能　治心，胸，胃，腹諸病。

取法　取掌後二寸兩筋間、手平放，押指側按，針向下直刺，或微向臂之上部。又經穴學常教人取掌後橫紋中或橫紋後若干寸等，其實最不可靠，因橫紋可能有二三條也。（參大陵穴之取法）。

126 大陵（包）

位置 掌後兩筋間橫紋中。

主治 熱病汗不出，發熱頭痛。心痛，煩心，心懸若飢，癲癇，狂言不樂，常悲泣驚恐，或喜笑不休。喉痺，口臭，口干，嘔吐，吐血 小便如血。胸脇痛。腋腫。肘臂攣痛，掌心熱，手指麻痺痙攣。四肢怠倦。瘡，癬，疥、「凡附骨癰疽，筋腫，遊風熱毒，此等疾但初覺有異，即急灸五壯，炷如紅豆立愈。」

療法 針二三分，灸三壯。

感應 透達掌及五指，有電感。

功能 治心，神，口，手及外科。

取法 本穴取法，當從掌後兩筋間用指甲側按向下推，直至與掌骨相連處，不能再推進時，指甲所停之處是穴。不可依靠橫紋，（掌當平放。）此穴接近掌部之螺紋皮膚，若螺紋皮膚之生長超過掌之範圍而上於腕部，則大陵穴必為掌皮所遮蓋，若穿通掌皮下針，則甚感痛，此時當用食指將掌皮壓住，向掌部拖回，由中指作押手，指甲側放於兩筋間，然後下針，針向下直刺。若遇胖人及皮膚不鬆弛而不能拖動時，惟有在穴之上方約二三分處，作七十五度角向穴下針，以針至有感應者爲合。

127 勞宫（包）

位置　在掌內，與手背中指無名指兩本節（卽手指與手掌相連之節）後間骨縫相對。

主治　血壓亢進，血管硬化，中風善怒，悲笑不休。癲癎。熱病數日汗不出。胸脇支滿，脇痛不可轉側。氣逆，嘔噦，煩渴飲食不下，口中腥臭，口瘡，小兒齦爛。大小便血，熱痔。黃疸。鵝掌風。掌心熱。

療法　針二，三分，灸三壯。一說禁灸，灸後令人瘜肉日加（大概鼻有息肉者不可灸）。又云只針一度，過兩度令人虛云。（兩度者，連中二次神經之意。但血壓高及體實者不妨也。）

感應　下行於中指及無名指。

功能　治腦，胸，腹，口及手掌疾患。

取法　手掌平放，以拇指作押指，餘指握患者手之背部，押指當重壓，用五分針，用强力快刺法，一觸卽入，可免掌皮之敏感痛苦。又此穴取法有主張握拳時，取中，名二指頭之間，此說爲不可靠，因手指有長短，握拳有鬆緊出入之別也。

128 中衝（包）　禁灸

位置　在中指末端之正中，去爪甲一至二分，指端上之最高處是穴。

主治　熱病汗不出，頭痛如破，身熱如火，心痛，心內外膜炎。舌强，舌腫痛。小兒夜啼。「凡初中風，卒仆昏沉，痰涎壅盛，不省人事，牙關緊閉，藥水不入，急以三稜針刺此穴出血，可起死回生。」

療法　用三稜針針一分，禁灸。

感應　本穴祇有痛感。

功能　主治心臟頭腦一切熱病及中風不省人事。

取法　以左手緊握患者中指體部，祇露末端，然後刺針，出盡黑血，以見淸血爲度。

丙　手少陰心經

129 少海（心）

位置　肘內廉去肘端五六分，在橈骨頭與尺骨頭之中間上二三分，按之覺有筋應手而痺至小指者是穴。

主治　心痛，手顫。瘰癧。癲癇嘔吐涎沫。健忘，頭風頭痛。顏面神經痛。項强不能回顧。氣逆噎噦。

療法　針二三分，灸三至七壯。一說不宜灸　大病方灸云云。（按：本人常灸此穴而獲奇效，並無不良後果。）

感應　有强電感直達小指。

功能　治頭，腦，項，心及瘰癧。

取法　屈肘向頭作九十度角，使患者挽繩使手定然後刺針或灸艾。押指甲平按於筋上，針與穴對向，針刺筋中，即得感應，灸亦當灸於此筋上。按此穴之筋，有生於兩骨頭之中間者，亦有生於稍近尺骨頭者，施術時宜注意。

130 靈道 （心） 動脈

位置 掌後內側線上一寸五分，筋之旁。（按此「筋旁」二字宜注意，因掌後內側線，有硬筋一條（即腱）此筋之旁有四穴，每穴相隔五分，即神門，陰郄，通里、靈道是也。此「筋旁」二字是以此筋為根據，以近中央線之一旁為準，近身之一旁為非。學者明此，此四穴方不致誤也。）

主治 心痛。暴瘖不能言。乾嘔。肘攣。瘈瘲。

療法 針二分，灸三壯。

感應 向上下行一二寸之間，强者可上臂，出小指。

功能 治心，舌，肘病。

取法 取掌後內側線寸半，筋之旁。押指在筋旁平筋押下，與筋相緊貼。一則可保護筋旁之動脈，二則針刺下時，易中神經，針向下直刺，在甲與筋之間刺入。灸當灸在筋旁，與筋相接近為合。

131 通里（心）動脈

位置　掌後內側線上一寸，筋之旁。

主治　月經過多，崩漏，子宮出血。遺尿。頭痛 頭暈，目痛，目眩。心悸亢進。暴瘖不能言。喉痛，面熱無汗。肘臂痛。

療法　針二，三分，灸三至七壯。

感應　下行達掌。

功能　治婦人下血，心悸，口舌病。

取法　同靈道。

132 陰郄（心）動脈

位置　掌後內側線上五分，筋之旁。

主治　心痛，心悸亢進。頭痛，眩暈，惡寒。暴瘖不能言，扁桃腺炎。衄血。吐血。盜汗，多汗。霍亂。

療法　針二，三分，灸三至七壯。

感應　上行二三寸，下達小指。

功能　治心，汗，頭及口內病。

取法　同靈道。

133 神門（心）動脈

位置　掌後內側線橫紋中，豆骨之端，筋骨之旁。

主治　癲癇，癡呆，健忘，面赤喜笑，狂笑，狂悲，驚恐，心悸亢進，心煩，心痛，心臟肥大，精神不足。失音，失眠。目黃，扁桃腺炎，鼻塞，衄血，吐血。遺溺。子宮內膜炎，產後血暈。

療法　針一二分。三壯至七壯。

感應　下行至小指之端，有强力之電感。

功能　治腦，心，鼻及婦科病。

取法　本穴取法，畧有特殊，因本穴在掌後內側橫紋中，雖云豆骨之端，其實豆骨之旁，比陰郄通里等畧向中央線斜入。取法當用押指之甲，側放於通里陰郄穴之筋旁，貼筋向下推，推至與掌相近之盡處，此時指甲已斜向中央灣入數分是穴，此穴是在筋之下頭盡處，豆骨之旁。至於横紋可能不必理會，因横紋可能有二三條也。此處可能有掌部之螺紋皮，可照大陵之針法，或將掌皮拉下，或在穴上二三分下針而斜向穴處是也。（參大陵穴之取法）押指側放，針向下直刺。直灸艾時，直接放於穴上，不必避掌皮也。

134 少府（心）

位置 在掌內，無名指與小指本節後間骨縫相對。

主治 偏墜，子宮脫出，陰癢，陰痛，小便不利，遺尿。太息，悲恐畏人。心胸痛。臂酸，肘腋攣急，手倦不伸，掌中熱。疳癩。瘧疾久不愈。

療法 針二，三分，灸三至七壯。疳癩以三稜針刺穿，擠出膿液。

感應 直達小指端，有電感。

功能 治男女生殖器病，手，臂，久瘧及疳癩。

取法　以四指握患者手背，以拇指押穴，指甲側放，針向下直刺。

135 少衝（心）

位置　小指之內側甲角之後，去爪甲角一分。

主治　「熱病煩滿，上氣，嗌乾口渴，目黃」。「心痛，悲，驚」。心悸，臂內廉痛，肘痛不伸。「凡中風猝倒，暴卒昏沉，痰涎壅盛，不省人事，牙關緊閉，藥水不下，急以三稜針刺此穴出血，可起死回生」。又女人下陰臊臭配行間。先針行間，後針本穴。

療法　針一分，灸三壯。

感應　本穴祇有痛感。

功能　治熱，心，臂及中風不醒。

取法　以手緊握小指之體，針與穴對向刺之。

136 四縫（奇）

位置　在手掌食，中，名，小四指之中節橫紋中央是穴。

主治　專治小兒疳癪之特效穴。

療法　以三稜針在穴上刺入一分深，自有膠質之粘液流出，當繼續擠淸之。如症重者，宜連刺三日，但二，三日刺針，不可再刺原針口，在原針口之左或右刺之可也。

感應　微有痛感。

功能　治疳癪之特效穴。

取法　宜用手齊握小兒之四指端部，一次當刺齊四指之穴，然後逐一擠出膠水可也。

丁　手陽明大腸經

137 商陽（大）

位置　食指內側甲角後，去爪甲角一分。

主治　傷寒熱病汗不出，腦充血，頰頷腫，扁桃腺炎，口乾，齒痛，胸中氣滿喘咳。耳聾，耳鳴。目靑盲。手足拘攣。肩背急，引缺盆中痛。「凡初中風猝倒，暴卒昏沉，不省人事，牙關緊閉，藥水不下，急以三稜針刺出血，可起死回生」。

療法　針一分，灸三壯。

感應　本穴有强痛感。

功能　治頭腦，口腔熱病，眼，耳，手及中風不省。

取法　以手緊握指體，針與穴對向刺之。

138 合谷（大）　孕婦禁針　動脈

位置　手之大指次指歧骨之間，合指肌肉最高處是穴。

主治　傷寒大渴，熱病汗不出，脉浮在表，發熱惡寒，頭痛脊强，寒熱痎瘧。偏正頭痛，面腫。唇吻不收，瘖不能言，口噤不開，一切齒痛　喉痺，小兒乳蛾。目視不明，目生白翳。耳聾，中耳炎。鼻塞，鼻衄不止。面口諸病。風疹，痂疥。手指不能屈伸。產後脉絕不還，（配復溜灸間使）。肚腹疾患。

療法　針三分至五分，灸三壯至五壯。孕婦禁針。

感應　下行於拇，食二指；强者能上行上臂及上頭。

功能　治頭，眼，耳，鼻，喉，牙，手及肚腹諸疾患。

取法　使患者手側放，虎口朝天，先使患者合指，取得虎口肌肉最高處，然後使患手放鬆，以拇指或食指押穴，餘指緊握患者手之其他部份，勿使動搖，更使患者手放鬆，切勿用力。押指側按，針向前作七十五度角下針。愼防刺中動脈。

說明　本穴取法，各有不同，有取拇食二指掌骨相連之骨叉中，有取虎口合縫處入數分中，有取虎口相合之紋頭，此三者均不中的，紋頭尤不可靠，因肉厚則紋短，肉薄則紋長，更有生成二三條紋者，更不知何去何從也。古經穴學常提到紋頭中取穴，其實爲最不可靠之法也。

139　陽谿（大）　動脈

位置　在手背拇指掌骨與橈骨相接部，將拇指竪起作第一狀，兩筋間最凹陷處是穴。

主治　狂言，喜笑，見鬼。熱病煩心，胸滿不得息，寒熱瘧疾，寒嗽嘔沫，頭痛。目赤爛有翳，耳鳴耳聾。肘臂攣。痂疥。蛇咬——直灸三壯。

療法　針三分，灸三壯。

感應　在腕關節及出於食指。

功能 治頭，腦，眼，耳，手及疥疾。

取法 使患者豎起拇指，取最凹處，押指平按，針向下直刺。

140 手三里（大）

位置 肘橫紋外側直下二寸，卽曲池下二寸，肌肉高處，重按適當肌肉縫中。下有小筋

主治 中風手足不遂，口眼喎斜，肘攣不伸，手臂不仁。肩背痛。羸瘦，五癆虛之，瘰癧。霍亂，遺矢。失音。頰頷腫，齒痛。乳癰。

療法 針三分至五分，以到骨爲度，灸五壯。

感應 下行直達手之五指。

功能 治頭面牙手及虛弱病。

取法 曲肘先取得曲池位置，（參下文曲池穴）再直下二寸，曲肘以掌貼胸之中央，穴位處自然顯出肌肉一條，曲池下二寸，肌肉最高處之中央是穴，以食指按穴，押指側按，按下時便覺肌肉分開，針向下直刺，以至骨爲度。

141 曲池（大）

位置 肘外側上膊骨（肱骨）之下端，與橈骨上端之關節部。屈肘以掌貼胸之中央，肱骨與橈骨相接部之肌肉最高處是穴。

主治 中風半身不遂，肩胛神經痛，上膊神經痛，臂肘神經痛；筋緩無力，肘攣，肘紅腫痛。胸中煩滿，喉痺不能言。癲狂瘈瘲。發熱。瘰癧，痂疥，疹，暗瘡，舉體痛癢如虫嚙，皮膚乾燥，皮膚脫落變成瘡，一切外科。

療法 針五分，灸三，五，七壯。又日灸七壯，續灸至二百壯。又治肘深部神經痛時，可針寸半。外科頑惡者，當直灸之。

感應 在本部有強感覺，強者上行至肩，下行至手。

功能 治手，臂及一切外科。

取法 曲肘以掌貼胸，取曲肘處之肌肉最高處是穴。押指可平或側按，針向下直刺。如肌肉不高者，取離骨叉角約八分處，切勿取橫紋頭也。

142 手五里（大）

位置 肘上三寸，臂外廉正中，曲池直上三寸。

主治 肺炎、心下脹滿，吐血，咳嗽。肘臂痛，四肢不得動。瘰癧。嗜臥（配風門顖會）。目視不明。痎瘧。

療法 針三分，灸三至十壯。古列爲禁針穴。

感應 直下邀肘，出於手五指之背。

功能 治胸，腹，肘及嗜臥。

取法 取肘横紋之上臂外廉正中。押指平按，針平向直刺。

143 臂臑（大）

位置 肩顒下三寸，臂外廉正中。

主治 臂痛不得舉，頸項拘急。瘰癧。

療法 針三分至五分，灸三壯至七壯，又日灸七壯，至二百壯。

感應　上肩下肘。

功能　治項，臂及瘰癧。

取法　取肩端（卽肩髃穴）直下三寸，臂外廉之正中是穴。押指平按，針平向直刺。

戊　手少陽三焦經

144　關衝（三）

位置　在無名指外側甲角後，去甲角一分。

主治　熱病汗不出，頭痛，「喉痺，喉閉，舌捲，舌爛，咀角爛，脣焦」，（配少商均出血）霍亂，胸中氣噎不嗜食。臂肘痛不能舉。目生翳膜。「凡初中風，卒仆昏沉：痰涎壅盛，不省人事，牙關緊閉，藥水不下，急以三稜針刺此穴出血，可起死回生。

療法　針一分，灸三壯。

感應　本穴祇有痛感。

功能　治頭，喉，脣，舌，眼，肘及中風不省。

取法　以手緊握指體，針與穴對向刺之。（參少商）。

145 液門（三）

位置 在手背小指無名指歧骨間，本節之前陷中。

主治 肘臂部痙攣，不能上下。頭痛。痎瘧。目赤澁。耳暴聾。齒齦痛。咽喉外腫。

療法 針二，三分，灸三壯。

感應 下達無名指及小指。

功能 治手 頭，眼，耳，喉及牙。

取法 使患者握拳覆於案上，在本節之前，合縫之後中間是穴，押指側按，須防靜脉，當以甲拉開，在甲面刺針，針與穴對向。

146 中渚（三）

位置 在手背小指無名指本節後間約五分陷中。

主治 熱病汗不出，頭痛，目眩，耳聾，咽喉腫，眼生翳膜。久瘧。臂肘神經痛，手之五指不能屈伸。

療法 針三分，灸三壯。

感應 上至手腕，下達小指及無名指。

功能 頭，眼，耳，喉及肘病。

取法 同液門，在本節之後約五分處是穴，押指側按，針鋒向前，作七十五度角下針。

147 陽池（三）

位置 在手背腕關節之上正中陷中。卽由中指直上，掌骨盡處之窩陷中。

主治 消渴，口乾，煩悶。寒熱瘧。提物不得。肩臂痛不得舉。

療法 針二，三分，灸三壯。

感應 下行達中間三指頭及腕內。

功能 治消渴，瘧疾及手臂疾患。

取法 使患者覆掌，及絕對放鬆不可用力，中指上頭至腕之中央，以指按之，自然顯出一窩，押指側按，針向下直刺。

148 外關（三）

位置 手背直上，腕後二寸正中兩骨間。

主治 耳聾，臂肘痙攣，或無力不收。五指盡痛不能握。（配少商）

療法 針三，四分，灸三壯。

感應 下行直達五指。

功能 治耳，臂及手指疾患。

取法 手臂當側放，取陽池後二寸，押指平按，針平向直刺。

149 支溝（三）

位置 在手背直上，腕後正中三寸兩骨間，外關上一寸。

主治 熱病汗不出，霍亂嘔吐。口噤不開，暴瘖不能言，心悶不已，卒心痛，傷寒結胸。產後血暈，不省人事。常習性便秘。肋骨神經痛。渦瘡（生在指縫間之瘡，嚴重者可生斷指者），疥癬。

療法　針三分至五分，灸三至十四壯。

感應　下行直達五指。

功能　手，胸，喉，舌，心，便秘，肋痛及瘡癬。

取法　同外關。

己　手太陽小腸經

150　腕骨（小）

位置　第五掌骨外側（覆掌看）之後端盡處，腕豆骨之前，骨下陷中。

主治　熱病汗不出，頭痛，頸項腫，黃疸，寒熱耳鳴，瘧疾。目中冷淚生翳。驚風瘈瘲，偏枯，肘臂不得屈伸，五指掣攣或麻痺，腕關節神經痛。

療法　針二，三分，灸三壯。

感應　環繞腕關節部。

功能　治黃疸，臂，手，頭，項，耳及眼部諸疾。

取法　使患者握拳，如非腕部痛，可使虎口向下，穴位向上，押指平按，針向下直刺。如患者手腕部有痛，當使患者之虎口貼額，使穴向前，押指亦平按，針平向直刺。

151 後谿（小）

位置　小指（覆掌）本節後之外側，第五掌骨之前端。

主治　痎瘧寒熱。黃疸。盜汗，自汗。項强不能回顧。臂肘痙攣。目赤生翳。耳聾。鼻衄。癲，癇。痂疥。

療法　針二，三分，灸一至三壯。

感應　下達小指端。

功能　主治瘧疾，盜汗，黃疸，及目，耳，鼻，頭疾患。

取法　同腕骨。押指當側按於掌骨與指骨相接處之骨縫中。

152 少澤（小）

位置　在小指之外側甲角後，去甲角一分。

主治　瘧疾寒熱汗不出。頭痛，喉痺，舌强，口乾，心煩，口中多涎唾，咳嗽。心臟肥大。頸項强急，不得回顧，臂痛。痎瘧。乳痛，產後乳閉。耳聾，不得眠。凡初中風，暴卒昏沉，痰涎壅盛，藥水不下，急以三稜針刺此穴出血，可起死回生。

療法　針一分，灸一至三壯。

感應　本穴有中等痛感。

功能　治瘧疾，乳閉，及頭，眼，耳，喉，口病。

取法　如關衝。

153　大小骨空（奇）

位置　大骨空在大拇指背第二節，屈指骨頂微前小窩陷中。小骨空在小指背第二節骨頂微前小窩陷中。

主治　目內障，流淚，翳膜，眼癬，指骨節痛。

療法　本穴單灸不針，治上述諸症，灸七壯，炷如碎米粒。

感應　下行至指端，上行至本節。

功能　專治頑癬眼疾。

取法 大骨空，大拇指灣屈，取其第二節骨頂，稍前一分窩陷中。小骨空亦同樣取法。

154 中魁（奇）

位置 在手背中指中節屈指骨頂小窩中。

主治 五噎，膈氣，狂嘔。有特效。

療法 本穴祇灸不針，灸五，七壯，炷如碎米粒。

感應 向上下行約寸許。

功能 主治胃病上逆。

取法 以中指屈而取其第二節之頂上正中窩陷中。

155 肘尖（奇）

位置 本穴在肘外大骨之尖端正中。小骨縫。

主治 瘰癧，疔瘡，無名腫毒，盲腸炎，腸瘡均有效。

療法 本穴單用灸法，每次灸七壯至十五壯，三日或七日一灸，累灸至百壯。

感應 上行入腋上項。

功能 治瘰癧，疔瘡及惡性炎症。

取法 屈肘作九十度角，取肘骨之尖端灸之。

第九節　下肢部

甲　足太陰脾經

156　隱白（脾）

位置　足大趾內側甲角後，去甲一分。

主治　腹膜炎，腹脹喘滿不得臥，胸中熱，嘔吐食不下，暴泄。癲癇，失神不省人事。血崩，月經過多，月經不調。血壓高，失眠。小兒慢驚風。

操法　針一分，灸三壯。炷如米粹。

感應　有強痛感。

功能　治子宮出血，及頭，腦，腹，足諸疾。

取法　以手指握大趾體，針向下與穴對向刺之。

157　大都（脾）　孕婦忌灸

位置 足大趾內側本節之前第二骨陷中。

主治 熱病汗不出，不得臥，全身倦怠，身重骨痛。傷寒手足逆冷。腹脹胸滿善嘔，胃痛，目眩。腰痛不可俯仰。便秘。四肢腫。小兒痙攣。子宮出血，經血過多。

療法 針二分，灸五壯。凡婦人孕後，或新產未及三月者，不宜灸。

感應 達足大趾之端。

功能 治胸，腹，腸，胃，腰及子宮出血。

取法 取足大趾之內側，本節之前，第二骨窩中是穴，押指側按，針平向直刺。另一法仿公孫穴。

158 公孫（脾）

位置 足大趾內側，本節後除節一寸，陰陽肉交界處骨下陷中。

主治 心臟炎，肋膜炎。胃癌，嘔吐，胃痛，脾寒，食慾減退，下腹切痛，腸出血。癲癇，煩心狂言。胎衣不下。頭面浮腫，水腫，膨脹。霍亂。

療法 針四分，灸三壯。

感應　向前後行二三寸。

功能　主治脾，胃，心，腸諸疾。

取法　命患者將足側置，穴位朝上，取足大趾本節後一寸，陰陽肉交界處，骨下陷中是穴。先以指將脚掌皮拉下，以食指押穴平按，針向下直刺。

159 商邱（脾）

位置　內踝之前約五分，大筋內側窩陷中，中封內踝之間。

主治　腹脹腸鳴，嘔吐，便秘，泄瀉，消化不良，腹痛不可俯仰。痔疾，黃疸。脾虛令人不樂，太息，心悲，善思。體重節痛，怠惰嗜臥。股內廉痛，足背內廉痛。骨疽。舌本强痛。小兒慢驚風。百日咳。

療法　針三分，灸三壯。

感應　下行於足之內側，至足大趾。

功能　多治腸胃及足疾。

取法　使患者足平踏小凳上或床上，足趾向前，足踵向後，須作直線正置，不得扭橫。取內踝前，筋後之最凹處，押指側按，針與穴對向，以七十五度角下針。

160 三陰交（脾） 孕婦禁針

位置 內踝上除踝三寸，骨後距骨約三分陷中。

主治 脾胃虛弱，心腹脹滿，不思飲食，腹脹腸鳴，溏洩食不化，食後吐水，腸疝痛。小便不利，遺尿，尿閉。臍下痛不可忍。男子陰莖疼痛，白濁，遺精，早洩，睪丸炎。婦人臨經行房羸瘦，癥瘕，月經過多，漏血不止，月經肚痛，死胎不下，難產，產後惡露不行，或惡露不止，產後貧血，血崩不醒人事，妊娠胎動，赤白帶下。四肢倦怠及厥冷，下肢疼痛及麻痺。膝內廉痛。血壓高，失眠。咳嗽。水腫。

療法 針三分至五分，灸三壯至五壯。孕婦禁針。

感應 下行至踝間。强者可至足趾。

功能 治腸胃，男女生殖器及下肢病。

取法 取內踝上除踝三寸，脛骨之後約三分。足掌須前後直線放下，不可向左或右扭轉，否則針不中神經，凡取足穴，均須如此。押指平或側按，針與穴對向平直刺。

161 陰陵泉（脾）

位置 膝下脛骨內廉，由下上溯至轉灣處，骨旁陷中。

主治 霍亂，腹中寒不嗜食，消化不良，泄瀉，水脹腹堅，脇下滿。喘逆不得臥，腰痛不可俯仰，鶴膝，足膝紅腫痛。小便不利，遺尿，夢遺失精，膣內炎。失眠。

療法 針三至五分，灸三至五壯。

感應 上行上膝，下行二三寸之間。

功能 治胃，腹，腰，膝及生殖器病。

取法 足正置，取膝下內廉脛骨上端之轉灣處，押指側按，貼於骨旁，針平向直刺。

162 血海（脾）

位置 在膝蓋骨上二寸，內側角，陰陽肉交界處。將腿假作四方型，取內側角線，再取膝蓋上二寸，橫行至內側角線是穴。

主治 腹膜炎，氣逆腹脹，月經不調，子宮出血，經血過多，崩漏，子宮內膜炎，赤白帶下。暴淋不止，外腎風癢，陰囊腫大出水，兩腿瘡癢濕不可當，疥癩，大小瘡、爛肉及一切全身外科疾患。

療法　針三分至五分，灸三壯至五壯。

感應　上行二三寸，下行入膝。

功能　治一切血病及外科。

取法　使患者坐而垂膝，小腿與大腿曲作九十度角，取膝蓋骨上二寸，在膝蓋骨上方邊沿量起，取內側角線處是穴，抑指側按，針作七十五度角，與穴對向刺針。

乙　足厥陰肝經

163　大敦（肝）

位置　足大指外側甲角後，去甲角一分半。

主治　腹部膨脹，小腹痛，腸疝痛，便秘。遺尿，小便頻數，糖尿病，五淋；七疝，睪丸腫痛，陰囊腫，陰莖痛，縮陽。月經過多，血漏，血崩，子宮下垂，陰中痛。小兒急慢驚風，尸厥如死。喜寐。

療法 針一分，灸三壯。炷如米碎

感應 有強痛感。

功能 治腹部及前後陰病。

取法 以手握患者之趾體，針向下直刺。

附註 古書有關大敦穴之記載，均云在甲後毛叢中，此實誤人不淺，難怪扁鵲玉龍歌云。「七般疝氣取大敦，穴法由來趾側間，諸經具載二毛處，不遇師傳隔萬山。」

164 行間（肝）

位置 足大趾次趾之間合縫後，本節之前。

主治 咳逆嘔血，胸脇痛，肝氣痛，小腹腫，腸神經痛，便秘，小腸氣，七疝。遺溺，癃閉，糖尿。腰痛不可俯仰，膝腫，四肢逆冷。癲疾，善怒，太息，小兒急驚。雀目，目中淚出。瞑不欲視。月經過多，血崩，血漏。

療法 針三分，灸三壯。

感應 下行至足趾。

功能　治胸腹，前後陰，及眼疾。

取法　取足大趾次趾本節之前，押指側按，針鋒畧向前用八十度角下針。

165　太衝　（肝）　動脉

位置　足大趾次趾之間，本節後約寸半岐骨間，（亦有作二寸者）以將至岐骨之盡頭爲合。

主治　虛痨嘔血，浮腫，恐懼氣不足，嘔逆發寒，嗌乾善渴，唇腫。胸脇支滿，肝氣痛，心痛，小腹滿，腰引小腹痛。遺溺，小便淋癃，大便難，溏洩，小腸疝氣，兩丸蹇縮，七疝，陰痛。女子月水不通，或漏血不止，產後出血不止。胻痠，內踝痛，足寒。驚癇。喉痺。

療法　針五分，灸三壯。

感應　上行至足背，下行至足趾。

功能　治胸腹，前後陰及足病。

取法　足正置，取足大趾次趾本節之後，歧骨將盡處，押指側按（須避動脉），針鋒向前作八十度角下針。

166 中封（肝）

位置　足內踝之前約一寸，兩筋間，足背直上最高處，正中兩大筋中間，與踝平，與商邱相隔一大筋。

主治　胱胱加答兒，淋疾，小便難，大便難，小腹腫痛，陰縮入腹相引痛，失精。全身麻木。失精。五趾痛，蹠關節痛，行步艱難。

撩法　針三，四分，灸三壯。

感應　下達足之五趾。

功能　治麻木，足疾及前後陰病。

取法　足正置，取足部最高處，商邱之外　兩筋中間是穴，押指側按，針鋒向前作七十五度角下針。

167 膝關（肝）

位置　陰陵泉直下二寸，距脛骨約一寸之間，肌肉罅陷中。

主治　膝關節風痺，風濕痛不能屈伸。小腿內廉痛。咽喉痛。

療法　針四至六分，灸五壯。

感應　上行上膝之內側，下行於小腿內廉。

功能　專治膝關節，小腿及咽喉。

取法　腿正置，取陰陵泉下二寸，向內橫開一寸之肌肉罅，押指側按，針與穴對向平刺之。

168　曲泉（肝）

位置　在膝內廉，屈足近臀，脛骨頭與股骨頭之相接部罅陷中。（不可取橫紋頭）

主治　膝關節痛，筋攣不可屈伸，陰股痛，膕腫膝脛冷，四肢不舉。腹脇支滿，小腹腫，小腹痛。泄水，下痢膿血，尿閉。陰莖痛，陰腫，失精，陰癢，子宮下垂，血瘕。下血。衄血。

療法　針六，七分，灸三壯。

感應　由腿之內側向上行，並行於膝關節內部。

功能　治足膝，及前陰病。

取法　曲足近臀，以指頭從股骨與脛骨相合之陷處向下滑至最凹處是穴，押指側按，針與穴對向平刺之。

丙　足少陰腎經

169 湧泉（腎）

位置　足掌前部之中央，屈五趾觀陷凹處是穴，與足大趾本節後相平。

主治　尸厥面黑，肺癆，喘嗽有血。頭痛如破，腦充血，腦膜炎，衄血。心痛，善悲；善恐，惕惕然如人將捕之，心中結熱，煩心，心悸亢進。胸脇滿悶，癲癇。扁桃腺炎，喉閉，舌急，失音，暴瘖不能言。全身抽筋，霍亂抽筋，泄瀉後重，腰痛大便難，腹脹腰痛，小便不利，小腸氣痛，轉胞不得尿，男子如蠱，女子如孕，腎積奔豚。子宮痙攣，婦人無子，陰痺，子宮下垂。足脛寒痛，足冷至膝，五趾盡痛，足不履地，足掌熱。股內廉痛。黃疸，嗜臥。風疹，能降上部一切熱氣。

療法　針三，四分，灸三壯。

感應　透達足之五趾，有電感。

功能　治頭，喉，胸，腹及足疾。

取法　取足掌前部，與足大趾本節後相齊之中央，屈趾凹陷是穴，用拇指或食指側押穴，餘指抓實足之其他部份。

170 然谷（腎）

位置　內踝前下方之圓骨下，陰陽肉交界處。

主治　主瀉腎臟之熱，咽喉炎，扁桃腺炎，煩滿消渴。心痛如錐刺，心恐懼如人將捕之，小腹脹上搶胸脇，唾血。遺尿，淋瀝，白濁　糖尿病。睾丸炎，遺泄。自汗盜汗。婦人無子，子宮下垂，陰唇充血，陰癢。足跗腫，足不履地，胻痠不能久立。嬰兒臍風。

療法　針三分，灸三壯。

感應　前行約二三寸。

功能　治心，腎及足疾。

取法　將足側置，穴位向上，取內踝前圓骨之下正中是穴。用中指或拇指將足掌皮拉下，以食指平押穴，用强力，針向下直刺。

171 太谿（腎）動脉

位置 內踝後，距踝約五分，足踝骨旁與脚後大筋之中間。

主治 熱病汗不出、傷寒手足厥冷，「脉沉手足寒至節，喘息者死」。默默嗜臥，嘔吐，吃逆，痰實口中如膠，寒熱咳嗽不嗜食，咽腫，唾血。心痛如刺，腹脇痛，腰痛。便秘，子宮痛。兩足痠痛，足跟痛，足掌痛。

療法 針三至五分，灸三壯。

感應 後至足踵，前至足掌有電感。

功能 治喉，心，腰，腹，及手足疾患。

附錄 此穴凡成人有重病，此處有脉則生，無脉則死。

取法 取內踝後與足跟之中間，有筋應手者是穴。足正置押指側按，針與穴對向，作七十度角平刺。足側放刺之亦可。

172 大鐘（腎）

位置 太谿下二寸畧斜後三四分，足後大筋與足後踵骨之罅陷中、

主治　癡呆，心悸亢進。口中熱，舌乾，食道狹窄，喉中鳴，咳嗽，嘔吐。便秘。淋疾。腰脊痛。嗜臥，善驚恐不樂。子宮痙攣。

療法　針二，三分，灸三壯。

感應　下行於足蹠部。

功能　治心，口，腸，胃及前後陰。

取法　同太谿。

173 照海（腎）

位置　足內踝下四分正中，兩筋間，或大筋之前凹陷中。

主治　扁桃腺炎，咽喉乾燥，四肢倦怠，嗜臥，嘔吐，小腹痛，便秘。月經不調，倒經，子宮脫出，淫濼，陰癢，陰暴跳動，胞衣不下。卒疝。久瘧。視如見星。脚腫。附關節痛。癇夜發者灸此穴有效。

療法　針三，五分，灸三壯至七壯。

感應　透達關節內部，並向前下行。

功能 治咽喉，肚腹，婦科，癎症及足疾。

取法 足正置或橫置，穴向上，兩者均可，取內踝下正中之兩筋間陷中，此小陷作直型，有時不限於距踝若干分之距離也。押指側按，針平向直刺或向下直刺。此穴有時可針入七八分深。

174 復溜（腎）

位置 足內踝上除踝二寸，距脛骨約五六分之肌肉罅中。交信之前，相距五分。

主治 脊髓炎，腰脊引痛不可俯仰，足痿不收，脚氣，脚蹲痛。腹膜炎，水腫，腸鳴，腹痛，腹脹如鼓。盜汗、汗流不止，傷寒無汗。瘧疾。血痔。舌乾，胃熱虫動涎出。善怒多言。脉微細不見，或時無脉。（配合谷，間使。）

療法 針五至七分，灸五至七壯。

感應 經足蹲而達足大趾之內側，有輕型電感。

功能 治腰，腹，脚，汗及脉伏。

取法 取本穴須並交信同取。內踝上二寸，距脛骨後五分是復溜，再後五分是交信。又足後大筋之前旁是交信。由脛骨旁至足後大筋共分三條縱線，第一線是脛骨後旁，第三線是足後大筋前旁爲交信穴，兩者之間之中央線爲復溜穴。足正置，（不能橫置，橫置則針不中。）押指側按，刺復溜須以七十五度角向後平刺；取交信當以七十五度角向前平刺。

175 交信（腎）

位置 內踝上二寸，與復溜並立，在復溜之後，相距約五分，足踭上大筋之前旁。

主治 淋疾，尿閉，便秘，赤白痢，下腹偏痛，水腫。月經不調，月經閉止，漏血不止，子宮下垂，淫濼。內股神經痛，足踭底痛，盜汗。

療法 針三分至六分，灸三壯至五壯。

感應 直達足踭底之中央。

功能 治前後陰病，足疾及盜汗。

取法 襯復溜。

丁　足陽明胃經

176　陰市（胃）

位置　膝蓋骨之上三寸，外側角線（參血海之內側角。）

主治　腰部，大腿部，膝蓋部寒冷如水，痿痺不仁、不得屈伸；脚氣。手脚震搖（配少海同灸）。與風市同灸治脚無力。腹痛脹滿。糖尿病。子宮痛。

療法　針三至五分，灸三壯。古作禁灸不確。

感應　下行達於膝部。

功能　治腰，脚，手戰及糖尿。

取法　取膝蓋骨上方邊沿，向上量取三寸，再移至腿之外側角，（參血海之內側角說明。）是穴。曲足作九十度角正放。押指側按，針與穴對向，以七十五度角斜向下刺針。

177　膝眼（奇）

位置　膝蓋骨下兩旁陷中。

主治 膝關節發炎痛，或神經痛，鶴膝。

療法 針一寸半至二寸餘。灸七壯。

感應 繞環膝之全部，外膝眼兼能向下行至踝上部。

功能 專治膝關節疾患。

取法 取膝蓋骨下左右之兩凹陷處是穴，曲足作九十度角，正放，押指平或側按，針與穴對向作七十五度角平刺之。

178 鶴項（奇）

位置 本穴在膝蓋骨面之正中央直縫陷中。

主治 兩膝癱軟無力。

療法 本穴祇有灸法，灸七壯，炷如綠豆。

感應 向下行直至脚面。

功能 專治足膝無力。

取法 有二，曲足作九十度角，或坐床上雙足伸直。點取膝蓋骨之中央有一小罅處是穴。

179 足三里（胃）

位置 陽陵泉穴下三寸，脛骨外緣，骨旁陷中。

主治 主治腸胃諸病，胃熱，胃中寒，心腹脹滿，食慾減退，胃痙攣，消化不良，食不下，嘔吐，心悶不已，卒心痛，逆氣上攻。腸雷鳴，便秘，泄瀉，小腹堅，膨脹，脇下支滿，水腫，腹熱心煩，尿閉，遺尿，五淋，小腸氣。氣喘不能久立。頭痛，頭暈。產婦血暈，狂言，狂歌，妄笑，恐，怒大罵。目不明。傷寒熱病汗不出，口苦壯熱，口噤，喉痺不能言，乳腫，乳癰。五癆羸瘦，虛乏，胸中瘀血。腰痛，膝痛，不可俯仰。膝胻痠痛。血壓高，虛火上升。又主無所不治。常灸能令人長壽。

療法 針三至七分，灸三壯至七壯。又灸一二百壯至五百壯。

感應 上行上膝，下至脛骨之下端。

功能 主治腸胃，並治頭，心，喉，足，膝及肺癆。

取法 取脛骨外椽上頭之轉灣處，（此卽陽陵泉穴）向下量三寸，脛骨旁約二三分，按之有筋應手是穴。足正置。押指平側按針平向直刺。

180 豐隆（胃）

位置 外踝上八寸，脛骨外椽五六分，高度位置與承山相同。

主治 痰多，氣喘，肺炎。喉痺，卒瘖。胸痛如刺，腹若刀切，大小便難。頭痛，癲狂，登高而歌，棄衣而走，見鬼，好笑。怠惰。腿膝痛，痿，屈伸不便，脛枯，足不收，四肢腫。

療法 針寸半至三寸，灸三壯至七壯。

感應 下達足之五趾，上達心胸。

功能 治肺，頭，腦，足諸疾。

取法 先取得承山位置，橫過脛骨，距脛骨外椽五六分。足正置，抑指側，或平按，針平向直刺。

181 解谿（胃）

位置 在商邱邱圩之中間，中封之外側兩筋間與中封平。

主治　頭痛，癲疾。目眩，目赤，眉痛，面赤，面腫，顏黑。煩心，悲泣。霍亂，腹脹；大便下重，冷氣上衝。股，膝，胻腫，轉筋。

療法　針三，五分，灸三壯。

感應　下行至足趾。

功能　治頭，面，心，腹及足疾。

取法　足正置，平內踝取得中封穴後，再向外隔一條筋之兩筋間是穴。下針如中封。

說明　平內踝橫線，脚面最高之上，有大筋（腱）三條，三筋間有兩個穴，近內側者爲中封，近外側者爲解谿。三筋之外圍又有兩個穴，三筋之外側，外踝之前爲邱墟；三筋之內側，內踝之前爲商邱。四穴並列，如由內側向外數之，爲商邱，中封，解谿，邱墟是也，學者當淸楚認識之。

182　衝陽（胃）　動脈

位置　內庭之上約五寸，解谿之下約寸半，兩筋間之小溝中，有動脈應手處是穴。

主治　偏風口眼喎斜。齲齒痛，「久狂，登高而歌，棄衣而走」。腹堅大不嗜食。足緩履不收。身前痛。

療法　針三分，灸三壯。

感應　下達足趾。

功能　治面，齒，狂，腹及足疾。

取法　足正置，先取得解谿穴，由解谿下約寸半之兩筋間，有明顯之小溝，有動脈處是穴。

足正放，押指側按，針鋒向前作八十度角下針。

說明　凡有動脈相連之穴，必先摸得動脈之所在。如動脈生在穴旁稍遠處，可不必理會，若稍近或生正穴位之正中者，必先用押指將動脈管拉開，以指甲保護動脈，然後下針。（參列缺）。而衝陽穴之動脈特別浮現，皮膚比別處爲薄，所以更當小心。如需灸時，適動脈生正穴中，亦以不灸爲佳；若非灸不可時，須用不損皮之金屬或木器，將動脈拉開或保護之，然後施灸。凡動脈出血不止者均有危險，衝陽皮薄，若出血更難止，古人針粗，則更有甚焉也。如穿破時、以純艾一大團、敷上札緊可止。

183 內庭（胃）

位置　足次趾中趾之間，本節之前陷中、

主治　牙齒痛，胃痛，月經痛，腹脹滿，霍亂，泄瀉，水腫。口喎斜。鼻衄。咽喉痛。怕聞人聲。傷寒手足逆冷，兩足痿痲，頭皮痛。瘧疾不思食味。

療法　針二，三分，灸三壯。

感應　下行至脚趾。

功能　治肚腹，牙齒，頭，面，咽喉及足疾。

取法　取足之中趾次趾之間，本節之前二三分。押指側按，針以七十五度角，針鋒向前下針。

184 厲兌（胃）

位置　在足次趾之外側甲角後，去甲角一分餘。

主治　尸厥口噤，氣絕如死；多驚，好臥，「狂欲登高而歌，棄衣而走。」衄血，喉痺，口喎，齒痛，唇裂，「頸腫痛，下連於胸」。胸腹脹滿，水腫，面腫。熱病汗不出，寒瘧不思食。鼠蹊神經痛，膝臏，足胻寒；胻外廉及足跗上皆痛。消穀善飢。溺黃。肝臟炎。

療法　針一分，灸一壯。

感應　本穴祇有痛感。

功能　治頭，面，口，腹及足疾。

取法　足正放，以指握患者足趾，針與穴對向刺之。

185 獨陰（奇）

位置　足二趾下第二横紋之中央。與中節相對。

主治　狹心症，心痛難忍，小腸氣，子宮痙攣，胎死腹中，胎衣不下，卵巢炎，經血不調，惡阻。（配間使同灸）。

療法　本穴祇灸不針，炷如碎米粒。每灸七壯。

感應　本穴除痛感外，有感應直達心房。

功能　心病，疝病及婦人病。

取法　使患者伸足置於凳上，或坐於床上，取二趾下第二横紋中央是穴。按患者足趾下之横紋有第一條，二條，三條，之別。如一條者，不必懷疑，二條者（以近足掌者爲第一條），當灸第二條，三條者亦以灸第二條爲合。按之最痛之一條是。

戊　足太陽膀胱經

186 承扶（膀）

位置 在上腿之後面，臀下半圓圈横紋之中央，兩筋之小間是穴。

主治 腰脊相引，久痔，臀腫，大便難，小便不利。

搡法 針七分至一寸，灸三至五壯。

感應 直達足底有電感。

功能 治腰臀及痔瘡，大小便。

取法 取腿上臀下之半圈横紋中央，取兩筋中間，押指側按，針平向直刺。立而取之。

187 委中（膀）　禁灸

位置 當膝之後面，横紋之中，曲膝覺最凹處，兩小筋之中間是穴。

主治 傷寒四肢熱，熱病汗不出，「瘧從背起，先寒後熱，熇熇然汗出難巳」，頭重轉筋，腰脊背痛，腰重不能舉，中風半身不遂，髀樞痛，膝痛難伸屈，足軟無力。衄血，喉痺及咽喉諸病。虛汗，盜汗。尿閉，遺尿。大風眉髮脫落（本穴靜脉出血）一切外科皮膚瘡毒。主退全身諸熱，或因灸後發熱，針此穴可退熱。

療法　針五分至二寸，禁灸。

感應　針五分至一寸間，下行至足底之五趾，有強電感，強者腰部可有感覺，刺入至骨（約二寸之間），則達膝蓋骨之後面。

功能　主退熱。腰，脚，喉及外科。

取法　取本穴法，普通可直立取，如病人辛苦不能立者，可側臥，使足直伸取之。取膝後橫紋中之最軟處是穴。如狐疑難決，再伸直可令患者曲足作八十度角以指摸得兩條軟筋之中央，以押指甲側押於兩筋中間，針從甲旁平向直刺，便可刺中。若患者之膝不能伸直時，可曲而取之，或側臥，或坐均可，亦如前法以食指側押於兩軟筋之中間，針由甲旁刺入即可。

說明　凡經穴學之記載，必云委中穴在膝後橫紋之正中。此實誤入不淺；其實委中未必生於膝後「橫紋之正中」也，有生於偏左或偏右者，有時其足作扭紋狀者有之，不一而足，若死板於正中，常針不應也。

再者，患者之神經，未必生得端正，刺入後如刺不中時，可提針至皮下，再畧向左或右尋之，自然可得。

188 承山（膀）

位置 委中穴下八寸，膝膕窩直下，與崑崙穴之中途，下腿後方之正中。

主治 全身痙攣或局部痙攣。腰背痛，戰慄不能久立，脚氣，脚脛痠，脚跟痛，霍亂抽筋。小兒破傷風。橫痃，痔疾，便血，淋疾，便秘。癲疾。發冷。

療法 針五分至八分，灸五壯。

感應 下行於足底至足趾。

功能 治抽筋，橫痃，痔，前後陰及足疾。

取法 使患者一足直立，（以手扶枱作助力），曲一足，使趾尖到地，當全足鬆弛，然後取委中與崑崙之中途，小腿之後面正中，兩肌肉之間之人字形分叉處是穴。押指側按，針鋒向前，以七十五度角向下刺。

189 山下（奇）

位置 在承山穴下一寸兩筋間。

主治 慢性及頑痼之睾丸炎與疝病。

療法 一次過灸十壯，炷如紅豆。

感應 向下行至足跟。

功能 專治睾丸炎。

取法 與承山相同，又不能立者，可側臥或曲足取之。

190 崑崙（膀）、孕婦禁針

位置 外踝後約五分陷中，外踝旁與足後大筋之中間，按之有小筋應手者是穴。

主治 頭耳劇烈痛，眩暈，目眩痛如脫。心痛與背相接，咳喘。肩背拘急，腰脊引痛，坐骨神經痛，腳氣，足腫不能履地，膕如結、踝如裂。小兒癇症，胞衣不下，難產。

療法 針三分，灸三壯。
感應 上行二三寸，下行於外側足面足底及足蹐。
功能 治頭，目，腰，足及難產。
取法 足正放，取外踝後與足後筋之中間，摸着小筋，押指側按，針與穴對向，以七十度角平針直刺。

191 申脉（膀） 禁灸

位置 在外踝直下五分之正中，兩小筋間陷中。
主治 頭痛，眩暈。腰部及下肢痛，脛骨部痿軟不能久立，坐不能起。子宮痛，動脈硬化。癲狂。「癇症發於晝，可灸本穴三壯有效。」
療法 針三分，不宜灸。
感應 向下行，並入跗關節內。
功能 治頭，腰，足及狂，癇。
取法 足正放，取外踝下正中兩筋間是穴．五分與否，可不必拘論。押指側按，針平向直刺

192 金門 （膀）

位置 申脈之下方前五分，人字骨下凹陷中。

主治 霍亂抽筋，限局性痙攣，小兒張口搖頭身反折，暴疝。尸厥，癲癇，前頭痛。下腹部痙攣，腹膜炎。膝胻痠，身戰不能久立，脚氣。耳聾。瘧疾。

療法 針三分，灸三壯。

感應 向前行二三寸。

功能 治抽筋，並治頭，腦，腹，足諸疾。

取法 取申脈下方之骨下，前約五分之人字骨下陷中，押指側按，針平向直刺、

193 至陰 （膀） 孕婦禁灸

位置 小趾之外側甲角後，去甲角一分。

主治 「婦人橫產，符藥不效，下火立產，灸七壯」。頭痛，鼻塞。目生翳，目痛，大眥痛。煩心，胸脇痛無常處，轉筋。寒瘧汗不出。小便不利。失精。足下熱。

療法 針一分，灸一至三壯。

感應　痛感。

功能　治難產及頭，鼻，目，胸病。

取法　以手握足小趾之趾體，針與穴對向直刺。

己　足少陽胆經

194　環跳（胆）

位置　在臀部外側，股骨與盤骨之關節部。側臥曲足，股關節部即現出一個大圓骨，此圓骨之後側，與臀尖相直線之圓骨旁是穴。

主治　坐骨神經痛，腰痛牽膝不得轉側或伸縮，半身不遂。遍身風疹。環跳穴微腫痛熱而不紅，爲生附骨疽之兆。

療法　針八分至一寸二分，灸三至十壯。

感應　上達臀部，下達大腿之中部。

功能　治腰足及風疹。

取法　使患者側臥，伸下足，屈上足，摸得股關節之大圓骨，取與臀尖直線之骨旁側，貼骨下針，押指在骨旁側平按，針向下直刺。如患者不能曲足者，可摸得大圓骨如法刺之。

195　環中　（奇）

位置　在環跳穴向臀尖部移行約寸半，有大筋應手是穴。

主治　坐骨神經痛。

療法　針一寸至寸半。灸五壯。

感應　經腿直達足趾。

功能　治足部神經疾患。

取法　取環跳向臀尖對下約寸半之大筋是穴。其餘與環跳相向。

196　風市　（胆）　（本穴圖中不載）

位置　膝上外廉，大股外側之正中線兩筋中，正立以手覆腿上，中指盡處是穴。

主治　脚氣衝心，腿膝無力，腰痛，左癱右瘓，脚膝風濕疼，脚軟無力，麻木，渾身搔癢或麻痺。

療法 針五至七分，灸五壯。

感應 下達於膝部。

功能 主治一切足疾。

取法 使患者立正，兩手下垂，肩平，取中指之盡處，大腿之中央，（有時未必中央，最要注意下文之）兩筋間。押指平按，針平向直刺。如患者不能立，則使側臥或平臥，如法取之。

197 陽關（胆） 禁灸

位置 外膝眼之後約二寸，股外廉，股骨與腓骨之關節部，兩骨頭之後陷中。

主治 風痺不仁、膝關節不可屈伸，鶴膝。

療法 針一寸至寸半，禁灸。

感應 向上下腿散放。

功能 專治足膝病。

取法 曲足近臀，在兩骨頭之後最凹處是穴。押指側按，針平向直刺。

198 陽陵泉 （胆） 筋之會

位置 在膝下脛骨外廉，由下上溯至剛轉灣處小骨縫骨下陷中。

主治 半身不遂，腰痛，足筋攣，霍亂抽筋，膝不能屈伸，鶴膝，股內外廉不仁，脚冷無血色，腿膝冷痺不仁。肋間神經痛。便秘。頭面腫。胃酸過多灸五壯卽愈。

療法 針三分至六分，灸七壯。

感應 上行上膝，下行至足背。

功能 治腰，肋，腿，膝諸病。

取法 足正置，曲膝作九十度角，取脛骨外廉上方之盡頭剛轉灣之灣角處，押指甲貼骨側按，針平向直刺。

199 陽輔 （胆）

位置 外踝上四寸，兩骨之中間。（脛骨與腓骨之中間）

主治　腰痛，「腰痠寒冷，如坐水中。」膝關節炎，筋攣，膝胻痠，風痺不仁，腿膝痛引足外踝。胸脇痛。「諸節盡痛，痛無常處。」腋下腫。喉痺。汗出振寒。

療法　針七分至一寸二分，灸三壯。

感應　下行達足趾。

功能　主治腰，足諸病。

200 懸鐘（胆）　一名絶骨　髓之會

取法　足下垂正置，取外踝上四寸，兩骨之中間，押指平按，針向前平刺之。

位置　外踝上三寸，陽輔之後三分。

主治　心腹脹滿，胃中熱不嗜食，憂恚心中痰痛，喉痺，頸項強，鼻衂，鼻中乾，脚氣，中風，手足不遂，腰痛，膝胻痛，筋骨攣痛，足不收。大小便澀，腸痔，瘀血。

療法　針六分至一寸二分，灸五壯。

感應　下行於足趾及外踝。

功能　治喉，胸，胃，鼻，及足疾。

取法　同陽輔。

201　丘墟　（胆）

位置　外踝前約五分下方，筋後凹陷中。

主治　胸脇滿痛不得息，腋下腫，呼吸困難，腰腿痠痛，髀樞中痛，厥坐不能起。項腫。目生翳膜。卒疝。腓腸肌痙攣。

療法　針三至五分，灸五壯。

感應　下行於足外側至足趾。

功能　治胸脇腰足及目生翳。

取法　足正置，取外踝前，筋後最凹陷處，押指側按，針以七十五度角與穴對向刺之。

202　竅陰　（胆）

位置　第四趾外側甲角後，去甲角一分餘。

主治　胸脅欬逆不得息。頭痛心煩，喉痺舌强口乾，手足煩熱汗不出，轉筋。癰疽。肘不可擧。目卒矇。目痛，小眥痛。

療法　針一分，灸三壯。

感應　痛感。

功能　頭，目，胸，喉，足諸病。

取法　用手緊握足趾，針與穴對向刺之。

經穴學補遺

203　海泉（奇）

位置　本穴在舌下之正中，卽舌繫帶上端之處。

主治　本穴爲治療消渴之特效穴。心熱難過亦效。

療法　本穴單有針法，以粗針在舌下之正中，舌繫帶之微上，直刺之約一分深；針隨刺隨出，不稍停留，使其出血二三滴，口渴卽愈。

感應　本穴有灸等痛感。

功能　專治口渴。

取法　使患者張口，以舌夾將舌夾緊，將舌尖反向上，卽能看見舌繫帶，在舌繫帶上端微上半分刺針，針與穴對向刺之。

204　金津玉液　（奇）

位置　本穴在舌下之表層，卽舌繫帶兩旁之兩條舌下靜脈是也。在左者曰金津，在右者曰玉液。

主治　本穴爲治舌部紅碎，舌腫，口瘡，消渴及喉症之特效穴。心熱如焚亦效。

療法　在舌下兩旁之最粗靜脉，以粗針或三稜針之針鋒點破之，卽流出紫黑色之血，其病卽愈。

感應　本穴微有痛感。

功能　專治喉，舌，口腔及消渴病。

取法　使患者張口，以舌夾夾舌，將舌尖反向上，擇靜脉之最粗部份，以針鋒點破之，針隨刺隨出，切忌手重而刺破靜脈之後壁也。或用西醫之放血針刺之亦佳，出血後血自能適可而止。

205 鬼哭穴（奇）

位置 本穴在手之大拇指及足大趾中。卽兩少商及兩忍白穴。

主治 癇症當發作時，及鬼迷等症，直灸之有特效。

療法 本穴只有灸法，每灸一大壯。

感應 大痛。

功能 專治癇發及鬼迷。

取法 將兩拇指或兩大趾並縛，在兩指（趾）甲角騎縫，以大艾灸之，務使甲與肉四處着火，一處不着則不效。

變名經穴之說明

1 騎竹馬此穴卽肝俞穴，不過要患者騎於竹槓上，使人抬起離地，然後施直接灸。每灸二三十壯，治疔瘡，癰，疽，無名腫毒。

2 三角灸法　此卽大巨穴。功效與大巨相同。

3 患門　此卽心俞穴，云專治肺癆，單用灸法，每灸五至十壯，間三日一灸，終灸至三十壯。

4 四花　卽胆俞與膈俞。亦云專治虛癆羸瘦，全身衰弱之特效穴。每灸三，五，七壯，間三日一次，灸後亦當灸足三里或關元以應之云云。

說明　以上四穴，均用量度法取之，因古人用心良苦，欲使灸法普遍流傳於民間，但敎以尺寸法或數椎骨法等，甚爲困難，因而設法量之，使人簡而易取，庶能救一部份民間疾苦之意而已。又以上四穴，亦被稱爲經外奇穴。

五總穴歌

肚腹三里留　腰背委中求　頭項尋列缺　面口合谷收　還有一個穴　胸部內關謀

禁針穴歌

腦戶顖會及神庭。玉枕絡却到承靈。顱息角孫承泣穴。神道靈台膻中明。水分神闕會陰上。橫骨氣衝針莫行。箕門承筋手五里。三陽絡穴到青靈。孕婦不宜針合谷。三陰交內亦通論。石門針灸應須忌。女手終身孕不成。外有雲門並鳩尾。缺盆客主深暈生。肩井深時亦暈倒。急補三里人還平。刺中五臟胆皆死。衝陽出血投幽冥。

禁灸穴歌

啞門風府天柱擊。承光臨泣頭維平。絲竹攢竹睛明穴。素髎禾髎迎香程。顴髎下關人迎去。天牖天府到周榮。淵腋乳中鳩尾下。陽池中衝少商行。魚際經渠陽關主。隱白漏谷通陰陵。條口犢鼻與陰市。伏兎水溝申脉迎。委中般門承扶上。白環心俞同一經。

常用穴中有動脈之經穴

頭部　太陽，耳門，攢竹，絲竹空，迎香，鼻眼。
頸部　人迎，缺盆。
手部　合谷，太淵，經渠，列缺，陰郄，通里，靈道，神門，曲澤，陽谿。
足部　太谿，衝陽，太衝。
腹部　氣衝。

有痛感之經穴

手部大痛穴　少商，商陽，中衝，關衝，少衝，少澤，勞宮，少府。
　次痛穴　大陵，神門，後谿。
頭部大痛穴　水溝，睛明，素髎。
　次痛穴　迎香，攢竹，風府，海泉，金津，玉液。
足部大痛穴　隱白，大敦，厲兌，竅陰，至陰，湧泉。
　次痛穴　然谷，公孫，大都。
腹部次痛穴　曲骨，會陰。
背部次痛穴　中髎，下髎，會陽，腰俞，長强。

有電感之經穴

頭部　攢竹，睛明，陽白，頭維向上針，鼻眼。

手部　尺澤，曲澤，間使，內關（向下刺針），少海，神門，大陵，少府。

足部　承扶，委中，承山，太谿，復溜，交信，湧泉。

十四經歌

1　手太陰肺經歌

手太陰肺十一穴，中府雲門天府列，俠白尺澤孔最存，列缺經渠太淵涉，魚際少商如韮葉。

2　手陽明大腸經歌

手陽明穴起商陽，二間三間合谷藏，陽谿偏歷溫溜長，下廉上廉手三里，曲池肘髎五里近，臂臑肩髃巨骨當，天鼎扶突禾髎接，鼻旁五分號迎香。（左右共四十穴）。

3　足陽明胃經歌

四十五穴足陽明，頭維下關頰車停，承泣四白巨髎經，地倉大迎對人迎，水突氣舍連缺盆，氣戶庫房屋翳繩，膺窗乳中延乳根，不容承滿梁門起，關門太乙滑肉門，天樞外陵大巨存，水道歸來氣衝次，髀關伏兔走陰市，梁邱犢鼻足三里，上巨虛連條口位，下巨虛跳上豐隆，解谿衝陽陷谷中，內庭厲兌經穴終。（左右九十穴）

4 足太陰脾經歌

二十一穴脾中州，隱白在足大指頭，大都太白公孫盛，商邱三陰交可求，漏谷地機陰陵穴，血海箕門衝門開，府舍腹結大橫排，腹哀食竇連天谿，胸鄉周榮大包隨。

5 手少陰心經歌

九穴午時手少陰，極泉青靈少海深，靈道通里陰郄邃，神門少府少衝尋。

6 手太陽小腸經穴歌

手太陽穴一十九，少澤前谷後谿藪，腕骨陽谷養老繩，支正小海附肘外，肩貞臑俞接天宗，髎外秉風曲垣首，肩外俞連肩中俞，天窗乃與天容偶，銳骨之端上顴髎，聽宮耳前珠上走。

7 足太陽膀胱經穴歌

足太陽經六十七，睛明目內紅肉藏，攢竹眉冲與曲差，五處上半寸承光，通天絡却玉枕昂，天柱後際大筋外，大杼背部第二行，風門肺俞厥陰四，心俞督俞膈俞強，肝胆脾胃俱挨次，三焦腎氣海大腸，關元小腸到膀胱，中膂白環仔細量，自從大杼至白環，各各節外寸半長，上髎次髎中髎下，一空二空腰髁當，會陽陰尾骨外取，附分俠脊第三行，魄戶膏肓與神堂，譩譆膈關魂門九　陽綱意舍仍胃倉，肓門志室胞肓續，二十椎下秩邊場　承扶臀橫紋中央，殷門浮郄到委陽，委中合陽承筋是，承山飛陽踝附陽，崑崙僕參連申脈，金門京骨束骨忙，通谷至陰小指旁。

8 足少陰腎經穴歌

足少陰腎二十七，湧泉然谷太谿溢，大鍾水泉通照海，復溜交信築賓實，陰谷膝內附骨後，已上從足走至膝，橫骨大赫聯氣穴，四滿中注肓俞臍，商曲石關陰都密，通谷幽門寸半闢，折量腹上分十一，步廊神封陰靈圩，神藏或中俞府畢。

9 手厥陰心包絡經穴歌

九穴心包手厥陰，天池天泉曲澤深，郄門間使內關對，大陵勞宮中衝侵。

10 手少陽三焦經穴歌

二十三穴手少陽，關衝液門中渚旁，陽池外關支溝正，會宗三陽四瀆長，天井淸冷淵消濼，臑會肩髎與天髎，天窗翳風瘈脉青，顱息角孫絲竹張，禾髎耳門聽有常。

11 足少陽胆經穴歌

少陽足經瞳子髎，四十四穴行迢迢，聽會上關頷厭集，懸顱懸厘曲鬢翹，率谷天衝浮白次，竅陰完骨本神邀，陽白臨泣目窗關，正營承靈腦空搖，風池肩井淵腋部，輒筋日月京門標，帶脉五樞維道續，居髎環跳風市招，中瀆陽關陽陵穴，陽交外邱光明消，陽輔懸鐘邱墟外，足臨泣地五俠谿，第四趾端竅陰畢。

12 足厥陰肝經穴歌

一十三穴足厥陰，大敦行間太衝侵，中封蠡溝中都近，膝關曲泉陰包臨，五里陰廉羊矢穴，章門常對期門深。

13 任脉經穴歌

任脉三八起會陰，曲骨中極關元銳，石門氣海陰交仍，神闕水分下脘配，建里中上脘相連，巨闕鳩尾蔽骨下，中庭膻中慕玉堂，紫宮華蓋璇璣夜，天突結喉是廉泉，唇下宛宛承漿合。

14．督脉經穴歌

督脉中行二十七，長强腰俞陽關密，命門懸樞接脊中，筋縮至陽靈台逸，神道身柱陶道長，大椎平肩二十一，啞門風府腦戶深，强間後頂百會卒，前頂顖會上星圓，神庭素髎水溝窟，兌端開口唇中央，齦交唇內任督畢。

十二募穴

心募	巨闕	肝募	期門	脾募	章門
小腸募	關元	胆募	日月	胃募	中脘
肺募	中府	腎募	京門	心包募	天池
大腸募	天樞	膀胱募	中極	三焦募	石門

經穴學終